System-Grammatik

Latein

Herausgegeben von
Dr. Gerhard Fink und Prof. Dr. Friedrich Maier

Verfasst von Hartmut Grosser und Prof. Dr. Friedrich Maier
unter Mitwirkung von Wolfgang Matheus, Peter Petersen,
Andrea Wilhelm

Berater der Herausgeber und des Autorenteams:
Dr. Karl Bayer

C.C.Buchner | Lindauer | Oldenbourg

System-Grammatik Latein

herausgegeben von Dr. Gerhard Fink und Prof. Dr. Friedrich Maier
und bearbeitet von einem Autorenteam:
Dieter Belde, Dr. Gerhard Fink, Prof. Andreas Fritsch, Hartmut Grosser, Rudolf Hotz,
Hubertus Kudla, Prof. Dr. Friedrich Maier, Wolfgang Matheus, Peter Petersen,
Hans-Dietrich Unger, Adrea Wilhelm

Berater der Herausgeber und des Autorenteams: Dr. Karl Bayer

Das Papier ist aus chlorfrei gebleichtem Zellstoff hergestellt, ist säurefrei und
recyclingfähig.

© 1997 C.C. Buchners Verlag, Bamberg
     www.ccbuchner.de
     J. Lindauer Verlag, München
     Oldenbourg Schulbuchverlag GmbH, München, Düsseldorf, Stuttgart
     www.oldenbourg-bsv.de

1. Auflage 1997 R E

Druck 10 09 08 07 06
Die letzte Zahl bezeichnet das Jahr des Drucks. Alle Drucke dieser Auflage sind
untereinander unverändert und im Unterricht nebeneinander verwendbar.

Umschlag: Mendell & Oberer, München
Lektorat: Dr. Sibylle Tochtermann, Anne-Kathrein Schäfer
Herstellung: Johannes Schmidt-Thomé
Satz und Reproduktion: Satzstudio Blank GmbH, München
Druck: Ludwig Auer GmbH, Donauwörth

ISBN   3-7661-**5388**-9 (C. C. Buchners Verlag)
ISBN 978-3-7661-**5388**-3
ISBN   3-87488-**660**-3 (J. Lindauer Verlag)
ISBN 978-3-87488-**660**-4
ISBN   3-486-**87675**-9 (Oldenbourg Schulbuchverlag)
ISBN 978-3-637-**87675**-0 (ab 1.1.2007)

in	Itali-ā	arm-īs	fort-iter	peper-it,...
Präposition ↗ 67; 68	Substantiv ↗ 4.1; 21; 22; 23	Substantiv ↗ 4.1; 21; 22; 23	Adverb ↗ 33	Verb ↗ 4.3
unveränderliche Partikel ↗ 34	Ablativ ↗ 22; 60	Ablativ ↗ 22; 56	unveränderliche Partikel ↗ 34	3. Sg. Ind. Perf. Aktiv ↗ 7.3.1; 9
ADVERBIALE ↗ 40 Präpositionale Verbindung		ADVERBIALE ↗ 40 im Ablativ	ADVERBIALE ↗ 40 Adverb	PRÄDIKAT ↗ 37.1
				(Modus/Tempus im Hauptsatz ↗ 97; 104)
in Italien		mit Waffengewalt	tapfer	erkämpft, ...

qu-am	adamāv-erat,	relinque-nd-am	es-se	comper-isset.
Pronomen ↗ 27 Relativ-Pronomen ↗ 30	Verb ↗ 4.3	Verb ↗ 4.3	Verb ↗ 4.3 Hilfsverb ↗ 7.1.1	Verb ↗ 4.3
Akkusativ ↗ 22; 45	3. Sg. Ind. Plusq. Aktiv ↗ 7.3.1; 9	Nominalform ↗ 7.3.2; 12; 69 Gerundivum ↗ 91; 93	Nominalform ↗ 7.3.2; 12; 69 Infinitiv ↗ 7.3.2; 12	3. Sg. Konj. Plusq. Aktiv ↗ 7.3.1; 9
				PRÄDIKAT/ SUBJEKT ↗ 37.1; 38.2
	ATTRIBUT ↗ 41	,PRÄDIKAT' im AcI ↗ 74 ,Prädikatsnomen'/Copula ↗ 37.2		
OBJEKT ↗ 39 Akkusativobjekt	PRÄDIKAT/ SUBJEKT ↗ 37.1; 38.2			
				(Modus/Tempus im Gliedsatz ↗ 114; 113)
	Relativsatz ↗ 132			
in die	er sich verliebt hatte,	verlassen müsse.		↵

VORWORT

Ziel der System-Grammatik ist es, das System der lateinischen Sprache transparent zu machen. Insgesamt ist sie auf eine Einführung in das Übersetzen aus dem Lateinischen abgestellt. Sie will sich aber auch als übersichtliches und damit benutzerfreundliches Nachschlagewerk darstellen.

In ihrem *Aufbau* orientiert sie sich an den drei Hauptgebieten einer modernen Grammatik: der Lehre vom Wort, der Lehre vom Satz und der Lehre vom Text.

Die Lehre vom **Wort** konzentriert sich auf die *Formenlehre*. Dabei stehen die Baugesetze des Wortes im Vordergrund. Es wurde ein möglichst gut durchschaubares System angestrebt, das die einzelnen Wortgruppen in übersichtlichen Tabellen so vorstellt, dass der Eindruck von Stofffülle vermieden wird. Grafische Elemente wie Ordnungsschemata und Signale dienen zur Verdeutlichung und Hervorhebung. Dabei wurden die Formen der einzelnen Wörtergruppen in einem möglichst gut nachvollziehbaren System meist in Tabellenform vorgestellt. Zur raschen Orientierung und zur Vertiefung ist eine Überschau vorangestellt. Der Formenbestand ist nach einer statistischen Erhebung auf die Häufigkeit des Vorkommens bei den gängigsten Schulautoren ausgerichtet.

Die Lehre vom **Satz** gliedert sich in die Bereiche Syntax des Satzes und seiner Glieder, Semantik der Satzglieder, Nominalformen als Satzglieder, Hauptsatz und Gliedsatz. Die gesamte Darstellung orientiert sich an den *Prinzipien der funktionalen Syntax*. Dementsprechend werden alle syntaktischen Erscheinungen Schritt für Schritt systematisch entwickelt und hinsichtlich ihrer jeweiligen Funktion im Satz betrachtet. Mit Hilfe eines *grafischen Satzmodells* werden die Positionen der syntaktischen Erscheinungen veranschaulicht. Das unbedingt zu Lernende ist, soweit möglich, in Kästen gesetzt. Übersichtstabellen („Wo findet man was?") sind dem jeweiligen Stoffgebiet vorangestellt. Eine Gesamttabelle, die der Menüleiste eines PC nachgebildet ist, findet sich zu Beginn der Grammatik. Anhand eines lateinischen Satzes führt sie alle Syntactica samt ihren Fundstellen auf, sodass sich der Benutzer rasch informieren kann.

Die Auswahl und Gewichtung der Stoffe sowie die Intensität der Behandlung sind an den Ergebnissen umfassender statistischer Untersuchungen zur lateinischen Syntax ausgerichtet.

Die Lehre vom **Text** beginnt mit einem Lektürebeispiel, an dem die grundsätzlichen Bedingungen und Möglichkeiten einer satzübergreifenden Texterschließung entwickelt werden. Die hieran gewonnenen Einsichten werden sodann unter den Rubriken *Textsyntax*, *Textsemantik*, *Textpragmatik*, *Texttypik* und *Textgestaltung durch Stilmittel* dargestellt. Hieran schließt sich eine Einführung in die Formen und Versmaße der lateinischen Dichtung an.

Der **Anhang** erläutert die römischen Maße, Gewichte, Zahlungsmittel sowie den römischen Kalender und gibt eine Übersicht über die lateinische Schrift und die lateinischen Laute, auf die wie folgt verwiesen wird: z.B. ⌁ L 23.

Die System-Grammatik ist in besonderer Weise auf das Unterrichtswerk *Cursus Continuus* und seine Vorgängerwerke abgestimmt; sie kann aber auch neben jedem anderen Lateinbuch verwendet werden.
Die Verfasser

INHALTSVERZEICHNIS

Die Lehre vom Satz

Syntax des Satzes und seiner Glieder

Semantik der Satzglieder

Nominalformen als Satzglieder

Der unabhängige Satz – Hauptsatz

Der abhängige Satz – Gliedsatz

Die Lehre vom Text

Anhang

Textquellen:
S. 8: Ulrich Gößwein, Dillingen/Donau, in: Der Altsprachliche Unterricht 24 (1981), Heft 1, S. 50, Ernst-Klett-Verlag, Stuttgart

DIE LEHRE VOM WORT

1 Zur lateinischen Sprache

Sprache ist das Verständigungsmittel, durch das der Mensch Gefühle, Bedürfnisse und Wünsche ausdrückt und seine Gedanken darstellt. Von allen geistigen Errungenschaften des Menschen ist Sprache die ursprünglichste; sie ist grundlegend für seine Kulturleistungen.

Der Sprachforschung ist es gelungen, innerhalb der zahllosen Einzelsprachen miteinander verwandte Sprachgruppen zu entdecken. Das Lateinische gehört wie das Deutsche zur Gruppe der indoeuropäischen Sprachen. Daher sind beide Sprachen sowohl im Aufbau des einzelnen Wortes als auch im Aufbau der Sprache ähnlich. Gleiches gilt für die „romanischen" Sprachen, die aus der Sprache der Römer, dem Lateinischen, hervorgegangen sind, und für die englische Sprache. Sie hat zwar, wie die Grafik zeigt, ihren Ursprung im Germanischen, hat sich aber in enger Beziehung zum Lateinischen entwickelt.

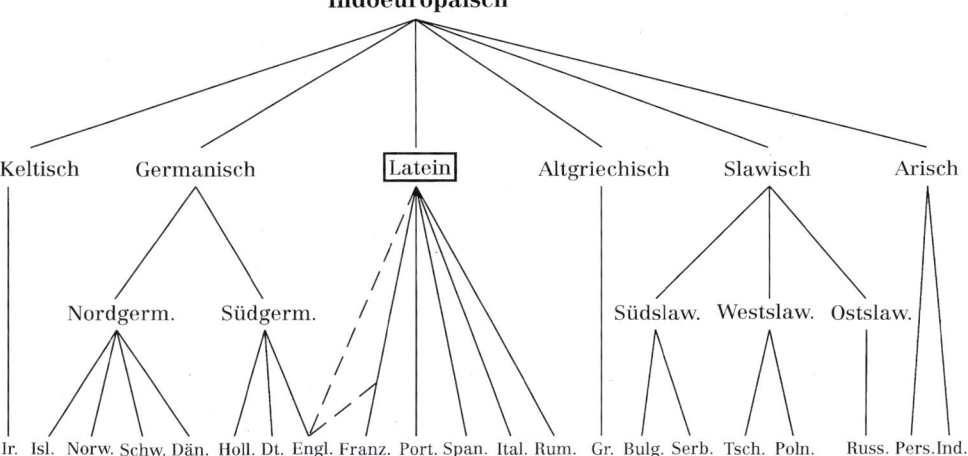

2 Das Wort

Das Wort ist Fundament jeder sprachlichen Äußerung.

1 Erscheinungsform und Funktion

1.1 Wörter werden in ihrer Form in der Regel durch Elemente am Wortende bestimmt (↗ 5.1/2: Formenlehre – Morphologie[1]).

1.2 Wörter gehen entsprechend ihrer jeweiligen Form nach bestimmten Gesetzen Beziehungen zueinander ein; dabei erfüllen die einzelnen Wortarten unterschiedliche Aufgaben (Satzlehre – Syntax[2]; Satzgliedfunktion, syntaktische Funktion).

---

[1]) griech. morphé: Form, Gestalt
[2]) griech. sýn-taxis: Zuordnung

1.3 Wörter haben einen Bedeutungsgehalt, der primär in ihrem Bedeutungsteil (↗ 3.2.1: Wurzel) angelegt ist und durch den Kontext bestimmt wird (Bedeutungslehre – Semantik[1]; Bedeutungsrichtung – semantische Funktion).

1.4 Wörter lassen sich nach Wortarten unterscheiden (↗ 3.1) und sind in ihrer Erscheinungsform entweder unveränderlich oder veränderbar.

1.5 Die genaue Analyse nach Wortart und Wortform ist Vorbedingung für das Erfassen von Wörtern in ihrer semantischen und syntaktischen Funktion. Dies wiederum ermöglicht es erst, sprachliche Äußerungen zu verstehen.

2 Schreibweise, Aussprache, Betonung
Die Regeln der Schreibweise, Aussprache und Betonung sind in dem Kapitel „Lateinische Schrift und Laute" (↗ L 8 ff.) dargestellt.

---

[1]) griech. semaínein: bezeichnen, bedeuten

3 Wortarten und Wortbildung

1 Wortarten

Hauptgruppe	Wortart		Beispiel
I Veränderbare Wörter 1. VERBEN (konjugierbare Wörter)	Verb Copula	*(Zeit-/Tätigkeitswort)* *(Hilfszeitwort)*	iubēre (befehlen) esse (sein), fierī (werden)
2. NOMINA (deklinierbare Wörter) (teilweise deklinierbare Wörter)	Substantiv Adjektiv Pronomen Numerale	*(Haupt-/Namenwort)* *(Eigenschaftswort)* *(Fürwort)* *(Zahlwort)*	lūdus, -ī (Spiel) bonus, -a, -um (gut) nōs (wir) noster (unser) trēs (drei)
II Unveränderliche Wörter PARTIKELN (weder konjugierbare noch deklinierbare Wörter)	Adverb Präposition Konjunktion Interjektion	*(Umstandswort)* *(Verhältniswort)* *(Bindewort:* *beiordnend* *unterordnend)* *(Ausrufewort)*	hodiē (heute) inter (zwischen) aut (oder) ut (dass) ecce (schau!)

Im Lateinischen gibt es weder einen bestimmten noch einen unbestimmten **Artikel**. So kann je nach Kontext (Textzusammenhang) Māter rīdet übersetzt werden mit: Die Mutter lacht. / Eine Mutter lacht. / Mutter lacht.

2 Wortbildung

2.1 Wortwurzel – Wortfamilie

Wörtern liegen in der Regel Wortwurzeln zugrunde. Diese Wortwurzeln sind die gemeinsamen Bestandteile von Wörtern einer Wortfamilie. Als solche sind sie aber nicht immer erkennbar, wenn sie in ihrem Lautbestand verändert sind (z.B. iūs-, iūr-; plē-, plū-). Nur in wenigen Fällen sind diese Wurzeln als eigenständige Grundwörter erhalten geblieben: **Wurzelwörter** (z.B. iūs).

Wurzelwort:	iūs	das Recht	Wurzel:	plē-		
	iūs-tus	gerecht		plē-nus	voll	*Wortfamilie*
	iūr-āre	schwören		ex-plē-re	aus-füllen	
	iūs-t-itia	Gerechtigkeit		plē-rumque	meistens	
	in-iūr-ia	Unrecht		plē-bs	Volk	
	con-iūr-ātiō	Verschwörung		plū-rimī	die meisten	

2.2 Ableitung und Zusammensetzung

Neben den Wurzelwörtern gibt es überwiegend abgeleitete und zusammengesetzte Wörter.

Abgeleitete Wörter entstehen dadurch, dass Wortwurzeln durch Wortbildungselemente erweitert werden:

Wortbildungselemente	Wurzel	Wörter
Infix[1]: innerhalb der Wurzel	vic-	vi-n-c-ere
Suffix[1] (⟋ 4): hinter der Wurzel	vic- iūs-	vic-t-or iūs-t-itia

---

[1]) fīgere: (an)heften

Zusammengesetzte Wörter entstehen z.B. durch:

Erstarrung des ersten Wortes	aedi-ficium parti-ceps	Bau-werk teil-habend
Zusammenrückung selbstständiger Wörter	ūnus-quis-que quis-quam	jeder einzelne irgendjemand
Wiederholung desselben Wortes	quis-quis quam-quam	wer auch immer obwohl
Zusammensetzung mit einer Vorsilbe (Präfix[1])	prae-esse ne-scīre	an der Spitze stehen nicht wissen

2.3 Wortstock – Wortstamm

Wurzelwörter, abgeleitete und zusammengesetzte Wörter behalten, auch wenn sie flektiert (d.h. in ihrer Form verändert) werden, einen festen Bestandteil, den **Wortstock**. Dieser Wortstock umfasst die Wortwurzel und auch Präfixe, Infixe und Suffixe.

Wortstock			Ausgang
Präfix	Wurzel	Suffixe	
im- (der) Un-	-mort- -sterb-	-āli- tāt- -lich-keit	(-is)

Der Wortstock von Verben und Nomina zeigt wie die Wortwurzel, mit der er häufig zusammenfällt, lautliche Veränderungen. Diese Veränderungen können Vokale und Konsonanten betreffen und sind durch feste Lautregeln beschreibbar (↗ L16–L28).

Beispiele:
plēnus – plūres; pater – patris; iūstus – iūrāre; regō – rēxī (< *reg-s-ī*).

Bei vielen Verben und Nomina tritt an den Wortstock ein **Kennvokal**. Durch diesen Kennvokal wird das einzelne Wort einer bestimmten Gruppe von Verben (Konjugationsklasse) bzw. von Nomina (Deklinationsklasse) zugewiesen.
Wortstock und Kennvokal ergeben zusammen den Wortstamm[2].

Wortstamm		Konjugationsklasse	Wortstamm		Deklinationsklasse
voc- mon- ven- cap-	ā- ē- ī- ĭ-	ā- ē- ī- } Vokalische ĭ- } Konjugationen	amīc- domin- turr- ūs- di-	a- o- ī- u- ē-	ā- o- } Vokalische ī- } Deklinationen u- ē-
dīc-		Konsonantische Konjugation	cōnsul-		Konsonantische Deklination
Wort- stock	Kenn- vokal		Wort- stock	Kenn- vokal	
VERB			**NOMEN**		

---

[1]) Als Präfix bezeichnet man einen eng an den Wortstamm gebundenen Wortteil, der diesem vorangeht und nicht allein gebraucht werden kann. Vgl. im Deutschen: be-, ge-, ver-.

[2]) Wortstock und Wortstamm sind in der Konsonantischen Konjugation (↗ 8.1) und in der Konsonantischen Deklination identisch.

4 Semantik der Wortarten

1 Substantive und ihre Bedeutung

1.1 Substantive bezeichnen

– Lebewesen und konkrete Gegenstände, sowohl als einzelne (z.B. equus; saxum) als auch zusammengefasst nach Gattungen (z.B. homō; mōns) oder Gruppen (z.B. exercitus; cīvitās),

– vom Denken fassbare, abstrakte Begriffe; diese bezeichnen Gefühle (z.B. odium), Verhaltensweisen (z.B. moderātiō), Eigenschaften (z.B. pulchritūdō) oder Vorgänge (z.B. proelium) und Zustände (z.B. morbus).
Substantive können nach Kasus (Nominativ, Genitiv, Dativ, Akkusativ, Vokativ, Ablativ) und Numerus (Singular, Plural) flektiert werden (↗5 .1; 21.1/2).

1.2 Sehr viele Substantive sind mit Hilfe von Suffixen (↗ 3.2.2) von Verbal- oder Nominalstämmen (‚Grundwörtern') abgeleitet.

Diese Suffixe treten
– bei Ableitung aus Verbalstämmen (↗ 8.1) an den Wortstock (↗ 3.2.3), den PPP-Stock (↗ 8.1) oder den Präsens-Stamm (↗ 8.1),
– bei Ableitung aus Nominalstämmen (↗ 3.2.1) in der Regel an den Wortstock.

a) Von Verbalstämmen abgeleitete Substantive können bezeichnen
– handelnde Personen:

scrīpt-**or**	(PPP-Stock: scrīpt-)	Schriftsteller
auct-**or**	(PPP-Stock: auct-)	Urheber, Begründer

– Tätigkeit/Ergebnis:

cōgitāt-**iō**	(PPP-Stock: cōgitāt-)	Denken, Gedanke
quaest-**iō**	(PPP-Stock: quaes(i)t-)	Befragung, Frage
dictāt-**ūra**	(PPP-Stock: dictāt-)	Tätigkeit des Diktators, Diktatur
quaest-**ūra**	(PPP-Stock: quaes(i)t-)	Amt des Untersuchungsrichters
stud-**ium**	(Wortstock: stud-)	Bemühung
gaud-**ium**	(Wortstock: gaud-)	Freude

– Vorgang und Ergebnis/Zustand:

ag-**men**	(Präsens-Stamm: ag-)	Zug, Schar
certā-**men**	(Präsens-Stamm: certā-)	Wettkampf, Streit
am-**or**	(Wortstock: am-)	Liebe
tim-**or**	(Wortstock: tim-)	Furcht

– Mittel/Ergebnis:

argū-**mentum**	(Präsens-Stamm: argu-)	Beweismittel, Beweis
impedī-**mentum**	(Präsens-Stamm: impedī-)	Hindernis

– Mittel/Ort:

ōrā-**culum**	(Präsens-Stamm: ōrā-)	Götterspruch, Orakelstätte
sta-**bulum**	(Präsens-Stamm: stā-)	Standplatz, Stall

b) Von Nominalstämmen (↗ 3.2.1) abgeleitete Substantive haben in der Regel eine Personbezeichnung als Grundwort.
Die Suffixe treten jeweils an den Wortstock bzw. Wortstamm (↗ 3.2.3). Sie bezeichnen
– Zustand/Altersstufe:

amīc-**itia**	(amīc-)	Freundschaft

puer-**itia**	(puer)	Kindheit, Knabenalter
senec-**tūs**	(senex < *senec-s)	hohes Alter
auctōr-**itās**	(auctor)	Ansehen, Einfluss

– Tätigkeit/Ort:

| custōd-**ia** | (custōs, custōd-) | Bewachung, Haft, Gefängnis |
| iūdic-**ium** | (iūdex, iūdic-) | Urteil, Gericht |

– Zustand/Amt:

| cōnsul-**ātus** | (cōnsul) | Konsulat, Amt des Konsuls |
| magistr-**ātus** | (magister, magistr-) | Würde des Beamten, Amt |

– Verkleinerung:

| rēg-**ulus** | (rēx < *reg-s) | Kleinkönig |
| adulēscent-**ulus** | (adulēscēns, adulēscent-) | ganz junger Mann |

c) Substantive, die von Adjektiven (↗ 4.2) abgeleitet sind, kommen häufig vor. Die Suffixe treten jeweils an den Wortstock.
Die Bedeutung des Adjektivs bleibt im Substantiv erhalten:

– Eigenschaft:

sapient-**ia**	(sapiēns, sapient-)	Weisheit
laet-**itia**	(laet-)	Fröhlichkeit
audāc-**ia**	(audāx, audāc-)	Kühnheit
dīgn-**itās**	(dīgn-)	Würde
līber-**tās**	(līber)	Freiheit
long-**itūdō**	(long-)	Länge
pulchr-**itūdō**	(pulcher, pulchr-)	Schönheit

2 Adjektive und ihre Bedeutung

2.1 Adjektive charakterisieren Lebewesen, Dinge und Vorstellungen, und zwar in Hinblick auf Merkmale, Eigenschaften, Beschaffenheit und Zustand. Adjektive können nach Kasus (Nominativ, Genitiv, Dativ, Akkusativ, Ablativ), Numerus (Singular, Plural) und Genus (Maskulinum, Femininum, Neutrum) flektiert werden (↗ 5.1; 21.2; 23.3).

2.2 Adjektive können wie Substantive mit Hilfe von Suffixen von Verbal- oder Nominalstämmen (‚Grundwörtern') abgeleitet sein.
Die Suffixe treten meist an den Wortstock, manchmal auch an den Präsens-Stamm eines Verbs.

a) Von Verbalstämmen abgeleitete Adjektive können bezeichnen
– Möglichkeit:

| fac-**ilis** | (Wortstock: fac-) | leicht (zu tun) |
| mīrā-**bilis** | (Präsens-Stamm: mīrā-) | zu bewundern, bewundernswert |

– Andauer/Zustand:

cōnstā-**ns**[1]	(Präsens-Stamm: cōnstā-)	standhaft
prūdē-**ns**[1]	(Präsens-Stamm: prō-vidē-)	klug, umsichtig
lūc-**idus**	(Wortstock: lūc-)	hell, klar
tim-**idus**	(Wortstock: tim-)	ängstlich

---

[1]) vgl. Part. Präs. Aktiv

– Ergebnis:

ērudī-**tus**[1]	(Präsens-Stamm: ērudī-)	gebildet
rēc-**tus**	(Präsens-Stamm: reg-)	richtig, gerade
adver-**sus**	(Präsens-Stamm: vert-)	entgegengesetzt, widrig
fal-**sus**	(Präsens-Stamm: fall-)	falsch

b) Von Substantiven abgeleitete Adjektive zeigen zwar eine Vielzahl von Suffixen, sind aber im Wesentlichen auf folgende Bedeutungsbereiche beschränkt:

– Zugehörigkeit nach Art und Beschaffenheit:

aur-**eus**	golden	rēg-**ius**	königlich
fid-**ēlis**	treu, zuverlässig	serv-**īlis**	sklavisch
cōnsul-**āris**[2]	zum Konsul gehörig	volunt-**ārius**	freiwillig
mont-**ānus**	auf Bergen befindlich	terr-**ēnus**	aus Erde, irdisch
vīc-**īnus**	benachbart		

– Fülle:

perīcul-**ōsus**	gefahrvoll, gefährlich	modes-**tus**	maßvoll, bescheiden
studi-**ōsus**	voll Eifer, eifrig	rōbus-**tus**	kraftvoll, stark

3 Verben und ihre Bedeutung

3.1 Verben bezeichnen Tätigkeiten, Vorgänge und Zustände.
Verben können nach Person, Numerus, Tempus, Modus und Genus verbi flektiert werden (↗ 5.1; 7.3.1).

3.2 Verben können wie Substantive und Adjektive von Verbal- oder Nominalstämmen abgeleitet sein.
Je nach Suffix wird die im Grundwort genannte Tätigkeit verdeutlicht.

a) Von Verbalstämmen abgeleitete Verben können bezeichnen
– Beginn einer Tätigkeit/eines Vorgangs:

exārdē-**sc-ere**	(ārdē-)	entbrennen
perhorrē-**sc-ere**	(horrē-)	erschaudern

– Wiederholung oder Verstärkung einer Tätigkeit:

capt-**āre**	(capere, capt-)	jagen nach, fangen
puls-**āre**	(pellere, puls-)	schlagen, stoßen, misshandeln
dict-**itāre**	(dīcere, dict-)	immer wieder behaupten
vent-**itāre**	(venīre, vent-)	häufig kommen

b) Von Substantiven abgeleitete Verben können bezeichnen
– von Berufsnamen abgeleitete Tätigkeiten:

iūdic-**āre**	(iūdex, iūdic-)	urteilen, richten
custōd-**īre**	(custōs, custōd-)	wachen

– von Gegenständen/Maßnahmen geprägte Tätigkeiten:

dōn-**āre**	(dōnum, dōn-)	schenken
pūn-**īre**	(poena, poen-[3])	bestrafen

---

[1] vgl. Part. Perf. Passiv
[2] cōnsulāris < cōnsul-ālis (↗ L 25: Dissimilation)
[3] pūnīre < poenīre   zu poena: Bußgeld

c) Von Adjektiven abgeleitete Verben bezeichnen die im Grundwort genannte Eigenschaft als Ziel der Handlung:

| aequ-**āre** | (aequ-) | gleichmachen |
| nūd-**āre** | (nūd-) | entblößen |

5 Flexion der Wortarten

1 Sowohl Verben als auch Nomina können in ihrer Form verändert werden. Diese Veränderung nennt man **Flexion**[1].
Die Flexion der Verben nennt man **Konjugation**[2],
die Flexion der Nomina **Deklination**[3].
Flektierte Formen bestehen aus einem **unveränderlichen Teil** und aus einem **veränderlichen Teil**; in der Regel gilt:

	unveränderlich	veränderlich
Verben	Wortstamm	Endung
Nomina	Wortstock	Ausgang

2 Bei der Flexion von Verben und Nomina können folgende **Bildungselemente** unterschieden werden:

2.1 Verb (↗ 7–20)

Wortstamm[4]		Endung				
Wort-stock	Kenn-vokal	Erweiterungs-vokal	Tempus-Zeichen	Modus-Zeichen	Binde-vokal[5]	Person-Zeichen/ Genus verbi
voc	ā					mus
aud	ī					s
dīc					i	tis
s					u	nt
mon	ē		ba			ntur
fer		ē	bā			mur
er			ā			s
mon	ē		b		e	ris
aud	i		ē			tur
dīc			e			t
aud	i			a		t
s				i		t
es				sē		s
voc	ā			rē		minī

---

[1]) flexiō < flectere: biegen, beugen
[2]) con-iungere: verbinden (Hier ist die ‚Verbindung' von Elementen einer Wortform gemeint.)
[3]) dē-clīnāre: ab-biegen, beugen
[4]) ↗ 3.2.3
[5]) Bindevokale werden auch als Hilfsvokale (↗ L 20.1) bezeichnet.

2.2 Nomen (⬈ 21–33)

Wortstamm			Binde-vokal	Kasus-Zeichen[1]
		Kennvokal		
amīc-	–	-a-	–	-m
ūs-	–	-u-	–	-s
vic-	-tōr-	–	-e-	-m
patr-	–	–	-e-	-m
vic-	-tōr-i-	-ā-	–	-rum
	Suffix		Ausgang	
Wortstock				

6 Die Wortarten in ihrer syntaktischen und semantischen Funktion

1 Im Satz übernehmen die einzelnen Wortarten Aufgaben auf zwei Ebenen, auf der **syntaktischen**[2] und auf der **semantischen**[3] Ebene.

1.1 Syntaktische Funktion

In ihren jeweiligen Formen füllen sie die Position von **Satzgliedern** und **Satzgliedteilen**: **syntaktische**[2] **Funktion**.
Nicht jede Wortart kann jede Funktion im Satz übernehmen.
Genaueres hierzu ist in der ‚Syntax des Satzes und seiner Glieder‘ (⬈ 35 f.) aufgeführt.

1.2 Semantische Funktion

Die **Bedeutung** eines Wortes ist in seinem Bedeutungsteil (Wortwurzel ⬈ 3.2.1; Wortstock, Wortstamm: ⬈ 3.2.3) angelegt. Hinzutretende Signalteile (Ausgänge, Endungen: ⬈ 5.2) zeigen die Zugehörigkeit eines Wortes zu einer bestimmten Wortart mit entsprechender Bedeutung an (z.B. iūs, iūstus, iūrāre).
Der bedeutungstragende Bestandteil enthält häufig mehrere Aspekte einer Bedeutung (*mögliche Bedeutungsrichtungen*). Erst dadurch, dass die einzelnen Wortarten in ihrer jeweiligen Form im Satz wechselseitige Beziehungen eingehen, erhalten sie im Kontext dieses Satzes/Textes ihre zutreffende Bedeutung (*aktuelle Bedeutung*): **semantische**[3] **Funktion**.

z.B.	urbem Rōmam.	**Wir eilen in** die Stadt Rom / **nach** Rom.
	amīcōs.	**Wir wenden uns an** Freunde.
	fugam.	**Wir ergreifen** die Flucht.
Petimus	pecūniam.	**Wir klagen** eine Geldsumme **ein.**
	pācem.	**Wir bitten** um Frieden.
	magistrātum.	**Wir bewerben uns** um ein Amt.
	hostēs.	**Wir greifen** die Feinde **an.**

---

[1]) Das Kasus-Zeichen wird häufig auch als Endung bezeichnet.
[2]) griech. sýn-taxis: Zusammen-stellung, Zu-ordnung
[3]) griech. semaínein: bezeichnen, bedeuten

VERB

7　Verb: Bedeutung – Erscheinungsform – Funktionen

1　Bedeutung

1.1 Der Bedeutung nach lassen sich drei Gruppen von Verben unterscheiden.
Vollverben: Sie haben eine eigenständige Bedeutung (↗ 4.3), z.B.
Gaudēmus. Wir freuen uns.　　　Tacē! Schweig!
Modalverben: Sie modifizieren in Verbindung mit dem Infinitiv eines anderen Verbs dessen Inhalt, z.B. iūrāre **possum / dēbeō / volō**. Ich kann / muss / will schwören.
Hilfsverben: Sie bedürfen der Ergänzung durch mindestens ein anderes Wort; erst diese Verbindung ergibt eine sinnvolle Aussage, z.B.

Cicerō ā cīvibus laudātus **est**.	Cicero ist von den Bürgern anerkannt.
Māgnā enim prūdentiā **est**.	Er ist nämlich (von großer Umsicht) sehr umsichtig.
Itaque cōnsul **fit**.	Deshalb wird er Konsul.

1.2 **Ein Vollverb** (Tätigkeitswort/Zeitwort) bezeichnet

– eine **Tätigkeit**	z.B. lūdere	spielen
– einen **Vorgang**	z.B. crēscere	wachsen
– einen **Zustand**	z.B. stāre	stehen

1.3 Von der Bedeutung eines Verbs hängt seine Fähigkeit ab andere Satzglieder an sich zu binden (**Valenz** oder Wertigkeit: ↗ 7.3.1).

2　Erscheinungsformen von Verben

Verben können – ihrer Erscheinungsform und ihren Stammformen (↗ 14–20) nach – in folgende Gruppen eingeteilt werden:

2.1　Simplex-Kompositum
Aus einem einfachen Verb (Verbum simplex[1]) kann durch Hinzutreten eines Präfixes (↗ 3.2.2) ein zusammengesetztes Verb (Verbum compositum[2]) entstehen (↗ 13).

2.2　Deponens und Semideponens
Als Deponens[3] wird ein Verb bezeichnet, das passive Formen bei aktiver Bedeutung hat (↗ 15/16). Als Semideponens[4] wird ein Verb bezeichnet, das nur zum Teil – entweder im Präsens-Stamm oder im Perfekt-Stamm – passive Formen bei aktiver Bedeutung hat (↗ 17).

2.3　Unvollständige Verben
Einigen Verben fehlt ein Teil ihrer Stammformen: Verba defectiva[5] oder Verba anomala[6] (↗ 19).

3　Formen des Verbs und ihre Funktionen

Es gibt **finite**[7] (bestimmte) und **infinite**[7] (unbestimmte) Verbformen.

---

[1]) simplex, simplicis: einfach
[2]) com-positum: zusammen-gesetzt
[3]) dē-pōnere: ab-legen; ein Deponens hat sozusagen seine aktiven Formen ‚abgelegt‘.
[4]) semi-: halb
[5]) dē-ficere: fehlen
[6]) griech. an-ómalos: un-eben
[7]) fīnīre: bestimmen: fīnītum – bestimmt; īn-fīnītum – un-bestimmt

3.1 Finite Verbformen

Eine Verbform (z.B. rīdēre lachen) kann nach fünf Gesichtspunkten (Bestimmungsstücken) bestimmt sein:

– **Person:** 1. Person (sprechend)/
2. Person (angesprochen)/
3. Person (besprochene Person oder Sache)

– **Numerus:** Singular/Plural (Einzahl/Mehrzahl)

– **Tempus:** sechs Tempora (↗ 102–107) auf den drei Zeitstufen
Gegenwart, Vergangenheit, Zukunft

– **Genus verbi**[1]: Art und Weise, wie eine Person oder Sache an einem Geschehen beteiligt ist, als selbsttätig die Handlung vollziehend (Aktiv: Tatform) oder als erleidend von ihr betroffen (Passiv: Leideform)

– **Modus:** Indikativ/Konjunktiv/Imperativ (Wirklichkeitsform/Möglichkeitsform/Befehlsform): Wirklichkeitsgrad des Geschehens (↗ 96–101)

Im Satz füllen finite Verbformen die Position des **Prädikats** (↗ 35.2.1). In Abhängigkeit vom Prädikat stehen ergänzende Satzglieder. Je nach der Fähigkeit des Prädikatsverbs andere Satzglieder an sich zu binden (**Valenz: Wertigkeit**) lassen sich unterscheiden:

– **einwertige Verben** (Prädikat → Subjekt):
Puer lūdit   Der Junge spielt.

– **zweiwertige Verben** (Prädikat → Subjekt → Akk.-Objekt):
Pater puerum vocat.   Der Vater ruft den Jungen.

– **dreiwertige Verben** (Prädikat → Subjekt → Akk.-Objekt → Dat.-Objekt)
Pater puerō librum dat.   Der Vater gibt dem Jungen ein Buch.

Verben, die ein Akkusativ-Objekt an sich binden, bezeichnet man als **transitiv**[2], alle anderen als **intransitiv**.

3.2 Infinite Verbformen

Als infinit gelten im Lateinischen fünf Verbformen, bei denen zwei Bestimmungsstücke fehlen: Person und Modus.
Diese Verbformen bezeichnet man auch als **Nominalformen** des Verbs (↗ 12), weil sie **wie Substantive** (Infinitiv, Gerundium, Supinum) oder **wie Adjektive** (Gerundivum, Partizip) dekliniert werden und im Satz die gleichen syntaktischen Funktionen übernehmen können wie diese Wortarten (↗ 69). Dabei kann nicht jede infinite Verbform jede syntaktische Funktion übernehmen.

Infinitiv (Grund-/Nennform)	Gerundium	Supinum	Gerundivum	Partizip (Mittelwort)
↗ 70–79	↗ 90	↗ 94	↗ 91–93	↗ 80–88
Aktiv/Passiv	Aktiv	Aktiv	Passiv	Aktiv/Passiv
substantivisch			adjektivisch	

---

[1]) Das Genus verbi wird auch als **Diathese** bezeichnet (griech. diáthesis: Art des Vollzugs/Geschehens (↗ 139.4)).
[2]) trāns-īre: hinüber-gehen; *übertragen:* auf ein Objekt hinüber-/verweisen

8 Stämme des Verbs: Formen der Stämme – Bildungsweisen

1 Formen der Stämme

Bei einem Verb unterscheidet man grundsätzlich drei Stämme (Verbalstämme):

– Präsens-Stamm (Aktiv/Passiv)
– Perfekt-Aktiv-Stamm
– Partizip-Perfekt-Passiv-Stamm

Die Form des Präsens-Stammes entspricht der des Wortstocks bzw. des Wortstammes (↗ 3.2.3). Von diesen festen Bestandteilen oder von der Wortwurzel (↗ 3.2.1) sind die übrigen Verbalstämme abgeleitet.
Die drei Verbalstämme bilden die Grundlage für unterschiedliche Gruppen von finiten und infiniten Verbformen.

Finite Verbformen			Infinite/nominale Verbformen		
Tempus	Aktiv	Passiv	Form	Aktiv	Passiv
Präsens-Stamm					
Präsens (Gegenwart)	vocā-s	vocā-ris	Infinitiv Partizip	vocā-re monē-ns	vocā-rī
Imperfekt (Vergangenheit)	monē-bam	monē-bar			
Futur I (Zukunft)	dūc-ētis	dūc-ēminī	Infinitiv Partizip	duc-tūrum, -am, -um esse duc-tūrus, -a, -um	ductum īrī
			Gerundium	voca-ndī	
			Gerundivum		mone-ndus, -a, -um
			Supinum	duc-tum	
Perfekt-Aktiv-Stamm					
Perfekt (vollendete Gegenwart)	vocāv-ī	–	Infinitiv	vocāv-isse	
Plusquamperfekt (vollendete Vergangenheit)	monu-erās	–			
Futur II (vollendete Zukunft)	dūx-erit	–			
Partizip-Perfekt-Passiv-Stamm					
Perfekt (vollendete Gegenwart)	–	vocātī, -ae, (-a) sumus	Infinitiv Partizip[1]	– –	vocātum, -am, -um esse duc-tus, -a, -um
Plusquamperfekt (vollendete Vergangenheit)	–	monitī, -ae, (-a) erātis			
Futur II (vollendete Zukunft)	–	ductī, -ae, -a erunt			

---

[1]) Das Partizip Perfekt Passiv gehört von seiner Bildung her zu den infiniten Verbformen, die vom Präsens-Stamm gebildet werden. Da das PPP aber für das Passiv der vollendeten Tempora gleichsam zu einem Partizipialstamm wird, der mit den Formen der Copula ESSE zusammentritt, ist es unter dem Partizip-Perfekt-Passiv-Stamm eingeordnet worden.

2 Bildungsweisen

2.1 Präsens-Stamm – Konjugationsklassen

Der Präsens-Stamm kann auf einen Vokal (↗ 3.2.3 Kennvokal) oder auf einen Konsonanten auslauten.

Nach diesen Kennlauten werden fünf Konjugationsklassen unterschieden:

Infinitiv Präsens	Präsens-Stamm	Kennlaut	Bezeichnung	
vocā-re	vocā-	-ā-	ā-Konjugation	Langvokalische Konjugationen
monē-re	monē-	-ē-	ē-Konjugation	
vincī-re	vincī-	-ī-	ī-Konjugation	
cápĕ-re	capĭ-	-ĭ-	ĭ-Konjugation	Kurzvokalische Konjugation
péll-ĕ-re	pell-	Konsonant	Konsonantische Konjugation	

In der Konsonantischen Konjugation erfolgt im Präsens-Stamm häufig eine Erweiterung der Wortwurzel. Diese ist zumeist im Vergleich mit dem Perfekt-Aktiv-Stamm zu erkennen.

Präsens-Stamm	Wortwurzel	Erweiterung durch
fu-*n*-d- ru-*m*-p-	fūd-(ĭ) rūp-(ĭ)	-n-Infix -m-Infix
(co) gnō-*sc*- crē-*sc*-	(co) gnō-(v-ī) crē-(v-ī)	-sc-Infix
gi-gn-	gen-(u-ī)	Präsensreduplikation[1] (erster Konsonant des Wortstocks und Vokal -i-)

2.2 Perfekt-Aktiv-Stamm

Unabhängig von den Konjugationsklassen gibt es sechs verschiedene Perfekt-Aktiv-Stämme.

Nach der Bildungsweise lassen sich vier Gruppen unterscheiden:

a) Bildung mit eigenem **Perfekt-Aktiv-Zeichen** (-**v**-, -**u**-, -**s**-), das in der Regel an die Wortwurzel oder den Wortstock angehängt ist:

-**v**- tritt in den langvokalischen Konjugationen an den Präsens-Stamm. In der Konsonantischen Konjugation kann der Erweiterungsvokal -**i**- vor -**v**- treten (z.B. pet-ī-v-ī).

-**s**- geht mit dem jeweils auslautenden Konsonanten des Wortstocks unterschiedliche Verbindungen (↗ L 27) ein (z.B. rēxī < rēg-s-ī).

b) **Dehnung** des Stammvokals:

Dabei tritt häufig Ablaut (↗ L 16) ein (z.B. ēg-ī < ăg-ō).

c) **Reduplikation**[1]:

Aus dem konsonantischen Anlaut des Wortstocks und -**e**- wird eine Silbe gebildet, die dem Wortstock vorangestellt wird (z.B. **pe**-pend-ī).

Dabei gelten anlautendes **st**- und **sp**- als ein Laut, das -**e**- wird häufig dem Stammvokal angeglichen (z.B. **spo**-pond-ī, cu-curr-ī).

d) **Übernahme** des unveränderten **Präsens-Stammes**:

Diese Bildungsweise begegnet nur in der Konsonantischen Konjugation.

---

[1]) reduplicātiō, -ōnis: Verdopplung „nach rückwärts". Komposita verlieren in der Regel die Reduplikation, z.B. spondēre: spo-pondī – re-spondēre: re-spondī; cádere: cé-cidī – oc-cídere: óc-cidī.

Übersicht:

Konjugationsklasse	Perfekt-Aktiv-Stamm	Bildung	Präsens-Stamm	Wortstock
ā- ē- ī- ĭ- Konsonantische	vocāv- flēv- audīv- cupīv- petīv-	mit -v-	vocā-(re) flē-(re) audī-(re) cupi-/cupe-(re) pet-(e-re)	voc- fl- aud- cup- pet-
ā- ē- ī- ĭ- Konsonantische	sonu- monu- aperu- rapu- colu-	mit -u-	sonā-(re) monē-(re) aperī-(re) rapi-/rape-(re) col-(e-re)	son- mon- aper- rap- col-
ē- ī- ĭ- Konsonantische	māns- sēns- (< sent-s-) aspex- (< aspec-s-) plaus- (< plaud-s-)	mit -s-	manē-(re) sentī-(re) aspici-/aspice-(re) plaud-(e-re)	man- sent- aspic- plaud-
ā ē- ī- ĭ Konsonantische	iūv- vīd- vēn- fūg- ēg-	durch Dehnung	iuvā-(re) vidē-(re) venī-(re) fugi-/fuge-(re) ag-(e-re)	iuv- vid- ven- fug- ag-
ā- ē- ī- ĭ- Konsonantische	stet- (< ste-st-) pe-pend- rep-per- pe-per- cu-curr-	durch Reduplikation	stā-(re) pendē-(re) reperī-(re) pari-/parĕ-(re) curr-(e-re)	st- pend- per- par- curr-
Konsonantische	dēfend- statu-	ohne Veränderung	dēfend-(e-re) statu-(e-re)	dēfend- statu-

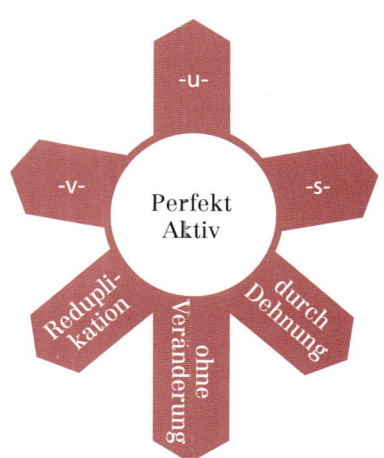

2.3 Partizip-Perfekt-Passiv-Stamm

Der Partizip-Perfekt-Passiv-Stamm[1] ist in der Regel durch Anfügen des Bildungselements **-tu-/-ta-** an den Präsens-Stamm, den Wortstock oder die Wortwurzel (↗ 3.2.1/3) gebildet.

Das Anfügen des Bildungselements **-tu-/-ta-**, das auch zu **-su-/-sa-** verändert sein kann, bewirkt häufig lautliche Veränderungen an der Nahtstelle:

Vokalschwächung: (↗ L 17):	veti-tu- (< veta-); praebi-tu- (< praebe-)
Dehnung des Stammvokals (↗ L 18.4):	adiū-tu- (< adiŭv-); mō-tu- (< mŏv-)
Hinzutreten eines Erweiterungsvokals:	pet-ī-tu- (< pet-)
Dehnung des Stammauslauts (↗ L 18):	cupī-tu- (< cupĭ-)
Vokalangleichung:	cul-tu- (< col-); pul-su- (< pel-)
Konsonantennäherung (↗ L 24):	scrīp-tu- (< scrīb-); auc-tu- (< aug-)
Veränderung des -tu-/-ta- zu -su-/-sa- (↗ L 28):	vīsu- (< vid-tu-); mis-su- (< mit-tu-)
Konsonantenentfaltung (↗ L 26.3):	sūmp-tu- (< sūm-tu-) ēmp-tu- (< ĕm-tu-)

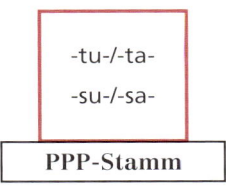

-tu-/-ta-

-su-/-sa-

PPP-Stamm

Auch in der Stamm-/Wurzelsilbe treten häufig vokalische Veränderungen auf:

Vokalschwächung (↗ L 17):	cogni-tu- (< cognō-)
Ersatzdehnung (↗ L 18.3):	rēc-tu- (< rĕg-)
Vokalkürzung: (↗ L 18.1,2):	dŭc-tu- (< dūc-)

9   Person-, Tempus- und Modus-Zeichen

Feste Bildungselemente (↗ 5.2.1) ermöglichen meistens eine exakte Analyse der finiten Verbformen.

1 Person-Zeichen

Am Ende einer finiten Verbform gibt das Person-Zeichen immer an, ob

eine oder mehrere Personen (Sachen/Ereignisse usw.)	sprechen – angesprochen werden – besprochen werden –	1. Person: ich – wir 2. Person: du – ihr 3. Person: er, sie, es – sie

---

[1] Abgekürzt: PPP-Stamm, auch kurz Partizipialstamm genannt.

1.1 In den Tempus- und Modusformen, die vom Präsens-Stamm gebildet sind, begegnen folgende Person-Zeichen:

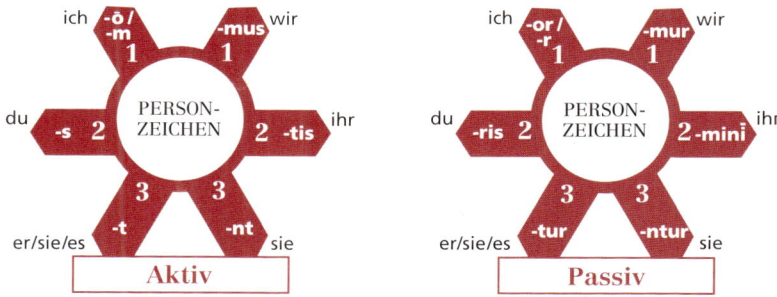

		Aktiv		Passiv		Aktiv	
Nu-merus	Per-son	In-dikativ	Kon-junktiv	In-dikativ	Kon-junktiv	Im-perativ I	Im-perativ II
Singular	1.	-ō/-m	-m	-or/-r	-r	–	–
	2.	-s		-ris (-re)[1]		-, -e	-tō
	3.	-t		-tur		–	-tō
Plural	1.	-mus		-mur		–	
	2.	-tis		-minī		-te	-tōte
	3.	-nt		-ntur		–	-ntō

Nur in den Formen des Indikativ Präsens treten die Person-Zeichen – in bestimmten Fällen mit vorausgehendem Bindevokal – unmittelbar an den Präsens-Stamm (↗ 8.1). In allen anderen finiten Verbformen treten zwischen Präsens-Stamm und Person-Zeichen noch Tempus- und Modus-Zeichen (↗ 9.2.1).

1.2 Finite Verbformen, die mit dem **Perfekt-Aktiv-Stamm** gebildet sind, weisen im Indikativ und im Konjunktiv mit Ausnahme des Indikativ Perfekt die gleichen Person-Zeichen auf wie die finiten Verbformen des Aktivs, die mit dem Präsens-Stamm gebildet sind. Dabei tritt allerdings vor die Person-Zeichen die Erweiterungssilbe -is-, die sich vor einem Vokal zu -er- verändert.

Im **Indikativ Perfekt** gibt es eigene Person-Zeichen. Diese ,verschmelzen' mit der Erweiterungssilbe -is- in unterschiedlicher Weise zu folgenden Endungen:

Person	Singular	Plural
1.	-ī	-imus
2.	-istī	-istis
3.	-it	-ērunt

---

[1]) Die Endung -re (statt -ris) findet sich häufig in den Konjunktiven des Präsens-Stammes und im Futur I, z.B. nē moneā-re; capiē-re.

2 Tempus- und Modus-Zeichen

2.1 Tempus- und Modus-Zeichen in Verbindung mit dem Präsens-Stamm

Tempus	Modus	
	Indikativ	Konjunktiv
	Tempus-Zeichen	Modus-Zeichen
Präsens	–	-ē-/-ā-/-ĭ- (ī)
Imperfekt	(-ē-)bā-/-ā-	-sē-/-rē-[1]
Futur I	-b-[2]/-ē- (1. Pers. Sg. -a-)	

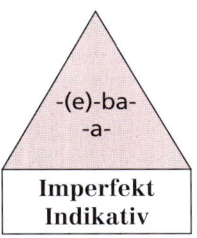

Imperfekt Indikativ — -(e)-ba- / -a-

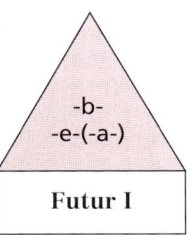

Futur I — -b- / -e-(-a-)

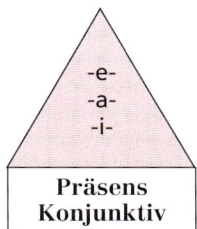

Präsens Konjunktiv — -e- / -a- / -i-

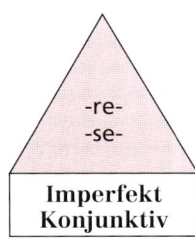

Imperfekt Konjunktiv — -re- / -se-

2.2 Tempus- und Modus-Zeichen beim Perfekt-Aktiv-Stamm

Die Tempus- und Modus-Zeichen derjenigen finiten Verbformen, die mit dem Perfekt-Aktiv-Stamm gebildet sind, entsprechen im Kern den Tempus- und Modus-Zeichen der finiten Verbformen, die mit dem Präsens-Stamm (↗ 9.2.1) gebildet sind. Diese gehen beim Perfekt-Aktiv-Stamm mit der Erweiterungssilbe -is-, die vor Vokalen zu -er- (↗ L 22) wird, eine Verbindung ein. So entstehen die Tempus- und Modus-Zeichen, die an den Perfekt-Aktiv-Stamm (↗ 8.2) treten:

Tempus	Modus	
	Indikativ	Konjunktiv
	Tempus-Zeichen	Modus-Zeichen
Perfekt	(-is-)	-er-i-[3]
Plusquamperfekt	-er-ā-	-is-sē-
Futur II	-er-i- (1. Pers. Sg. -er-)[4]	

---

[1] Das Modus-Zeichen -se- (vgl. es-se-m) ist durch Rhotazismus (↗ L 22) zu -re- verändert, z.B. vocā-re-m, monē-rē-s, pelle-rē-tis.
Bei velle, nōlle, mālle hat sich -se- zu -le- verändert (↗ L 23: Assimilation).

[2] Dazu treten mit Ausnahme der 1. Person Singular die Bindevokale i, e oder u. ESSE hat kein Futur-Zeichen. An den durch Rhotazismus (↗ L 22) veränderten Präsens-Stamm treten die Bindevokale -i- oder -u-, z.B. er-i-mus, er-u-nt.

[3] An die Erweiterungssilbe -er- tritt das Modus-Zeichen -i-.

[4] Das Futur II hat kein eigenes Tempus-Zeichen. An die Erweiterungssilbe -er- tritt mit Ausnahme der 1. Person Singular der Bindevokal -i-.

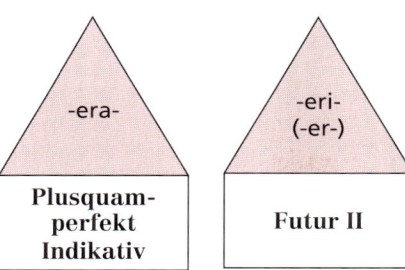

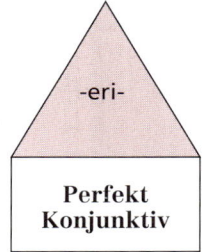

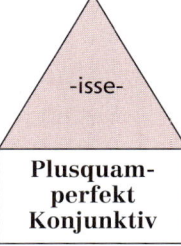

2.3 Tempus- und Modus-Zeichen beim Partizip-Perfekt-Passiv-Stamm

Die finiten Verbformen, die mit dem Partizip-Perfekt-Passiv-Stamm gebildet sind, bestehen aus **zwei Wörtern** (,Zwei-Wort-Formen'), aus dem PPP und finiten Formen der Copula ESSE, die von deren Präsens-Stamm gebildet sind.

Tempus und Modus sind nur an den Formen der Copula ESSE zu erkennen:

Tempus	Modus			
	Indikativ		Konjunktiv	
Perfekt	vocā-tus, -a, -um	es-t	vocā-tus, -a, -um	s-i-t
Plusquamperfekt		er-a-t		es-se-t
Futur II		er-i-t		–

Verb: Formentabelle

10   Präsens-Stamm: Formen[1]

1   Finite Formen im Aktiv-Indikativ

INDIKATIV

	Präsens		Imperfekt		Futur I	
SINGULAR						
1. Person	voc- / mone- / vinci- / capi- / pell- -ō	**ich** rufe / ermahne / fessle / fange / treibe	ba-m	**ich** rief / ermahnte / fesselte / fing / trieb	vocā- / monē- b -ō; vinci- / capi- / pell- a -m	**ich werde** rufen / ermahnen / fesseln / fangen / treiben
2. Person	vocā- / monē- / vincī- / capi- / pelli- -s	**du** rufst / ermahnst / fesselst / fängst / treibst	vocā- / monē- / vinci- / capi- / pell- ē bā-s	**du** riefst / ermahntest / fesseltest / fingst / triebst	vocā- / monē- bi -s; vinci- / cápi- / pell- ē -s	**du wirst** rufen / ermahnen / fesseln / fangen / treiben
3. Person	voca- / mone- / vinci- / capi- / pelli- -t	**er, sie, es** ruft / ermahnt / fesselt / fängt / treibt	ba-t	**er, sie, es** rief / ermahnte / fesselt / fing / trieb	vocā- / monē bi -t; vinci- / cápi- / pell- e -t	**er, sie, es wird** rufen / ermahnen / fesseln / fangen / treiben
PLURAL						
1. Person	vocā- / monē- / vincī- / cápi- / pélli- -mus	**wir** rufen / ermahnen / fesseln / fangen / treiben	bā-mus	**wir** riefen / ermahnten / fesselten / fingen / trieben	vocā- / monē- bi -mus; vinci- / capi- / pell- ē -mus	**wir werden** rufen / ermahnen / fesseln / fangen / treiben
2. Person	vocā- / monē- / vincī- / cápi- / pélli- -tis	**ihr** ruft / ermahnt / fesselt / fangt / treibt	vocā- / monē- / vinci- / capi- / pell- ē bā-tis	**ihr** rieft / ermahntet / fesseltet / fingt / triebt	vocā- / monē- bi -tis; vinci- / capi- / pell- ē -tis	**ihr werdet** rufen / ermahnen / fesseln / fangen / treiben
3. Person	voca- / mone- / vinciu- / capiu- / pellu- -nt	**sie** rufen / ermahnen / fesseln / fangen / treiben	ba-nt	**sie** riefen / ermahnten / fesselten / fingen / trieben	vocā- / monē bu-nt; vinci- / cápi- / pell- e -nt	**sie werden** rufen / ermahnen / fesseln / fangen / treiben

---

[1]) Auf die Übersetzung der Formen des Konjunktivs, des Futur II und der infiniten Formen wurde verzichtet, da sie i.d.R. nur unter Berücksichtigung des jeweiligen Kontextes angemessen wiedergegeben werden können.

2 Finite Formen im Aktiv-Konjunktiv und Imperativ

KONJUNKTIV / IMPERATIV

		Präsens (HS: ↗99.2; GS: ↗113)	Imperfekt (HS: ↗99.2; GS: ↗113)	Imperativ I (↗101)	Imperativ II (↗101)
S I N G U L A R	1. Person	voc- — e-m mone- vinci- ⎱a-m capi- pell-	⎱re-m		du sollst vocā- ⎱ monē- ⎱ tō! rufen! vincī- ⎱ ermahnen! cápi- ⎱ fesseln! péll*i*- ⎱ fangen! treiben!
	2. Person	voc- — ē-s mone- vinci- ⎱ā-s capi- pell-	vocā- monē- vincī- ⎱rē-s cápe- pélle	vocā! rufe! monē! ermahne! vincī! fessle! cape! fange! pell-e! treibe!	
	3. Person	voc- — e-t mone- vinci- ⎱a-t capi- pell-	⎱re-t		er, sie, es soll vocā- ⎱ monē- ⎱ tō! rufen! vincī- ⎱ ermahnen! cápi- ⎱ fesseln! péll*i*- ⎱ fangen! treiben!
P L U R A L	1. Person	voc- — ē-mus mone- vinci- ⎱ā-mus capi- pell-	⎱rē-mus		ihr sollt vocā- ⎱ monē- ⎱ rufen! vincī- ⎱tōte! ermahnen! capi- ⎱ fesseln! pell*i*- ⎱ fangen! treiben!
	2. Person	voc- — ē-tis mone- vinci- ⎱ā-tis capi- pell-	vocā- monē- vincī- ⎱rē-tis cape- pelle	vocā ruft! monē ermahnt! vincī ⎱te! fesselt! cápi fangt! péll*i*- treibt!	
	3. Person	voc- — e-nt mone- vinci- ⎱a-nt capi- pell-	⎱re-nt		sie sollen voca- ⎱ monē- ⎱ rufen! vinciu- ⎱ntō! ermahnen! capiu- ⎱ fesseln! pellu- ⎱ fangen! treiben!

---

[1]) Auf die Übersetzung der Formen des Konjunktivs, des Futur II und der infiniten Formen wurde verzichtet, da sie i.d.R. nur unter Berücksichtigung des jeweiligen Kontextes angemessen wiedergegeben werden können.

Verb: Formentabelle

3 Finite Formen im Passiv-Indikativ

INDIKATIV

		Präsens	Imperfekt	Futur I
SINGULAR	**1. Person**	**ich werde** voc- mone- vinci-┤or cápi- pell- gerufen / ermahnt / gefesselt / gefangen / getrieben	**ich wurde** ba-r gerufen / ermahnt / gefesselt / gefangen / getrieben	**ich werde** vocā- monē-┤b -or vinci- cápi-┤a -r pell- gerufen / ermahnt / gefesselt / gefangen / getrieben **werde**
	2. Person	**du wirst** vocā- monē- vincī-┤ris cápe- pélle- gerufen / ermahnt / gefesselt / gefangen / getrieben	**du wurdest** vocā- monē- vinci-┤bā-ris capi-┤ē pell- gerufen / ermahnt / gefesselt / gefangen / getrieben	**du wirst** vocā- monē-┤be-ris vinci- capi-┤ē -ris pell- gerufen / ermahnt / gefesselt / gefangen / getrieben **werde**
	3. Person	**er, sie, es wird** vocā- monē- vincī-┤tur cápi- péllí- gerufen / ermahnt / gefesselt / gefangen / getrieben	**er, sie, es wurde** bā-tur gerufen / ermahnt / gefesselt / gefangen / getrieben	**er, sie, es wird** vocā- monē-┤bí -tur vinci- capi-┤ē -tur pell- gerufen / ermahnt / gefesselt / gefangen / getrieben **werde**
PLURAL	**1. Person**	**wir werden** vocā- monē- vincī-┤mur cápi- péllí- gerufen / ermahnt / gefesselt / gefangen / getrieben	**wir wurden** bā-mur gerufen / ermahnt / gefesselt / gefangen / getrieben	**wir werden** vocā- monē-┤bí -mur vinci- capi-┤ē -mur pell- gerufen / ermahnt / gefesselt / gefangen / getrieben **werde**
	2. Person	**ihr werdet** vocā- monē- vincī-┤minī capí- pellí- gerufen / ermahnt / gefesselt / gefangen / getrieben	**ihr wurdet** vocā- monē- vinci-┤bā-minī capi-┤ē pell- gerufen / ermahnt / gefesselt / gefangen / getrieben	**ihr werdet** vocā- monē-┤bí -minī vinci- capi-┤ē -minī pell- gerufen / ermahnt / gefesselt / gefangen / getrieben **werden**
	3. Person	**sie werden** voca- mone- vinciu-┤ntur capiu- pellu- gerufen / ermahnt / gefesselt / gefangen / getrieben	**sie wurden** ba-ntur gerufen / ermahnt / gefesselt / gefangen / getrieben	**sie werden** vocā monē-┤bu-ntur vinci- capi-┤e -ntur pell- gerufen / ermahnt / gefesselt / gefangen / getrieben **werden**

4 Finite Formen im Passiv-Konjunktiv

KONJUNKTIV

		Präsens (HS: ↗99.2; GS: ↗113)	Imperfekt (HS: ↗99.2; GS: ↗113)
S I N G U L A R	**1. Person**	voc- ——— e-r mone- vinci- ——┤a-r capi- pell-	vocā- monē- vincī- ——— re-r cápe- pélle-
	2. Person	voc- ——— ē-ris mone- vinci- ——┤ā-ris capi- pell-	vocā- monē- vincī- ——— rē-ris cape- pelle-
	3. Person	voc- ——— ē-tur mone- vinci- ——┤ā-tur capi- pell-	vocā- monē- vincī- ——— rē-tur cape- pelle-
P L U R A L	**1. Person**	voc- ——— ē-mur mone- vinci- ——┤ā-mur capi- pell-	vocā- monē- vincī- ——— rē-mur cape- pelle-
	2. Person	voc- ——— ē-minī mone- vinci- ——┤ā-minī capi- pell-	vocā- monē- vincī- ——— rē-minī cape- pelle-
	3. Person	voc- ——— e-ntur mone- vinci- ——┤a-ntur capi- pell-	vocā- monē- vincī- ——— re-ntur cape- pelle-

Verb: Formentabelle

Verb: Formentabelle

11 Perfekt-Aktiv-Stamm und Partizip-Perfekt-Passiv-Stamm: Formen

1 Finite Formen im Indikativ und Konjunktiv Aktiv

Modus / Tempus	Perfekt-Aktiv-Stämme	Endung (Erweiterungssilbe / Bindevokal)	Endung (Tempus-Zeichen / Modus-Zeichen / Person-Zeichen)		
Indikativ – Perfekt	vocāv- monu- vīnx- cēp- pepul- dēprehend-	ī ístī it imus ístis érunt	ich habe gerufen /ich rief du hast ermahnt /du ermahntest er, sie, es hat gefesselt /er fesselte wir haben gefangen /wir fingen ihr habt getrieben /ihr triebt sie haben ergriffen /sie ergriffen		
Indikativ – Plusquamperfekt		er — a — m ā — s a — t ā — mus ā — tis a — nt	ich hatte gerufen du hattest ermahnt er, sie, es hatte gefesselt wir hatten gefangen ihr hattet getrieben sie hatten ergriffen		
Indikativ – Futur II	vocāv- monu- vīnx- cēp- pepul- dēprehend-	er — ō s er – i — t mus tis nt	(HS: ↗ 107.2. GS: ↗ 112.3)		
Konjunktiv – Perfekt		er — i — m s t mus tis nt	(HS: ↗ 99.2; GS: ↗ 113)		
Konjunktiv – Plusquamperfekt		is — se – m sē – s se – t sē – mus sē – tis se – nt	(HS: ↗ 99.2; GS: ↗ 113)		

2 Finite Formen in Indikativ und Konjunktiv Passiv

Numerus / Person	Partizip-Perfekt-Passiv	Formen von ESSE (Präsens-Stamm)				
		Indikativ			**Konjunktiv**	
		Perfekt	Plusquamperfekt	Futur II	Perfekt	Plusquamperfekt
Singular 1.	vocātus, -a, -um	sum	eram	erō	sim	essem
Singular 2.	mónitus, -a, -um	es	erās	eris	sīs	essēs
Singular 3.	vīnctus, -a, -um	est	erat	erit	sit	esset
Plural 1.	captī, -ae, -a	sumus	erāmus	erimus	sīmus	essēmus
Plural 2.	pulsī, -ae, -a	estis	erātis	eritis	sītis	essētis
Plural 3.	dēprehēnsī, -ae, -a	sunt	erant	erunt	sint	essent

ich bin gerufen
du bist ermahnt
er, sie, es ist gefesselt — worden
wir sind gefangen
ihr seid getrieben
sie sind ergriffen

auch:
ich wurde gerufen usw.
(↗ 104)

ich war …
du warst …
er, sie, es war … — worden
wir waren …
ihr wart …
sie waren …

(HS: ↗ 107.2; GS: ↗ 112.3)

(HS: ↗ 99.2; GS: ↗ 113)

(HS: ↗ 99.2; GS: ↗ 113)

12 Verbalstämme: Nominalformen

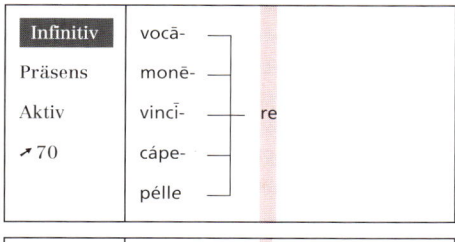

Infinitiv		
Präsens	vocā-	
Aktiv	monē-	
↗ 70	vincī-	re
	cápe-	
	pélle	

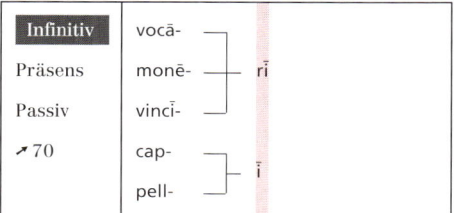

Infinitiv		
Präsens	vocā-	
Passiv	monē-	rī
↗ 70	vincī-	
	cap-	ī
	pell-	

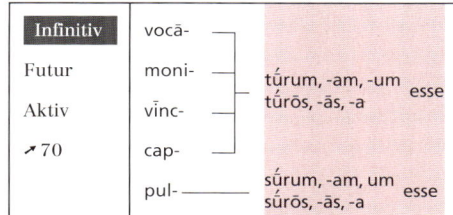

Infinitiv		
Futur	vocā-	
Aktiv	moni-	túrum, -am, -um
↗ 70	vīnc-	túrōs, -ās, -a esse
	cap-	
	pul-	súrum, -am, um
		súrōs, -ās, -a esse

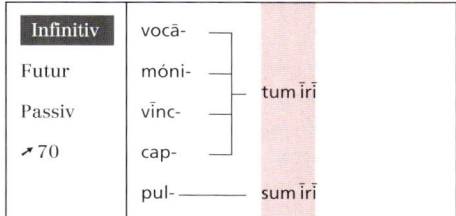

Infinitiv		
Futur	vocā-	
Passiv	móni-	tum īrī
↗ 70	vīnc-	
	cap-	
	pul-	sum īrī

Infinitiv		
Perfekt	vocāv-	
Aktiv	monu-	
↗ 70	vīnx-	ísse
	cēp-	
	pepul-	
	dēprehend-	

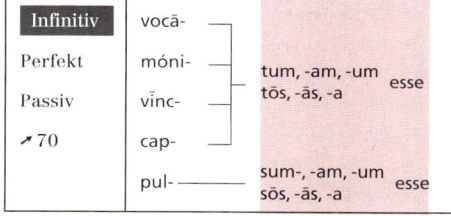

Infinitiv		
Perfekt	vocā-	
Passiv	móni-	tum, -am, -um
↗ 70	vīnc-	tōs, -ās, -a esse
	cap-	
	pul-	sum-, -am, -um
		sōs, -ās, -a esse

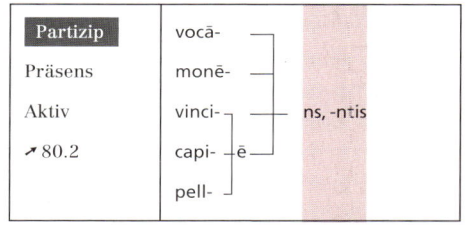

Partizip		
Präsens	vocā-	
Aktiv	monē-	
↗ 80.2	vinci-	ns, -ntis
	capi-	ē
	pell-	

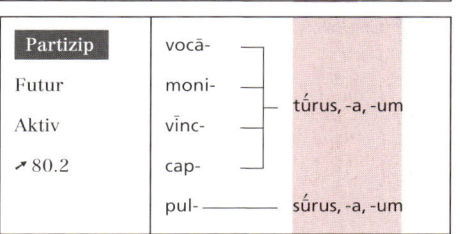

Partizip		
Futur	vocā-	
Aktiv	moni-	túrus, -a, -um
↗ 80.2	vīnc-	
	cap-	
	pul-	súrus, -a, -um

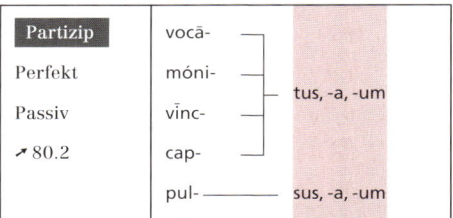

Partizip		
Perfekt	vocā-	
Passiv	móni-	tus, -a, -um
↗ 80.2	vīnc-	
	cap-	
	pul-	sus, -a, -um

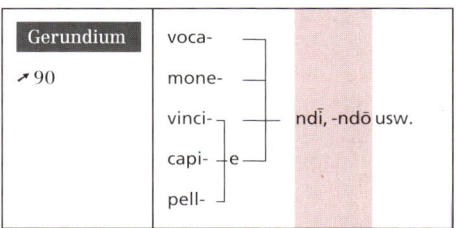

Gerundium		
↗ 90	voca-	
	mone-	
	vinci-	ndī, -ndō usw.
	capi-	e
	pell-	

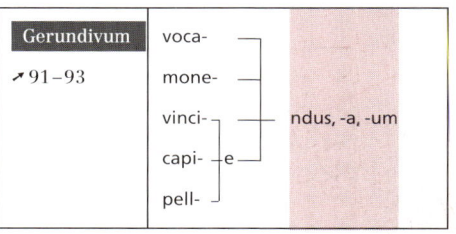

Gerundivum		
↗ 91–93	voca-	
	mone-	
	vinci-	ndus, -a, -um
	capi-	e
	pell-	

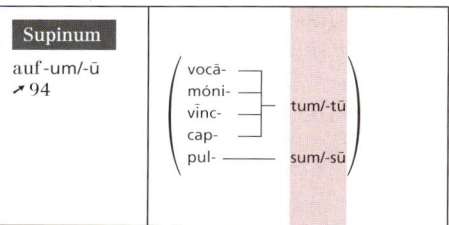

Supinum		
auf -um/-ū ↗ 94	vocā-	
	móni-	
	vīnc-	tum/-tū
	cap-	
	pul-	sum/-sū

Verb: Formentabelle

Verb: Komposita

13   Komposita

1 Bildungsweise

Ein einfaches Verb (*Verbum simplex*) kann mit einem Präfix (↗ 3.2.2), meist einer Präposition (↗ 67), zusammengesetzt sein (↗ 7.2.1):
Kompositum (*Verbum compositum*).
Durch die Zusammensetzung erfahren der Verbalstamm und die Vorsilbe vieler Komposita sowohl konsonantische als auch vokalische Veränderungen (↗ L 16–28).

1.1 Entfaltung, Schwund oder Annäherung von Konsonanten

ā/ab („weg-")
ab-īre weggehen   ā-mittere verlieren   abs-tinēre sich fern halten
au-ferre wegtragen

ad („an-/heran-")
ad-esse anwesend sein   ac-cēdere herantreten   at-tinēre festhalten
af-firmāre bekräftigen   ap-pārēre erscheinen
a-spicere (< ad-spicere) anschauen

cum („zusammen-")
com-pōnere zusammenstellen   com-parāre beschaffen   con-cēdere zugestehen
col-loquī sich unterhalten   cor-ripere packen   co-ercēre einschränken

ē/ex („aus-, heraus-")
ex-cēdere heraustreten   ex-īre hinausgehen   ef-ficere bewirken
ē-vādere hinausgehen

in („hinein-")
in-cēdere hineingehen   im-pedīre hindern   il-lūdere verspotten
ir-rīdēre auslachen

ob („entgegen-")
ob-īre entgegengehen   oc-cidere untergehen   of-ferre anbieten
op-primere unterdrücken

prō („vor-/für-")
prō-cēdere vorrücken   prō-dere verraten   prōd-esse nützen
por-rigere ausstrecken

sub („unter-")
sub-īre auf sich nehmen   suc-cēdere nachfolgen   sus-tinēre aushalten
su-spicere (< sub-spicere) beargwöhnen

trāns („über-/hinüber-")
trāns-īre hinübergehen   trā-dūcere hinüberführen

Lautliche Veränderungen gibt es auch bei den Präfixen
dis- („auseinander-"; z.B. dis-cēdere, dī-ripere) und **re-** („zurück-, wieder-"; z.B. re-ferre, red-īre, red-dere); **sē-** („weg-"; z.B. sē-cernere) bleibt immer unverändert.

1.2 Schwächung, Kontraktion oder Schwund von Vokalen

Die altlateinische Anfangsbetonung (↗ L 17) führte bei Komposita häufig dazu, dass die Betonung von der Stammsilbe auf die Präfixsilbe überging. Dies bewirkte eine Schwächung des Stammvokals.

z.B. **a/e > i:**
habet – adh*i*bet   cadit – occ*i*dit
regit – corr*i*git   sedet – poss*i*det

a > e:
arcet – coercet   parcit – pepercit

au > ū:
claudit – conclūdit

ae > ī:
laedit – ēl*ī*dit   quaerit – conqu*ī*rit

An der Nahtstelle können Vokale auch zusammengezogen (*kontrahiert*) werden oder durch Elision[1] schwinden,

z.B. cōgit < co-agit   sūmit < sub-emit
praebet < prae-habet   surgit < sur-regit

2 Bedeutung

Durch die Bildung von Komposita können viele einfache Verben differenziertere Bedeutungen entfalten,

z.B.
ā- / ad- / com- / per- / re- } **movēre** fortschaffen / heranrücken lassen / beeindrucken / heftig bewegen / entfernen

ad- / circum- / con- / in- / per- } **venīre** ankommen / umzingeln / zusammenkommen / erfinden („darauf kommen") / hinkommen

14 Stammformen

1 Perfekt-Bildung mit -v-

ā-Konjugation

① vocō   vocāvī   vocātum   vocāre   rufen, nennen
Ebenso bilden die meisten Verben der ā-Konjugation die Perfektformen.

ē-Konjugation

② dēleō   dēlēvī   dēlētum   dēlēre   zerstören, vernichten
③ fleō   flēvī   flētum   flēre   weinen, beklagen
④ ex|pleō   explēvī   explētum   explēre   ausfüllen, erfüllen
  im|pleō   implēvī   implētum   implēre   anfüllen, erfüllen

---
[1] < ē-līdere: aus-stoßen

Verb: Stammformen

ī-Konjugation

⑤ audiō	audīvī	audītum	audīre	hören

Ebenso bilden die meisten Verben der ī-Konjugation die Perfektformen.

⑥ sepeliō	sepelīvī	sepultum	sepelīre	begraben, bestatten

Konsonantische Konjugation

⑦ arcessō	arcessīvī	arcessītum	arcessere	herbeiholen, kommen lassen
⑧ capessō	capessīvī	capessītum	capessere	ergreifen, packen
⑨ **cernō**	–	–	cernere	sehen, sichten, wahrnehmen, erkennen
dē|cernō	dēcrēvī	dēcrētum	dēcernere	beschließen
sē|cernō	sēcrēvī	sēcrētum	sēcernere	absondern, trennen
⑩ crēscō	crēvī	crētum	crēscere	wachsen, zunehmen
⑪ lacessō	lacessīvī	lacessītum	lacessere	reizen, herausfordern
⑫ **nōscō**	nōvī	nōtum	nōscere	kennen lernen
	nōvī		nōvisse	kennen, wissen
a|gnōscō	agnōvī	agnitum	agnōscere	(wieder-)erkennen, anerkennen
co|gnōscō	cognōvī	cognitum	cognōscere	erkennen, bemerken; kennen lernen
ī|gnōscō	īgnōvī	īgnōtum	īgnōscere	verzeihen
⑬ **petō**	petīvī	petītum	petere	zu erreichen suchen, aufsuchen; angreifen; verlangen, bitten
ap|petō	appetīvī	appetītum	appetere	erstreben, angreifen
ex|petō	expetīvī	expetītum	expetere	erstreben, verlangen
re|petō	repetīvī	repetītum	repetere	zurückverlangen; wiederholen
⑭ **quaerō**	quaesīvī	quaesītum	quaerere	suchen, erwerben; *ex aliquo: (jmdn.)* fragen
con|quīrō	conquīsīvī	conquīsītum	conquīrere	zusammensuchen, aufspüren
in|quīrō	inquīsīvī	inquīsītum	inquīrere	untersuchen, nachforschen
re|quīrō	requīsīvī	requīsītum	requīrere	auf-, untersuchen; verlangen
⑮ quiēscō	quiēvī	–	quiēscere	sich beruhigen; ruhen
⑯ **sinō**	sīvī	situm	sinere	lassen, zulassen
dē|sinō	dēsiī	dēsitum	dēsinere	ablassen, aufhören
⑰ spernō	sprēvī	sprētum	spernere	verschmähen, ablehnen
⑱ cōn|suēscō	cōnsuēvī	cōnsuētum	cōnsuēscere	sich gewöhnen

ĭ-Konjugation

⑲ cupiō	cupīvī	cupītum	cupere	begehren, verlangen, wünschen

2 Perfekt-Bildung mit -u-

ā-Konjugation

① crepō	crepuī	crepitum	crepāre	knarren, krachen, klirren
② cubō	cubuī	(cubitūrus)	cubāre	liegen
③ domō	domuī	domitum	domāre	zähmen, bezwingen
④ sonō	sonuī	–	sonāre	ertönen, erklingen, klingen
⑤ vetō	vetuī	vetitum	vetāre *(m. Akk.)*	*(jmdm.)* verbieten

ē-Konjugation

⑥ **arceō**	arcuī	–	arcēre	abhalten, fern halten, abwehren
co|erceō	coercuī	coercitum	coercēre	einschränken, zügeln; strafen
ex|erceō	exercuī	–	exercēre	üben, betreiben
⑦ careō	caruī	–	carēre *(m. Abl.)*	*(etw.)* nicht haben
⑧ **cēnseō**	cēnsuī	cēnsum	cēnsēre	schätzen, meinen, der Ansicht sein
sus|cēnseō	suscēnsuī	suscēnsum	suscēnsēre *(m. Dat.)*	zürnen, böse sein *(auf)*
⑨ doceō	docuī	doctum	docēre	lehren, unterrichten
⑩ doleō	doluī	(dolitūrus)	dolēre *(m. Akk.)*	Schmerz empfinden, bedauern
⑪ egeō	eguī	–	egēre *(m. Abl.)*	*(etw.)* brauchen, nötig haben
⑫ flōreō	flōruī	–	flōrēre	blühen
⑬ **habeō**	habuī	habitum	habēre	haben, halten, besitzen
ad|hibeō	adhibuī	adhibitum	adhibēre	anwenden, heranziehen, dazunehmen
co|hibeō	cohibuī	cohibitum	cohibēre	festhalten, einschränken
pro|hibeō	prohibuī	prohibitum	prohibēre (nē)	abhalten, hindern; verbieten *(dass ... / zu ...)*
dēbeō	dēbuī	dēbitum	dēbēre	müssen; schulden, verdanken
			nōn dēbēre	nicht dürfen
praebeō	praebuī	praebitum	praebēre	hinhalten, gewähren, zeigen
⑭ horreō	horruī	–	horrēre *(m. Akk.)*	schaudern, sich entsetzen *(vor)*
⑮ iaceō	iacuī	(iacitūrus)	iacēre	liegen, da liegen
⑯ lateō	latuī	–	latēre	verborgen sein
⑰ mereō (↗ 16.2.2)	meruī	meritum	merēre	verdienen
⑱ im|mineō	–	–	imminēre	drohen, bedrohen, bevorstehen
⑲ misceō	miscuī	mixtum	miscēre	mischen, verwirren, in Aufruhr versetzen
⑳ **moneō**	monuī	monitum	monēre	mahnen, auffordern; erinnern; warnen
ad|moneō	admonuī	admonitum	admonēre	erinnern, ermahnen
㉑ noceō	nocuī	(nocitūrus)	nocēre	schaden

Verb: Stammformen

(22)	**pāreō**	pāruī	(pāritūrus)	pārēre	gehorchen
	ap|pāreō	appāruī	–	appārēre	erscheinen, sich zeigen
	appāret	appāruit	–	appārēre	es ist offensichtlich, klar
(23)	pateō	patuī	–	patēre	offen stehen; offenbar sein
(24)	placeō	placuī	placitum	placēre	gefallen
(25)	sileō	siluī	–	silēre	schweigen
(26)	studeō	studuī	–	studēre (m. Dat.)	sich bemühen (um), wollen; sich bilden
(27)	stupeō	stupuī	–	stupēre	staunen, stutzen, verblüfft sein
(28)	taceō	tacuī	–	tacēre	schweigen
(29)	**teneō**	tenuī	–	tenēre	halten, festhalten
	abs|tineō	abstinuī	–	abstinēre (m. Abl.)	abhalten; sich fern halten (von), verzichten (auf)
	at|tineō	attinuī	attentum	attinēre	aufhalten, festhalten; sich erstrecken
	con|tineō	continuī	–	continēre	zusammenhalten, festhalten; enthalten
	ob|tineō	obtinuī	obtentum	obtinēre	festhalten, innehaben; behaupten
	per|tineō	pertinuī	–	pertinēre	sich erstrecken, sich beziehen (auf), gehören (zu)
	re|tinēre	retinuī	retentum	retinēre	zurückhalten, festhalten
	sus|tineō	sustinuī	–	sustinēre	aushalten, ertragen
(30)	**terreō**	terruī	territum	terrēre	(jmdn.) erschrecken
	dē|terreō	dēterruī	dēterritum	dēterrēre	abschrecken, zurückschrecken
	per|terreō	perterruī	perterritum	perterrēre	gewaltig erschrecken, einschüchtern
(31)	timeō	timuī	–	timēre	fürchten, besorgt sein
(32)	valeō	valuī	(valitūrus)	valēre	gesund sein; Einfluss haben

Impersonalia

(33)	decet	decuit	–	decēre	es gehört sich
(34)	libet	libuit	libitum	libēre	es beliebt
(35)	licet	licuit	–	licēre	es ist erlaubt, man darf; es ist möglich
(36)	oportet	oportuit	–	oportēre	es ist nötig, es gehört sich
(37)	paenitet	paenituit	–	paenitēre (mē ali- cuius reī)	es reut (mich etwas), ich bereue (etwas)
(38)	pudet	puduit	–	pudēre (mē ali- cuius reī)	es beschämt (mich etwas), ich schäme mich (einer Sache)

Ī-Konjugation

(39)	aperiō	aperuī	apertum	aperīre	öffnen, aufdecken
	operiō	operuī	opertum	operīre	bedecken
(40)	saliō	saluī	–	salīre	springen

Konsonantische Konjugation

(41)	alō	aluī	altum	alere	ernähren; fördern
(42)	**colō**	coluī	cultum	colere	bebauen, pflegen, verehren
	in|colō	incoluī	–	incolere	bewohnen
(43)	cōn|sulō	cōnsuluī	cōnsultum	cōnsulere (m. Akk.) (m. Dat.)	beratschlagen (mit); um Rat fragen; sorgen (für)
(44)	gignō	genuī	genitum	gignere	erzeugen, hervorbringen, gebären
(45)	**pōnō**	posuī	positum	pōnere	stellen, setzen, legen
	com|pōnō	composuī	compositum	compōnere	zusammenstellen, ordnen; vergleichen
	dē|pōnō	dēposuī	dēpositum	dēpōnere	ablegen, aufgeben
	dis|pōnō	disposuī	dispositum	dispōnere	verteilen, ordnen
	ex|pōnō	exposuī	expositum	expōnere	ausstellen, aussetzen; darlegen
	im|pōnō	imposuī	impositum	impōnere	hineinsetzen, -legen, bringen, auferlegen
	op|pōnō	opposuī	oppositum	oppōnere	entgegenstellen, gegenüberstellen
	prae|pōnō	praeposuī	praepositum	praepōnere	voranstellen, vorziehen
	prō|pōnō	prōposuī	prōpositum	prōpōnere	vorlegen, vorschlagen, in Aussicht stellen
(46)	**serō**	seruī	sertum	serere	aneinander reihen
	dē|serō	dēseruī	dēsertum	dēserere	verlassen, im Stich lassen
	dis|serō	disseruī	dissertum	disserere	erörtern, sprechen (über)

ĭ-Konjugation

(47)	**rapiō**	rapuī	raptum	rapere	rauben, fortreißen
	ar|ripiō	arripuī	arreptum	arripere	an sich reißen
	dī|ripiō	dīripuī	dīreptum	dīripere	plündern, zerstören
	ē|ripiō	ēripuī	ēreptum	ēripere	entreißen, befreien

3 Perfekt-Bildung mit -s-

ē-Konjugation

(1)	ārdeō	ārsī	(ārsūrus)	ārdēre	brennen, glühen
(2)	augeō	auxī	auctum	augēre	vergrößern, vermehren, fördern
(3)	in|dulgeō	indulsī	–	indulgēre	nachgeben, Nachsicht schenken
(4)	fulgeō	fulsī	–	fulgēre	blitzen, strahlen
(5)	haereō	haesī	(haesūrus)	haerēre	hängen, hängen bleiben, stecken bleiben
(6)	iubeō	iussī	iussum	iubēre (m. Akk.) (m. Inf.)	beauftragen, (jmdm.) befehlen; lassen
(7)	lūceō	lūxī	–	lūcēre	leuchten, strahlen

Verb: Stammformen

(8) maneō	mānsī	(mānsūrus)	manēre	bleiben, warten, erwarten
(9) rīdeō	rīsī	rīsum	rīdēre	lachen, auslachen
ir|rīdeō	irrīsī	irrīsum	irrīdēre	auslachen, verspotten
(10) suādeō	suāsī	suāsum	suādēre	raten, zureden
per|suādeō	persuāsī	persuāsum	persuādēre (m. Dat.)	(jmdn.) überreden, überzeugen

ī-Konjugation

(11) sentiō	sēnsī	sēnsum	sentīre	fühlen, empfinden; merken; meinen
cōn|sentiō	cōnsēnsī	cōnsēnsum	cōnsentīre	übereinstimmen, sich einig sein
dis|sentiō	dissēnsī	dissēnsum	dissentīre	nicht übereinstimmen
(12) vinciō	vīnxī	vīnctum	vincīre	binden, fesseln

Konsonantische Konjugation

(13) carpō	carpsī	carptum	carpere	abreißen, pflücken
(14) cēdō	cessī	(cessūrus)	cēdere	gehen, weichen; nachgeben
ac|cēdō	accessī	accessum	accēdere	heranrücken, herantreten, dazukommen
con|cēdō	concessī	concessum	concēdere	zugestehen, einräumen; erlauben
dē|cēdō	dēcessī	dēcessum	dēcēdere	weggehen, sterben
dis|cēdō	discessī	discessum	discēdere	auseinander gehen, weggehen
in|cēdō	incessī	incessum	incēdere	einhergehen; befallen
prō|cēdō	prōcessī	prōcessum	prōcēdere	vorwärtsgehen, vorrücken
re|cēdō	recessī	recessum	recēdere	zurückweichen, sich zurückziehen
sē|cēdō	sēcessī	sēcessum	sēcēdere	beiseite gehen, weggehen
suc|cēdō	successī	successum	succēdere	nachfolgen, nachrücken; gelingen
(15) cingō	cīnxī	cīnctum	cingere	umgürten, umgeben, umzingeln
(16) claudō	clausī	clausum	claudere	schließen, absperren
con|clūdō	conclūsī	conclūsum	conclūdere	einsperren; schließen, folgern
in|clūdō	inclūsī	inclūsum	inclūdere	einschließen, einsperren
inter|clūdō	interclūsī	interclūsum	interclūdere	abschließen, versperren
(17) dīcō	dīxī	dictum	dīcere	sagen, sprechen, nennen
dīcor (↗ 79)	–	–	dīcī	heißen; man sagt (dass), ‚sollen'
inter|dīcō	interdīxī	interdictum	interdīcere	untersagen, verbieten
male|dīcō	maledīxī	maledictum	maledīcere (m. Dat.)	beschimpfen (jmdn.), lästern

18 dūcō	dūxī	ductum	dūcere	führen, ziehen; halten für; *(uxorem:)* heiraten
ab|dūcō	abdūxī	abductum	abdūcere	wegführen, abbringen
ad|dūcō	addūxī	adductum	addūcere	heranführen; veranlassen
dē|dūcō	dēdūxī	dēductum	dēdūcere	hinführen, wegführen
19 **fīgō**	fīxī	fīxum	fīgere	heften, befestigen
af|fīgō	affīxī	affīxum	affīgere	anheften, festmachen
20 fingō	fīnxī	fictum	fingere	formen, bilden; erdichten
21 flectō	flexī	flexum	flectere	biegen, beugen, wenden
22 af|**flīgō**	afflīxī	afflīctum	afflīgere	niederschlagen, entmutigen
cōn|flīgō	cōnflīxī	cōnflīctum	cōnflīgere	zusammenstoßen, kämpfen
23 fluō	flūxī	–	fluere	fließen, strömen
24 gerō	gessī	gestum	gerere	tragen, verrichten
25 **iungō**	iūnxī	iūnctum	iungere	verbinden, vereinigen
ad|iungō	adiūnxī	adiūnctum	adiungere	anschließen, angliedern, hinzufügen
con|iungō	coniūnxī	coniūnctum	coniungere	verbinden, vereinigen
26 laedō	laesī	laesum	laedere	verletzen, stoßen
27 dī|**ligō** (↗ 14.4.14)	dīlēxī	dīlēctum	dīligere	lieben, schätzen
intel|legō	intellēxī	intellēctum	intellegere	erkennen, einsehen, verstehen
neg|legō	neglēxī	neglēctum	neglegere	vernachlässigen, übersehen
28 **lūdō**	lūsī	lūsum	lūdere	spielen, scherzen
il|lūdō	illūsī	illūsum	illūdere	verspotten
29 **mittō**	mīsī	missum	mittere	schicken; gehen lassen; werfen
ā|mittō	āmīsī	āmissum	āmittere	aufgeben; verlieren
ad|mittō	admīsī	admissum	admittere	zulassen, hinzuziehen
com|mittō	commīsī	commissum	committere	zustande bringen; anvertrauen
dē|mittō	dēmīsī	dēmissum	dēmittere	herablassen, senken, sinken lassen
dī|mittō	dīmīsī	dīmissum	dīmittere	entlassen; aufgeben
o|mittō	omīsī	omissum	omittere	unterlassen, übergehen
per|mittō	permīsī	permissum	permittere	überlassen, erlauben, anvertrauen
prae|mittō	praemīsī	praemissum	praemittere	vorausschicken
praeter|mittō	praetermīsī	praetermissum	praetermittere	vorübergehen lassen, übergehen
prō|mittō	prōmīsī	prōmissum	prōmittere	versprechen
re|mittō	remīsī	remissum	remittere	zurückschicken, loslassen; nachlassen
30 nectō	nexī	nexum	nectere	knüpfen, verknüpfen, zusammenbinden
31 nūbō	nūpsī	nūptum	nūbere *(m. Dat.)*	heiraten *(einen Mann)*

Verb: Stammformen

32	plaudō	plausī	plausum	plaudere	Beifall klatschen
33	**premō**	pressī	pressum	premere	drücken, bedrängen
	com|primō	compressī	compressum	comprimere	zusammendrücken
	ex|primō	expressī	expressum	exprimere	auspressen; ausdrücken
	op|primō	oppressī	oppressum	opprimere	unterdrücken; über- fallen, überwältigen
	re|primō	repressī	repressum	reprimere	zurückdrängen
34	**regō**	rēxī	rēctum	regere	lenken, leiten, beherrschen
	cor|rigō	corrēxī	corrēctum	corrigere	berichtigen, verbessern
	ē|rigō	ērēxī	ērēctum	ērigere	aufrichten, ermutigen
	pergō	perrēxī	perrēctum	pergere	fortfahren, weitermachen
	por|rigō	porrēxī	porrēctum	porrigere	ausstrecken; (hin-)reichen
	surgō	surrēxī	(surrēctūrus)	surgere	aufstehen, sich erheben
35	**scrībō**	scrīpsī	scrīptum	scrībere	schreiben, verfassen
	cōn|scrībō	cōnscrīpsī	cōnscrīptum	cōnscrībere	verfassen; *(Soldaten)* ausheben
	dē|scrībō	dēscrīpsī	dēscrīptum	dēscrībere	abschreiben; be- schreiben, bestimmen
36	**spargō**	sparsī	sparsum	spargere	ausstreuen, zerstreuen
	di|spergō	dispersī	dispersum	dispergere	zerstreuen, verbreiten
37	**struō**	strūxī	strūctum	struere	schichten, bauen, errichten
	ex|struō	exstrūxī	exstrūctum	exstruere	aufschichten, errichten
	īn|struō	īnstrūxī	īnstrūctum	īnstruere	aufstellen, ausstatten, unterweisen
38	**sūmō**	sūmpsī	sūmptum	sūmere	nehmen
	ab|sūmō	absūmpsī	absūmptum	absūmere	verbrauchen, ver- nichten; *Pass.:* um- kommen, sterben
	cōn|sūmō	cōnsūmpsī	cōnsūmptum	cōnsūmere	verbrauchen, verschwenden
	dēmō	dēmpsī	dēmptum	dēmere	wegnehmen
39	**tegō**	tēxī	tēctum	tegere	decken, bedecken
	dē|tegō	dētēxī	dētēctum	dētegere	aufdecken, entdecken
	prō|tegō	prōtēxī	prōtēctum	prōtegere	schützen, beschützen
40	con|temnō	contempsī	contemptum	contemnere	verachten, missachten
41	trahō	trāxī	tractum	trahere	ziehen, schleppen
42	ūrō	ussī	ustum	ūrere	verbrennen *(trans.)*, versengen
43	**vādō**	–	–	vādere	gehen, schreiten
	ē|vādō	ēvāsī	(ēvāsūrus)	ēvādere	herausgehen; entrinnen
	in|vādō	invāsī	invāsum	invādere	eindringen, angreifen; befallen
44	vehō (↗ 16.4.15)	vēxī	vectum	vehere	ziehen, fahren, bringen
45	dī|vidō	dīvīsī	dīvīsum	dīvidere	trennen, teilen
46	vīvō	vīxī	(vīctūrus)	vīvere	leben

ĭ-Konjugation

47 a|**spiciō**	aspexī	aspectum	aspicere	erblicken, ansehen
cōn|spiciō	cōnspexī	cōnspectum	cōnspicere	erblicken
dē|spiciō	dēspexī	dēspectum	dēspicere	herabblicken, verachten
īn|spiciō	īnspexī	īnspectum	īnspicere	hineinblicken, betrachten
re|spiciō	respexī	respectum	respicere	zurückschauen, berücksichtigen
suspiciō	suspexī	suspectum	suspicere	beargwöhnen, verdächtigen, bewundern

4 Perfekt-Bildung durch Dehnung

ā-Konjugation

1 **iuvō**	iūvī	iūtum	iuvāre	erfreuen, unterstützen
iuvat	iūvit	–		*es* macht Freude / Spaß
ad|iuvō	adiūvī	adiūtum	adiuvāre (m. Akk.)	unterstützen, (jmdm.) helfen

ē-Konjugation

2 **caveō**	cāvī	cautum	cavēre (m. Akk.)	sich in Acht nehmen, sich hüten (vor)
3 **faveō**	fāvī	fautum	favēre (m. Dat.)	gewogen sein, (jmdn.) begünstigen
4 **moveō**	mōvī	mōtum	movēre	bewegen, beeinflussen; hervorrufen
ad|moveō	admōvī	admōtum	admovēre	nähern, heranrücken lassen
com|moveō	commōvī	commōtum	commovēre	bewegen, beeindrucken; veranlassen
per|moveō	permōvī	permōtum	permovēre	heftig bewegen
re|moveō	remōvī	remōtum	removēre	entfernen, wegschaffen
5 **sedeō** (↗ 14.4.17)	sēdī	sessum	sedēre	sitzen
ob|sideō	obsēdī	obsessum	obsidēre	belagern, besetzt halten
pos|sideō	possēdī	possessum	possidēre	besitzen
6 **videō** (↗ 16.2.8)	vīdī	vīsum	vidēre	sehen
in|videō	invīdī	invīsum	invidēre (m. Dat.)	(jmdn.) beneiden
prō|videō	prōvīdī	prōvīsum	prōvidēre (m. Akk.) (m. Dat.)	vorhersehen; sorgen (für)
7 **voveō**	vōvī	vōtum	vovēre	geloben, (feierlich) versprechen

Verb: Stammformen

Ī-Konjugation

(8) **veniō**	vēnī	ventum	venīre	kommen
ad|veniō	advēnī	adventum	advenīre	herankommen, ankommen
circum|veniō	circumvēnī	circumventum	circumvenīre	umringen, umzingeln
con|veniō	convēnī	conventum	convenīre	zusammenkommen, -passen; zustande kommen; sich einigen;
		(m. Akk.)		*(jmdn.)* treffen
con|venit	convēnit	–	convenīre	*es* ziemt sich, *es* passt; *man* einigt sich
ē|venit	ēvēnit	–	ēvenīre	*es* ereignet sich, *es* geschieht
in|veniō	invēnī	inventum	invenīre	finden, erfinden
per|veniō	pervēnī	perventum	pervenīre	gelangen, hin- kommen, kommen

Konsonantische Konjugation

(9) **agō**	ēgī	āctum	agere	treiben, betreiben; handeln, verhandeln
ad|igō	adēgī	adāctum	adigere	herantreiben, drängen
cōgō	coēgī	coāctum	cōgere	sammeln; zwingen
per|agō	perēgī	perāctum	peragere	durchführen; verbringen
red|igō	redēgī	redāctum	redigere	zurücktreiben, in einen Zustand versetzen
(10) **edō**	ēdī	ēsum	edere	essen, verzehren
(11) **emō**	ēmī	ēmptum	emere	nehmen, kaufen
ad|imō	adēmī	adēmptum	adimere	an sich nehmen, wegnehmen
dir|imō	dirēmī	dirēmptum	dirimere	trennen, unterbrechen
inter|imō	interēmī	interēmptum	interimere	umbringen, beseitigen
red|imō	redēmī	redēmptum	redimere	loskaufen, erkaufen
(12) **frangō**	frēgī	frāctum	frangere	brechen, verletzen, schwächen
(13) **fundō**	fūdī	fūsum	fundere	ausgießen; zerstreuen, auseinander treiben
dif|fundō	diffūdī	diffūsum	diffundere	zerstreuen, verbreiten
(14) **legō** (↗ 14.3.27)	lēgī	lēctum	legere	lesen; sammeln
col|ligō	collēgī	collēctum	colligere	sammeln
dē|ligō	dēlēgī	dēlēctum	dēligere	auswählen, wählen
ē|ligō	ēlēgī	ēlēctum	ēligere	auslesen, auswählen
(15) **re|linquō**	relīquī	relictum	relinquere	zurücklassen, hinter- lassen, verlassen
(16) **rumpō**	rūpī	ruptum	rumpere	brechen, zerreißen, sprengen
cor|rumpō	corrūpī	corruptum	corrumpere	verderben, bestechen
ē|rumpō	ērūpī	ēruptum	ērumpere	ausbrechen

⑰ cōnsīdō	cōnsēdī	–	cōnsīdere	sich setzen,
(↗ 14.4.5)				sich niederlassen
⑱ **vincō**	vīcī	victum	vincere	siegen, besiegen
con|vincō	convīcī	convictum	convincere (m. Gen.)	überführen *(eines Ver-gehens)*, widerlegen

ĭ-Konjugation

⑲ **capiō**	cēpī	captum	capere	fassen, ergreifen; erobern
ac|cipiō	accēpī	acceptum	accipere	annehmen, emp-fangen; vernehmen
dē|cipiō	dēcēpī	dēceptum	dēcipere	täuschen
ex|cipiō	excēpī	exceptum	excipere	herausnehmen, aus-nehmen; aufnehmen
in|cipiō	coepī	coeptum/ inceptum	incipere	anfangen, beginnen
prae|cipiō	praecēpī	praeceptum	praecipere	vorwegnehmen, vor-schreiben, befehlen, unterrichten
re|cipiō	recēpī	receptum	recipere	zurücknehmen, auf-nehmen;
			se recipere	sich zurückziehen
sus|cipiō	suscēpī	susceptum	suscipere	aufnehmen, übernehmen
⑳ **faciō**	fēcī	factum	facere	tun, machen, herstellen
pate|**faciō**	patefēcī	patefactum	patefacere	öffnen, eröffnen
satis|**faciō**	satisfēcī	satisfactum	satisfacere	Genüge leisten, *(An-sprüche)* befriedigen
af|ficiō	affēcī	affectum	afficere (m. Abl.)	versehen *(mit)*, ausstatten *(mit)*
cōn|ficiō	cōnfēcī	cōnfectum	cōnficere	vollenden, erledigen
dē|ficiō	dēfēcī	dēfectum	dēficere	abfallen; fehlen
ef|ficiō	effēcī	effectum	efficere	bewirken, durchsetzen
inter|ficiō	interfēcī	interfectum	interficere	töten
per|ficiō	perfēcī	perfectum	perficere	durchsetzen, vollenden
㉑ **fugiō**	fūgī	(fugitūrus)	fugere	fliehen, meiden
cōn|fugiō	cōnfūgī	(confugitūrus)	cōnfugere	sich flüchten
ef|fugiō	effūgī	(effugitūrus)	effugere	entfliehen, entkommen
㉒ **iaciō**	iēcī	iactum	iacere	werfen, schleudern
ab|iciō	abiēcī	abiectum	abicere	wegwerfen, herabwerfen
ad|iciō	adiēcī	adiectum	adicere	hinwerfen, hinzufügen
con|iciō	coniēcī	coniectum	conicere	zusammenwerfen, schleudern; vermuten
dē|iciō	dēiēcī	dēiectum	dēicere	herabwerfen; vertreiben

ē|iciō	ēiēcī	ēiectum	ēicere	hinauswerfen, vertreiben
prō|iciō	prōiēcī	prōiectum	prōicere	hinwerfen, preisgeben
sub|iciō	subiēcī	subiectum	subicere	unterwerfen
trā|iciō	trāiēcī	trāiectum	trāicere	übersetzen, überqueren

5 Perfekt-Bildung mit Reduplikation

ā-Konjugation

① **dō** (↗ 14.5.9)	dedī	dătum	dăre	geben
circúm|dō	circúmdedī	circúmdătum	circúmdăre	umgeben, umzingeln
② **stō**	stetī	(stātūrus)	stāre	stehen
cōn|stō	cōnstitī	(cōnstātūrus)	cōnstāre	feststehen; bestehen *(aus)*; kosten
cōn|stat	cōnstitit	–	cōnstāre	*es* ist bekannt, *es* steht fest
īn|stō	īnstitī	(īnstātūrus)	īnstāre (m. Dat.)	bevorstehen; *(jmdn.)* drängen, bedrängen, bedrohen
prae|stō	praestitī	(praestātūrus)	praestāre (m. Dat.) (m. Akk.)	voranstehen, übertreffen; leisten, erweisen
prae|stat	praestitit	–	praestāre	*es* ist besser
re|stō	restitī	–	restāre	übrig sein, übrig bleiben

ē-Konjugation

③ **pendeō**	pependī	–	pendēre	(herab-)hängen
im|pendeō	–	–	impendēre	bevorstehen, drohen
④ **spondeō**	spopondī	spōnsum	spondēre	versprechen, in Aussicht stellen
re|spondeō	respondī	respōnsum	respondēre	antworten, erwidern

ī-Konjugation

⑤ com|**periō**	comperī	compertum	comperīre	erfahren, in Erfahrung bringen
re|periō	re**pp**erī	repertum	reperīre	wiederfinden, finden

Konsonantische Konjugation

⑥ **cadō**	cécidī	(cāsūrus)	cadere	fallen
ác|cidit	áccidit	–	accidere	*es* ereignet sich, *es* stößt zu
cón|cidō	cóncidī	(concāsūrus)	concidere	einstürzen, zusammenbrechen
ín|cidō	íncidī	(incāsūrus)	incidere	hineinfallen, geraten *(in)*
óc|cidō	óccidī	(occāsūrus)	occidere	untergehen; umkommen
⑦ **caedō**	cecīdī	caesum	caedere	fällen, niederhauen; schlagen
oc|cīdō	occīdī	occīsum	occīdere	niederschlagen, töten

8 **currō**	cucurrī	cursum	currere	laufen, rennen
ac|currō	accurrī	accursum	accurrere	herbeieilen
con|currō	concurrī	concursum	concurrere	zusammenlaufen, zusammenstoßen
oc|currō	occurrī	occursum	occurrere	begegnen, entgegentreten
9 (**dō** ↗(14.5.1)	dedī	dătum	dăre	geben)
ab|dō	abdidī	abditum	abdere	verbergen
ad|dō	addidī	additum	addere	hinzufügen
con|dō	condidī	conditum	condere	gründen; aufbewahren; bestatten
dē|dō	dēdidī	dēditum	dēdere	hingeben, ausliefern; widmen
ē|dō	ēdidī	ēditum	ēdere	herausgeben, verbreiten, hervorbringen
per|dō	perdidī	perditum	perdere	vernichten; verlieren
prō|dō	prōdidī	prōditum	prōdere	preisgeben, verraten; überliefern
red|dō	reddidī	redditum	reddere	zurückgeben; machen *(zu)*
trā|dō	trādidī	trāditum	trādere	übergeben, überliefern
crēdō	crēdidī	crēditum	crēdere	glauben; anvertrauen
ven|dō	vendidī	venditum	vendere	verkaufen
10 discō	dídicī	–	discere	lernen
11 **fallō**	fefellī	–	fallere	täuschen
fallit	fefellit	–	fallere *(m. Akk.)*	*es* entgeht, *es* ist unbekannt
12 parcō	pepercī	(parsūrus)	parcere *(m. Dat.)*	*(jmdn.)* schonen; *(an/mit etw.)* sparen
13 **pellō**	pepulī	pulsum	pellere	treiben, schlagen; vertreiben
ex|pellō	expulī	expulsum	expellere	vertreiben, ausstoßen
im|pellō	impulī	impulsum	impellere	antreiben, veranlassen
re|pellō	re**pp**ulī	repulsum	repellere	zurücktreiben, abwehren
14 pendō	pependī	pēnsum	pendere	abwägen, bezahlen
15 poscō	poposcī	–	poscere	fordern, verlangen
16 cōn|**sistō**	cōnstitī	–	cōnsistere	sich hinstellen; bestehen *(aus)*
dē|sistō	dēstitī	–	dēsistere *(m. Abl.)*	ablassen *(von)*, aufhören
ex|sistō	exstitī	–	exsistere	hervortreten, auftreten, entstehen
re|sistō	restitī	–	resistere	Widerstand leisten
17 **tangō**	tetigī	tāctum	tangere	berühren
con|tingō	contigī	contāctum	contingere	berühren, erreichen; zuteil werden
con|tingit	contigit	–	contingere	*es* gelingt
18 **tendō**	tetendī	tentum	tendere	spannen, strecken
con|tendō	contendī	contentum	contendere	sich anstrengen, eilen; kämpfen; behaupten
os|tendō	ostendī	–	ostendere	zeigen, darlegen, in Aussicht stellen

ĭ-Konjugation

(19)	pariō	peperĭ	partum (parĭtūrus)	parere	hervorbringen, gebären; erwerben

6 Perfekt-Bildung ohne Veränderung des Präsens-Stammes

Konsonantische Konjugation

Nr.	Präsens	Perfekt	PPP	Infinitiv	Bedeutung
(1)	arguō	arguĭ	argūtum	arguere (m. Gen.)	darlegen; (einer Sache) beschuldigen
(2)	bibō	bibĭ	–	bibere	trinken
(3)	in|**cendō**	incendĭ	incēnsum	incendere	anzünden, entflammen
(4)	dē|**fendō**	dēfendĭ	dēfēnsum	dēfendere	verteidigen, abwehren
	of|fendō	offendĭ	offēnsum	offendere	anstoßen; angreifen, beleidigen
(5)	con|gruō	congruĭ	–	congruere	zusammenfallen, übereinstimmen
(6)	metuō	metuĭ	–	metuere	fürchten
(7)	minuō	minuĭ	minūtum	minuere	verringern, vermindern
(8)	**prehendō**	prehendĭ	prehēnsum	prehendere	ergreifen, fassen,
	com|prehendō	comprehendĭ	comprehēnsum	comprehendere	ergreifen, fassen, erfassen; begreifen
	dē|prehendō	dēprehendĭ	dēprehēnsum	dēprehendere	ergreifen, ertappen
	re|prehendō	reprehendĭ	reprehēnsum	reprehendere	tadeln
(9)	**ruō**	ruĭ	(ruĭtūrus)	ruere	stürzen, eilen; einstürzen
	ē|ruō	ēruĭ	ērutum	ēruere	ausgraben, aufgraben
(10)	a|**scendō**	ascendĭ	ascēnsum	ascendere	hinaufsteigen, ersteigen
	cōn|scendō	cōnscendĭ	cōnscēnsum	cōnscendere	besteigen
	dē|scendō	dēscendĭ	dēscēnsum	dēscendere	herabsteigen, herabkommen
(11)	**solvō**	solvĭ	solūtum	solvere	lösen; befreien; zahlen
	ab|solvō	absolvĭ	absolūtum	absolvere (m. Gen.)	freisprechen, loslösen (von)
	dis|solvō	dissolvĭ	dissolūtum	dissolvere	auflösen

(12) **statuō**	statuī	statūtum	statuere	aufstellen; festsetzen, beschließen
cōn|stituō	cōnstituī	cōnstitūtum	cōnstituere	festsetzen, beschließen
īn|stituō	īnstituī	īnstitūtum	īnstituere	einrichten, beginnen; beabsichtigen; unterrichten
re|stituō	restituī	restitūtum	restituere	wiederherstellen
(13) **tribuō**	tribuī	tribūtum	tribuere	zuteilen, zuweisen
dis|tribuō	distribuī	distribūtum	distribuere	verteilen, einteilen
(14) ind|uō	induī	indūtum	induere	anziehen, anlegen
(15) **vertō** (↗ 17.1.5)	vertī	versum	vertere	wenden, drehen, kehren
animad|vertō	animadvertī	animadversum	animadvertere	wahrnehmen, beachten
con|vertō	convertī	conversum	convertere	umwenden, (hin-)lenken; umändern
ē|vertō	ēvertī	ēversum	ēvertere	umkehren, umstürzen, zerstören
(16) volvō	volvī	volūtum	volvere	wälzen, rollen

15 **Deponens: Begriff – Formen – Bedeutung**

1 Begriff

Als Deponens wird ein Verb bezeichnet, das passive Formen bei aktiver Bedeutung hat (↗ 7.2.2). Deponentien gibt es in allen fünf Konjugationsklassen.

2 Formen

Nur einige infinite Formen sind wie bei den aktivischen Verben (↗ 12) gebildet:

Partizip Präsens:	cōnāns, cōnantis; cōnfitēns, cōnfitentis
Partizip Futur:	cōnātūrus, -a, -um; moritūrus, -a, -um
Infinitiv Futur:	cōnātūrum, -am, -um esse; questūrum, -am, -um esse
Gerundium:	cōnandī usw.; patiendī usw.
Gerundivum:	cōnandus, -a, -um; patiendus, -a, -um

Verb: Formentabelle

2.1 Präsens-Stamm: Finite Formen

INDIKATIV

	Präsens	Imperfekt	Futur I
SINGULAR — 1. Person	**ich** cōn- ⎤ vere- ⎥ largi- ⎥ -or — schenke / versuche / fürchte / leide / folge pati- ⎥ sequ- ⎦	**ich** versuchte fürchtete -ba-r — schenkte litt folgte	**ich werde** cōnā- ⎤ verē- ⎥ -b -or largi- ⎥ pati- ⎥ -a -r sequ- ⎦ — versuchen / fürchten / schenken / leiden / folgen
SINGULAR — 2. Person	**du** cōnā- ⎤ verē- ⎥ largĭ- ⎥ -ris — versuchst / fürchtest / schenkst / leidest / folgst páte- ⎥ séque- ⎦	**du** cōnā- / verē- / largi- ⎥ pati- / sequ- ⎥ -ē -bā-ris — versuchtest / fürchtetest / schenktest / littest / folgtest	**du wirst** cōnā- ⎤ verē- ⎥ -be -ris largi- ⎥ pati- ⎥ -ē -ris sequ- ⎦ — versuchen / fürchten / schenken / leiden / folgen
SINGULAR — 3. Person	**er, sie, es** cōnā- ⎤ verē- ⎥ largĭ- ⎥ -tur — versucht / fürchtet / schenkt / leidet / folgt páti- ⎥ séqui- ⎦	**er, sie, es** versuchte fürchtete -bā-tur — schenkte litt folgte	**er, sie, es wird** cōnā- ⎤ verē- ⎥ -bi -tur largi- ⎥ pati- ⎥ -ē -tur sequ- ⎦ — versuchen / fürchten / schenken / leiden / folgen
PLURAL — 1. Person	**wir** cōnā- ⎤ verē- ⎥ largĭ- ⎥ -mur — versuchen / fürchten / schenken / leiden / folgen páti- ⎥ séqui- ⎦	**wir** versuchten fürchteten -bā-mur — schenkten litten folgten	**wir werden** cōnā- ⎤ verē- ⎥ -bi -mur largi- ⎥ pati- ⎥ -ē -mur sequ- ⎦ — versuchen / fürchten / schenken / leiden / folgen
PLURAL — 2. Person	**ihr** cōnā- ⎤ verē- ⎥ largĭ- ⎥ -minī — versucht / fürchtet / schenkt / leidet / folgt pati- ⎥ sequi- ⎦	**ihr** cōnā- / verē- / largĭ- ⎥ pati- / sequ- ⎥ -ē -bā-minī — versuchtet / fürchtetet / schenktet / littet / folgtet	**ihr werdet** cōnā- ⎤ verē- ⎥ -bi -minī largi- ⎥ pati- ⎥ -ē -minī sequ- ⎦ — versuchen / fürchten / schenken / leiden / folgen
PLURAL — 3. Person	**sie** cōna- ⎤ vere- ⎥ largiu- ⎥ -ntur — versuchen / fürchten / schenken / leiden / folgen patiu- ⎥ sequu- ⎦	**sie** versuchten fürchteten -ba-ntur — schenkten litten folgten	**sie werden** cōnā- ⎤ verē- ⎥ -bu -ntur largi- ⎥ pati- ⎥ -e -ntur sequ- ⎦ — versuchen / fürchten / schenken / leiden / folgen

2.1 Präsens-Stamm: Finite Formen

KONJUNKTIV / IMPERATIV

Präsens (HS: ↗99.2; GS: ↗113)	Imperfekt (HS: ↗99.2; GS: ↗113)	Imperativ I (↗101)	Imperativ II[1] (↗101)
1. Person cōn- —— e-r vere- largi- ┐ pati- ┤ a-r sequ- ┘	re-r		
2. Person cōn- —— ē-ris vere- ┐ largi- ┤ ā-ris pati- ┤ sequ- ┘	cōnā- ┐ verē- ┤ largī- ┤ rē-ris pate- ┤ seque- ┘	cōnā ┐ versuche! verē- ┤ fürchte! largī- ┤ re! schenke! páte- ┤ leide! séque ┘ folge!	cōnā-tor! **du sollst** versuchen! usw. usw.
3. Person cōn- —— ē-tur vere- ┐ largi- ┤ ā-tur pati- ┤ sequ- ┘	rē-tur		cōnā-tor! **er, sie, es soll** versuchen! usw. usw.
1. Person cōn- —— ē-mur vere- largi- ┐ pati- ┤ ā-mur sequ- ┘	rē-mur		
2. Person cōn- —— ē-minī vere- ┐ largi- ┤ ā-minī pati- ┤ sequ- ┘	cōnā- ┐ verē- ┤ largī- ┤ rē-minī pate- ┤ seque- ┘	cōnā- ┐ versucht! verē- ┤ fürchtet! largī- ┤ minī! schenkt! pati- ┤ leidet! sequi- ┘ folgt!	
3. Person cōn- —— e-ntur vere- ┐ largi- ┤ a-ntur pati- ┤ sequ- ┘	re-ntur		cōna-ntor! **sie sollen** versuchen! usw. usw.

Verb: Formentabelle

---

[1]) Der Imperativ II begegnet selten.

Verb: Formentabelle

2.2 Perfekt-Stamm: Finite Formen

Numerus	Person		Indikativ			Konjunktiv	
			Perfekt	Plusquamperfekt	Futur II	Perfekt	Plusquamperfekt
SINGULAR	1.	cōnātus, -a, -um	sum	eram	erō	sim	essem
	2.	véritus, -a, -um	es	erās	eris	sīs	essēs
	3.	largītus, -a, -um	est	erat	erit	sit	esset
PLURAL	1.	passī, -ae, -a	sumus	erāmus	erimus	sīmus	essēmus
	2.	secutī, -ae, -a	estis	erātis	eritis	sītis	essētis
	3.		sunt	erant	erunt	sint	essent
		ich habe versucht/versuchte	ich hatte versucht	(HS: ↗ 107.2;	(HS: ↗ 99.2;	(HS: ↗ 99.2;
		du hast gefürchtet/fürchtetest	du hattest …	GS: ↗ 112.3)	GS: ↗ 113)	GS: ↗ 113)
		er, sie, es hat geschenkt/schenkte	er, sie, es hatte …			
		wir haben erduldet/erduldeten	wir hatten …			
		ihr seid gefolgt/folgtet	ihr wart …			
		sie sind gefolgt/folgten …	sie waren …			

2.3 Verbalstämme: Nominalformen

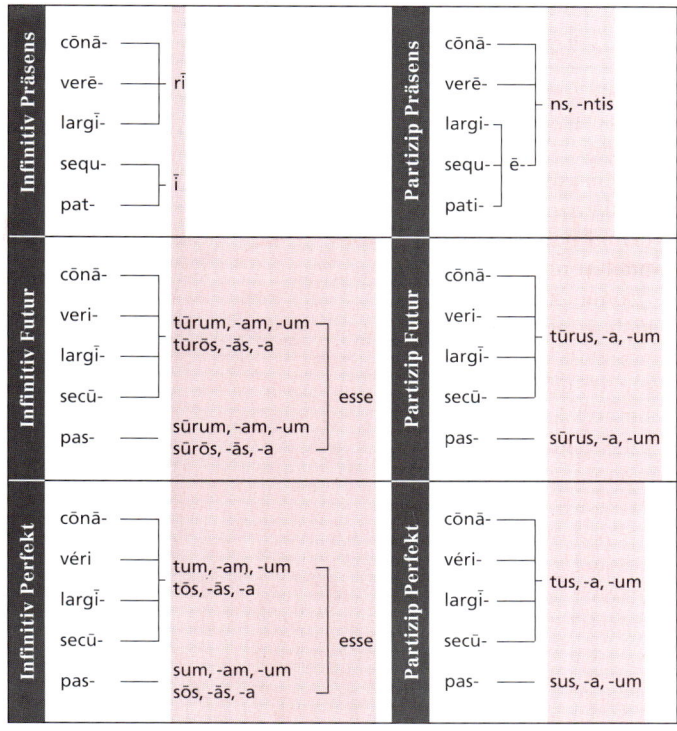

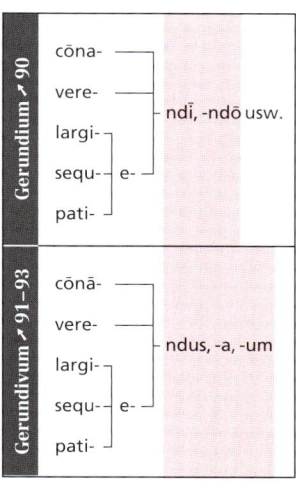

3 Bedeutung

Deponentien stehen zwischen den Genera verbi *(Diathesen)* Aktiv und Passiv: **Medium**[1].

Das Medium bezeichnet ursprünglich eine Handlung, die von einem Subjekt mit starker seelisch-geistiger oder körperlicher Beteiligung – häufig auch an einem Objekt – vollzogen oder selbst erfahren wird. Dies zeigt sich auch daran, dass sich viele Deponentien reflexiv wiedergeben lassen, z.B.

mīrārī	*sich* wundern	potīrī	*sich* bemächtigen
recordārī	*sich* erinnern	colloquī	*sich* unterreden
verērī	*sich* scheuen	ulcīscī	*sich* rächen

3.1 Drei Bedeutungsbereiche lassen sich unterscheiden:

intensives Bemühen:	cōnārī	versuchen	–	persequī verfolgen
innere Beteiligung:	minārī	drohen	–	querī klagen
Vorgänge des Erleidens:	patī	leiden	–	morī sterben

3.2 Der Übergang von der reflexiv-medialen zur aktiv-transitiven Bedeutung lässt sich teilweise auch im Deutschen nachvollziehen, z.B.
verērī   sich scheuen > sich fürchten (vor jemandem) > jemanden fürchten

16   Deponentien – Stammformen

1 ā-Konjugation

(1) arbitror   arbitrātus sum   arbitrārī   meinen, glauben

Ebenso bilden alle Deponentien (↗ 7.2.2) der ā-Konjugation ihre Stammformen:

(2)	cōnārī	versuchen
(3)	re|cordārī *(m. Akk.)*	sich erinnern *(an)*
(4)	cūnctārī	zögern
(5)	in|dīgnārī *(mit Akk.)*	empört sein, sich entrüsten *(über)*
(6)	grātulārī *(m. Dat.)*	danken; *(jmdn.)* beglückwünschen
(7)	hortārī	ermahnen, mahnen
(8)	imitārī	nachahmen
(9)	minārī	drohen, androhen
(10)	**mīrārī** *(m. Akk.)*	sich wundern *(über)*, bewundern
	ad|mīrārī	bewundern
(11)	morārī	(sich) aufhalten, zögern
(12)	precārī	beten, bitten
(13)	inter|pretārī	auslegen, deuten
(14)	cōn|sōlārī	trösten
(15)	cōn|**spicārī**	erblicken
	su|spicārī	argwöhnen, vermuten
(16)	con|templārī	betrachten, beobachten
(17)	tūtārī	schützen
(18)	venerārī	verehren, anbeten
(19)	versārī	sich aufhalten, sich beschäftigen

---

[1] medius, -a, -um: in der Mitte stehend, dazwischenliegend; zur Verwendung ↗ 80.3; 84.2; 86.3.2

Verb: Stammformen

2 ē-Konjugation

(1) **fateor**	fassus sum	fatērī	gestehen, bekennen
cōn|fiteor	cōnfessus sum	cōnfitērī	gestehen, bekennen
pro|fiteor	professus sum	profitērī	gestehen, offen bekennen
(2) **mereor**	meritus sum	merērī *(dē)*	sich verdient machen *(um)*
(↗ 14.2.17)			
ē|mereor	ēmeritus sum	ēmerērī	verdienen, leisten
(3) misereor	miseritus sum	miserērī *(m. Gen.)*	sich erbarmen, Mitleid haben *(mit jmdm.)*
(4) polliceor	pollicitus sum	pollicērī	versprechen
(5) reor	ratus sum	rērī	meinen, denken; rechnen
(6) tueor	(tūtātus sum)	tuērī	schützen
(7) vereor	veritus sum	verērī	sich scheuen, fürchten; verehren
(8) videor	vīsus sum	vidērī	scheinen, gelten (als)
(↗ 14.4.6)			

3 ī-Konjugation

(1) largior	largītus sum	largīrī	spenden, schenken
(2) mentior	mentītus sum	mentīrī	lügen
(3) mētior	mēnsus sum	mētīrī	messen
(4) mōlior	mōlītus sum	mōlīrī	in Bewegung setzen, unternehmen, planen
(5) ōrdior	ōrsus sum	ōrdīrī	anfangen, beginnen
(6) **orior**[1]	ortus sum; (oritūrus)	orīrī	sich erheben, aufgehen; entstehen
ad|orior	adortus sum	adorīrī	angreifen, in Angriff nehmen
(7) partior	partītus sum	partīrī	teilen
(8) ex|perior	expertus sum	experīrī	versuchen, erproben
(9) potior	potītus sum	potīrī *(m. Abl. oder Gen.)*	sich bemächtigen, in seine Gewalt bekommen

4 Konsonantische Konjugation

(1) adipīscor	adeptus sum	adipīscī	erreichen, erringen
(2) pro|ficīscor	profectus sum	proficīscī	aufbrechen, abreisen, reisen
(3) fungor	fūnctus sum	fungī *(m. Abl.)*	verwalten, verrichten
(4) īrāscor	–	īrāscī	zürnen
(5) **lābor**	lāpsus sum	lābī	gleiten, fallen, verfallen
dī|lābor	dīlāpsus sum	dīlābī	zerfallen, vergehen
(6) ob|līvīscor	oblītus sum	oblīvīscī *(m. Gen.)*	*(etw.)* vergessen
(7) **loquor**	locūtus sum	loquī	sprechen, reden
col|loquor	collocūtus sum	colloquī	sich unterreden, sich besprechen
(8) nancīscor	na(n)ctus sum	nancīscī	erreichen, bekommen
(9) nāscor	nātus sum	nāscī	geboren werden, entstehen
(10) nītor	nīsus/nīxus sum	nītī *(m. Abl.)*	sich stützen *(auf)*, streben *(nach)*, sich anstrengen

---

[1]) Manche Formen werden nach der ī-Konjugation gebildet.

(11)	queror	questus sum	querī *(m. Akk.)*	klagen *(über)*, beklagen
(12)	**sequor**	secūtus sum	sequī *(m. Akk.)*	folgen, befolgen
	as|sequor	assecūtus sum	assequī	einholen, erreichen
	cōn|sequor	cōnsecūtus sum	cōnsequī *(m. Akk.)*	nachfolgen, einholen, erreichen
	per|sequor	persecūtus sum	persequī	verfolgen
(13)	ulcīscor	ultus sum	ulcīscī *(m. Akk.)*	sich rächen *(an/für)*, bestrafen, strafen
(14)	ūtor	ūsus sum	ūtī *(m. Abl.)*	*(etw.)* benützen, gebrauchen
(15)	vehor	vectus sum	vehī	fahren, sich fahren lassen
	(↗ 14.3.44)			

5 ĭ-Konjugation

(1)	ag|**gredior**	aggressus sum	aggredī	angreifen, herangehen
	ē|gredior	ēgressus sum	ēgredī	herausgehen, herauskommen
	in|gredior	ingressus sum	ingredī	hineingehen, einhergehen
	prō|gredior	prōgressus sum	prōgredī	weitergehen, vorrücken, Fortschritte machen
	re|gredior	regressus sum	regredī	zurückgehen, umkehren
(2)	morior	mortuus sum (moritūrus)	morī	sterben
(3)	patior	passus sum	patī	dulden, (er)leiden, zulassen

17   Sonderformen der Deponentien: Semideponentien und fierī

1 Semideponentien[1] (↗ 7.2.2)

1.1 ē-Konjugation

(1)	audeō	ausus sum	audēre	wagen
(2)	gaudeō	gāvīsus sum	gaudēre *(m. Abl.)*	sich freuen *(über)*
(3)	soleō	solitus sum	solēre	gewohnt sein, pflegen

1.2 Konsonantische Konjugation

(4)	cōn|fīdō	cōnfīsus sum	cōnfīdere	vertrauen
(5)	re|vertor	revertī, -istī, …	revertī	zurückkehren
	(↗ 14.6; 15) *PPA:* reversus			zurückgekehrt

[1] Semi-deponentien: Halb-Deponentien (↗ 7.2.2).

2 fierī

| fīō | factus sum | fierī | werden, gemacht werden; geschehen |

	Präsens Ind.	Konj.	Imperfekt Ind.	Konj.	Futur I	Imperativ
Sg. 1.	fī-ō	fī-a-m	fī-ē-**ba**-m	fi-e-**re**-m	fī-a-m	
2.	fī-s	fī-ā-s	fī-ē-**bā**-s	fi-e-**rē**-s	fī-ē-s	(fī!)
3.	fi-t	fī-a-t	fī-ē-**ba**-t	fi-e-**re**-t	fī-e-t	
Pl. 1.	fī-mus	fī-ā-mus	fī-ē-**bā**-mus	fi-e-**rē**-mus	fī-ē-mus	
2.	fī-tis	fī-ā-tis	fī-ē-**bā**-tis	fi-e-**rē**-tis	fī-ē-tis	(fī-te!)
3.	fī-*unt*	fī-a-nt	fī-ē-**ba**-nt	fi-e-**re**-nt	fī-e-nt	
Infinitiv	fierī				fōre	
Partizip					futūrus	

Das -i- ist auch vor Vokalen lang, außer in fierī, fierem ... fierent

Das Passiv von facere wird im Präsens-Stamm durch die Formen von fierī ersetzt.
Die Komposita von facere (z.B. cōnficere, perficere) bilden das Passiv in der üblichen
Weise (z.B. cōnficior, perficitur).

18 Verben mit Besonderheiten im Präsens-Stamm: esse, posse, īre, velle/nōlle/mālle, ferre

1 esse und Komposita

1.1 esse, sum, fuī sein

Der Präsens-Stamm von esse lautet es- bzw. s-. Im Indikativ Imperfekt und im Futur I hat
er sich (durch Rhotazismus ↗ L 22) zu er- verändert.

Präsens Ind.	Konj.	Imperfekt Ind.	Konj.	Futur I	Imperativ I	Imperativ II
s-*u*-m	s-i-m	er-a-m	es-**se**-m	er-ō		
e-s	s-*ī*-s	er-ā-s	es-**sē**-s	er-*i*-s	es!	es-**tō**!
es-t	s-i-t	er-a-t	es-**se**-t	er-*i*-t		es-**tō**!
s-*u*-mus	s-*ī*-mus	er-ā-mus	es-**sē**-mus	er-*i*-mus		
es-tis	s-*ī*-tis	er-ā-tis	es-**sē**-tis	er-*i*-tis	es-**te**!	es-**tōte**!
s-*u*-nt	s-i-nt	er-a-nt	es-**se**-nt	er-*u*-nt		s-*u*-ntō!
Partizip –				**Partizip** futūrus		
Infinitiv es-**se**				**Infinitiv** futūrum, -am, -um esse; fōre		

posse		
Präsens Ind.	**Imperfekt** Ind.	**Futur I**
pos-sum	pót-eram	pót-erō
pot-e s	usw.	usw.
pot-est		
pos-sumus		
pot-estis		
pos-sunt		
Konj.	**Konj.**	
pos-sim	pos-sem	
usw.	usw.	

1.2 esse: Komposita

sum	fuī	(futūrus)	esse	sein
ab-sum	āfuī	(āfutūrus)	abesse	abwesend sein, entfernt sein, fehlen
ad-sum	affuī	(āffutūrus)	adesse	anwesend sein; beistehen
dē-sum	dēfuī	–	deesse	fehlen, mangeln
īn-sum	–	–	inesse	enthalten sein
inter-sum	interfuī	–	interesse *(m. Dat.)*	teilnehmen *(an)*
inter-est	interfuit	–	interesse	*es* ist wichtig; *es* besteht ein Unterschied
ob-sum	obfuī	(obfutūrus)	obesse	schaden
prae-sum	praefuī	(praefutūrus)	praeesse *(mit Dat.)*	an der Spitze stehen, leiten
super-sum	superfuī	–	superesse *(mit Dat.)*	übrig sein, *(jmdn.)* überleben
prō-sum	prōfuī	(prōfutūrus)	prōdesse[1]	nützen, nützlich sein
pos-sum	potuī	–	posse	können

2 īre und Komposita

2.1 īre, eō, iī, itum   gehen

Der Präsens-Stamm -ī-/-i- erscheint als e- vor -a-, o-, u-.
Der Perfekt-Aktiv-Stamm i- ist mit -is zu īs- verschmolzen.

Präsens Ind.	Konj.	Imperfekt Ind.	Konj.	Futur I	Imperativ I	Imperativ II
e -ō	e-a-m	ī-ba-m	ī-re-m	ī-b -ō		
ī -s	e-ā-s	ī-bā-s	ī-rē-s	ī-b*i -s*	ī!	ī -tō!
i -t	e-a-t	ī-ba-t	ī-re-t	ī-b*i* -t		ī -tō!
ī -mus	e-ā-mus	ī-bā-mus	ī-rē-mus	ī-b*i* -mus	ī-te!	ī -tōte!
ī -tis	e-ā-tis	ī-bā-tis	ī-rē-tis	ī-b*i* -tis		e-*u*-ntō!
e-*u*-nt	e-a-nt	ī-ba-nt	ī-re-nt	ī-b*u*-nt		

Partizip Präsens	Infinitiv Präsens	Gerundium	Gerundivum
i-ēns, e-*u*ntis	ī-re	e-*u*ndī	e-*u*ndum (est)

Perfekt		Plusquamperfekt		Futur II	
i-ī	i-eri-m	i-era-m	īsse-m	i-er -ō	
ī-stī	i-eri-s	i-erā-s	īssē-s	i-er*i*-s	
i-it	i-eri-t	i-era-t	īsse-t	i-er*i*-t	
i-imus	i-eri-mus	i-erā-mus	īssē-mus	i-er*i*-mus	
ī-stis	i-eri-tis	i-erā-tis	īssē-tis	i-er*i*-tis	
i-ērunt	i-eri-nt	i-era-nt	īsse-nt	i-er*i*-nt	

Partizip Perfekt Passiv	Infinitiv Perfekt Aktiv
itum[2]	īsse

[1]) Das Präfix prō- lautet vor Vokalen prōd-.
[2]) Das intransitive Verb īre hat nur unpersönliche Passivformen, z.B. ītur (man geht), itum est (man ging).

2.2 īre: Komposita

eō	iī	ĭtum	īre	gehen
ab|eō	abiī	abĭtum	abīre	weggehen, abtreten
ad|eō	adiī	adĭtum	adīre	herangehen, aufsuchen; angreifen
ex|eō	exiī	exĭtum	exīre	hinausgehen, ausrücken
in|eō	iniī	inĭtum	inīre	hineingehen; beginnen
inter|eō	interiī	–	interīre	zugrunde gehen, umkommen
ob|eō	obiī	obĭtum	obīre	entgegengehen; besuchen; sterben
per|eō	periī	–	perīre	zugrunde gehen, umkommen
praeter|eō	praeteriī	praeterĭtum	praeterīre	vorbeigehen, übergehen
red|eō	rediī	redĭtum	redīre	zurückgehen, zurückkehren
sub|eō	subiī	subĭtum	subīre	herangehen, auf sich nehmen
trāns|eō	trānsiī	trānsĭtum	trānsīre	hinübergehen, überschreiten

3 velle – nōlle – mālle

Der Präsens-Stamm lautet in den Indikativ-Formen und im Partizip vol- (vul- ↗ L 16.2), in den Konjunktivformen und im Infinitiv vel-. Der Perfekt-Aktiv-Stamm endet auf -u-. Zwischen die Stämme vol-/māl-/nōl- und die Person-Zeichen -mus und -nt tritt der Bindevokal -u-, z.B. vol-u-mus, nōl-u-nt (vgl. s-u-mus, s-u-nt).

volō	voluī	–	velle	wollen
nōlō	nōluī	–	nōlle	nicht wollen
mālō	māluī	–	mālle	lieber wollen

3.1 velle[1]

Präsens Ind.	Konj.	Imperfekt Ind.	Konj.	Futur I
vol -ō	vel-i-m	vol-ēba-m	vel-le-m	vol-a-m
vĭ -s	vel-ī-s	vol-ēbā-s	vel-lē-s	vol-ē-s
vul -t	vel-i-t	vol-ēba-t	vel-le-t	vol-e-t
vol-u-mus	vel-ī-mus	usw.	usw.	usw.
vul -tis	vel-ī-tis			
vol-u-nt	vel-i-nt			

Partizip Präsens	Perfekt	
vol-**ēns**, vol-**entis**	**volu**-ī	

---

[1] velle < velse (vgl. es-se ↗ L 23: Assimilation); nōlō < nevolō; mālō < mage-volō

3.2 nōlle

Präsens Ind.	Konj.	Imperfekt Ind.	Konj.	Futur I	Imperativ I
nōl-ō	nōl-i-m	nōl-ēba-m	nōl-le-m	nōl-a-m	
nōn **vīs**	nōl-ī-s	nōl-ēbā-s	nōl-lē-s	nōl-ē-s	nōl ī!
nōn **vult**	nōl-i-t	nōl-ēba-t	nōl-le-t	nōl-e-t	
nōl-*u*-mus	nōl-ī-mus	usw.	usw.	usw.	nōlī-te!
nōn **vultis**	nōl-ī-tis				
nōl-*u*-nt	nōl-i-nt				

Partizip Präsens	Perfekt		
nōl-ēns, nōl-entis	**nōlu**-ī		

3.3 mālle

Präsens Ind.	Konj.	Imperfekt Ind.	Konj.	Futur I
māl-ō	māl-i-m	māl-ēba-m	māl-le-m	māl-a-m
mā-**vīs**	māl-ī-s	māl-ēbā-s	māl-lē-s	māl-ē-s
mā-**vult**	māl-i-t	māl-ēba-t	māl-le-t	māl-e-t
māl-*u*-mus	māl-ī-mus	usw.	usw.	usw.
mā-**vultis**	māl-ī-tis			
māl-*u*-*nt*	māl-i-nt			

Partizip Präsens	Perfekt	
mālēns, -entis	**mālu**-ī	

Verb: Formentabelle

Verb: Formentabelle

4 ferre und Komposita

4.1 ferre, ferō, tulī, lātum   tragen

Im Indikativ Präsens zeigt **ferre** die Bindevokale -i- bzw. -u- vor -m- bzw. -n-. Der Perfekt-Aktiv-Stamm lautet tul- (vgl. tollere). Der Partizip-Perfekt-Passiv-Stamm lautet lāt- (< tlat-).

Aktiv

Präsens		Imperfekt		Futur I	Imperativ	
Ind.	Konj.	Ind.	Konj.		I	II
fer -ō	fer-a-m	fer-ēba-m	fer-re-m	fer-a-m		
fer -s	fer-ā-s	fer-ēbā-s	fer-rē-s	fer-ē-s	fer!	fer -tō!
fer -t	fer-a-t	fer-ēba-t	fer-re-t	fer-e-t	fer-te!	fer -tō!
fer-i -mus	fer-ā-mus	usw.	usw.	usw.		
fer -tis	fer-ā-tis					fer -tōte!
fer-u-nt	fer-a-nt					fer-u-ntō!

Partizip Präsens	Gerundium	Gerundivum	Infinitiv
fer-ēns, fer-entis	fer-endī	fer-endus, -a-, -um	fer-re[1]

Perfekt			
tulī			

Passiv

Präsens		Imperfekt		Futur I
Ind.	Konj.	Ind.	Konj.	
fer- or	fer-a-r	fer-ēba-r	fer-re-r	fer-a-r
fer- ris	fer-ā-ris	fer-ēbā-ris	fer-rē-ris	fer-ē-ris
fer- tur	fer-ā-tur	fer-ēbā-tur	fer-rē-tur	fer-ē-tur
fer-i mur	fer-ā-mur	usw.	usw.	usw.
fer-i minī	fer-ā-minī			
fer-untur	fer-a-ntur			

Infinitiv Präsens	Partizip Perfekt	Perfekt
fer-rī	lātus, -a, -um	lātus sum, ...

---

[1]) ferre < ferse (vgl. esse ⤴ L 23: Assimilation)

4.2 ferre: Komposita

ferō	tulī	lātum	ferre	tragen, bringen; berichten
áf|ferō	áttulī	allātum	afferre	herbeibringen, melden; antun
aú|ferō	ábstulī	ablātum	auferre	wegbringen, wegschaffen; rauben
circúm|ferō	circúmtulī	circumlātum	circumferre	herumtragen, ringsum verbreiten
cón|ferō	cóntulī	collātum	cōnferre	zusammentragen; vergleichen
dé|ferō	détulī	dēlātum	dēferre	überbringen, melden, anzeigen
díf|ferō	dístulī	dīlātum	differre	aufschieben
díf|ferō	–	–	differre	verschieden sein, sich unterscheiden
ín|ferō	íntulī	illātum	īnferre	hineintragen, beibringen
óf|ferō	óbtulī	oblātum	offerre	entgegenbringen, anbieten
pér|ferō	pértulī	perlātum	perferre	ertragen, aushalten
pró|ferō	prótulī	prōlātum	prōferre	hervorbringen; vorzeigen
ré|ferō	réttulī	relātum	referre	zurückbringen; berichten
			referre (ad)	beziehen (auf)
tollō	sús|tulī	sublātum	tollere	emporheben; beseitigen, aufheben

19 Verba defectiva

Bei den Verba defectiva[1] ist nur ein Teil der Formen gebräuchlich.

Nur in den Perfekt-Stämmen kommen vor:				
meminī	–	meminisse	sich erinnern, denken (an)	(*Imperativ*: mementō!)
ōdī	–	ōdisse	hassen	
coepī	coeptum	coepisse	begonnen haben	(< *incipere* ↗ 14.5.19)

Nur in wenigen Formen kommen vor:				
Präsens			**Perfekt**	
āiō	ich sage, behaupte	āiō, ait, āiunt	ait	er / sie / es sagte
inquam	ich sage	inquam, inquit	inquit	er / sie / es sagte

Höflichkeits- und Grußformeln:						
Singular	quaesō[2]	bitte	avē! salvē!	sei gegrüßt!	valē![3]	lebe wohl!
Plural	quaesumus	bitte	avēte! salvēte!	seid gegrüßt!	valēte!	lebt wohl!

---

[1]) < dēfectus, -ūs: das Fehlen
[2]) < quaerere (↗ 14.1.14)
[3]) < valēre (↗ 14.2.32)

20   Sonder- und Kurzformen

1   Sonderformen

Besonders in der Dichtung finden sich folgende Sonderformen:

Passiv des Präsens-Stamms:

-re statt -ris:	vocē-re (vocē-ris)	monēbe-re (monēbe-ris)
	vinciā-re (vinciā-ris)	pellē-re (pellē-ris)

-rier statt -rī:	vocā-rier (vocā-rī)
-ier statt -ī:	pell-ier (pell-ī)

Perfekt Aktiv – 3. Person Plural

-ēre statt -ērunt:	vocāv-ēre (vocāv-ērunt)	monu-ēre (monu-ērunt)
	pepul-ēre (pepul-ērunt)	fēc-ēre (fēc-ērunt)

2   Kurzformen

Verben, die den Perfekt-Aktiv-Stamm mit dem Perfekt-Zeichen -v- bilden, können durch Ausstoßen des -v- Kurzformen bilden.
Die nach Ausstoßung des -v- aufeinander treffenden Vokale werden häufig kontrahiert (↗ L 19):

vocā-stī	(vocā-v-istī)	*aber:*	audi-erim	(audĭ-v-erim)
vocā-rim	(vocā-v-erim)		peti-it	(petĭ-v-it)
vocā-ram	(vocā-v-eram)		peti-eram	(petĭ-v-eram)
vocā-ssem	(vocā-v-issem)		peti-ērunt	(petĭ-v-ērunt)
vocā-sse	(vocā-v-isse)			

NOMEN

21　Nomen: Begriff – Arten – Flexion

1　Begriff

Nomina sind deklinierbare Wörter.

Nomina			
benennen/ charakterisieren bezeichnen	Wesen, Dinge, Begriffe Zahlen	Namenwörter: Eigenschaftswörter: Zahlwörter:	**Substantive** (↗ 22–23) **Adjektive** (↗ 24–25) **Numeralia** (↗ 26)
vertreten	*andere Wortarten*	‚Für'-wörter:	**Pronomina** (↗ 27–31)

2　Flexion

2.1　Kasus

Nomina erfüllen die syntaktische Funktion von Satzgliedern und Satzgliedteilen (↗ 36–41).

Deswegen erscheinen sie in abgewandelter Form in verschiedenen **Fällen (Kasus)**.

Die Kasusformen eines Nomens lassen sich oft an den Kasus-Zeichen bzw. den Ausgängen des Wortes erkennen (↗ 22.2).

Die Deklination eines Nomens unterscheidet folgende Kasus:

Fall	Kasus		
1.	Nominativ	(Nom.)	↗ 43
2.	Genitiv	(Gen.)	↗ 62–66
3.	Dativ	(Dat.)	↗ 49–52
4.	Akkusativ	(Akk.)	↗ 44–48
5.	Ablativ	(Abl.)	↗ 53–61

Hinzu kommt der Vokativ[1] als Kasus der Anrede (↗ 22.3a).

2.2　Numerus

Im Lateinischen unterscheidet man die beiden **Numeri Singular (Einzahl)** und **Plural (Mehrzahl)**.

Numeri			
Singular Plural	dominus dominī	(der/ein) (die)	Herr Herren

---

[1] < vocāre (rufen)

2.3 Genus

Im Lateinischen werden drei **Geschlechter (Genera)** unterschieden:

das männliche Geschlecht:	Maskulinum[1]	(m)
das weibliche Geschlecht:	Femininum[2]	(f)
das sächliche Geschlecht:	Neutrum[3]	(n)

22 Substantiv: Deklination

1 Deklinationsklassen und Deklinationsgruppen

Man kann im Lateinischen zwei Deklinationsklassen unterscheiden: die **vokalische** und die **konsonantische Deklinationsklasse**. Die Einteilung erfolgt nach dem **Kennlaut** der Substantive, der entweder ein Vokal oder ein Konsonant ist.

Den Kennlaut eines Substantivs erkennt man, wenn man von seinem Genitiv Plural das Kasus-Zeichen abtrennt:

z.B.   amīcō-*rum*, rē-*rum*; agmi**n**-*um*.

Die vokalische Deklinationsklasse umfasst **fünf Deklinationsgruppen**, die nach dem jeweiligen Kennvokal benannt sind.

Die konsonantische Deklinationsklasse umfasst **zwei Deklinationsgruppen**, die sich nur in einem Kasus unterscheiden, dem Genitiv Plural (↗ 22.3).

Deklinationsklasse	Kennlaut	Deklinationsgruppe
Vokalisch	Vokal -ā- -o- -ĭ- -u- -ē-	ā- o- ĭ- } Deklination u- ē-
Konsonantisch	Konsonant	Konsonantische Deklination Mischdeklination

---

[1]) < mās (Mann)
[2]) < fēmina (Frau)
[3]) < ne-utrum (keines von beiden, d.h. von den beiden anderen Geschlechtern)

2 Kasus-Zeichen und Kasus-Ausgänge

Die deklinierten Formen der Kasus sind in den beiden Numeri dadurch gekennzeichnet, dass verschiedene **Kasus-Zeichen** an den Stamm der Substantive treten. Diese Kasus-Zeichen sind oft mit dem Kennlaut verschmolzen oder durch Bindevokale erweitert und werden dann als **Ausgänge** bezeichnet.

Übersicht

Kasus-Zeichen				Ausgänge						
				ā-Dekl.	o-Dekl.	Kons. Dekl.	ĭ-Dekl.	Misch-dekl.	u-Dekl.	ē-Dekl.
Nom.	**Sg.**	ohne Kasus-Zeichen	m/f n	puella	ager	cōnsul, soror agmen	mare	cor	cornu	
		-s		Aenēās	amīcus[1]	virtūs	turris	nox	cursus	rēs
		-m			dōnum[1]					
	Pl.	-ī		puellae[2]	agrī	–	–	–	–	–
		-s	m/f	–	–	virtūtēs	turrēs	noctēs	cursūs	rēs
		-a	n	–	dōna	agmina	maria	corda	cornua	–
Gen.	**Sg.**	-ī		puellae[2]	agrī					reī
		-s		–	–	virtūtis	turris	noctis	cursūs	
	Pl.	-um		–	deum[3]	agminum	turrium	noctium	cursuum	–
		-rum		puellārum[3]	amīcōrum[3]					rērum[3]
Dat.	**Sg.**	-ī		puellae[2]	amīcō[4]	agminī	turrī	noctī	cursuī	reī
	Pl.	-bus		–[5]	–[5]	agminibus	turribus	noctibus	cursibus	rēbus
		-īs		puellīs[4]	amīcīs[4]					
Akk.	**Sg.**	-m	m/f	puellam	amīcum[1]	virtūtem	turrim	noctem	cursum	rem
		(wie Nom.)	n	–	dōnum[1]	agmen	mare	cor	cornu	
	Pl.	-s	m/f	puellās	amīcōs	virtūtēs	turrēs(īs)	noctēs	cursūs	rēs
		-a (wie Nom.)	n	–	dōna	agmina	maria	corda	cornua	–
Abl.	**Sg.**	ohne Kasus-Zeichen[6]		puellā[6]	amīcō	–	turrī	–	cursū	rē
		-e				agmine	–	nocte	–	–
	Pl.	-bus		–[5]	–[5]	agminibus	turribus	noctibus	cursibus	rēbus
		-īs		puellīs[4]	amīcīs[4]					

---

[1]) Ausgang -us < os; -um < -om (↗L 21)
[2]) Ausgang -ae < -a-i (↗L 21.2)
[3]) Bei der o-, ā- und ē-Deklination tritt im Genitiv Plural -r- zwischen Wortstamm und Endung **-um**. (de-um statt deō-r-um begegnet vor allem in der Dichtung.)
[4]) Ausgang **-ō** < o-ī; Ausgang **-īs** < a-is bzw. o-is (↗L 21.2: Kontraktion)
[5]) vgl. deā-bus ↗ 22.5.1 und duō-bus, duā-bus ↗ 26.1.3
[6]) Endung **-d** ist weggefallen; dafür Ersatzdehnung: servā < servad (↗L 18.4)

Substantiv: Formentabelle

3 Deklinationen: Übersicht

	ā-Deklination	o-Deklination			u-Deklination	ē-Deklination	
	(Sklavin) f	*(Freund)* m	*(Junge)* m	*(Geschenk)* n	*(Lauf)* m	*(Sache)* f	
Sg.							**Sg.**
Nom.	puella	amīcus	puer	dōnum	cursus	rēs	Nom.
Gen.	puellae	amīcī	puerī	dōnī	cursūs	rĕī[1]	Gen.
Dat.	puellae	amīcō	puerō	dōnō	cursui	rĕī[1]	Dat.
Akk.	puellam	amīcum	puerum	dōnum	cursum	rēm	Akk.
Abl.	puellā	amīcō	puerō	dōnō	cursū	rē	Abl.
Pl.							**Pl.**
Nom.	puellae	amīcī	puerī	dōna	cursūs	rēs	Nom.
Gen.	puellārum	amīcōrum	puerōrum	dōnōrum	cursuum	rērum	Gen.
Dat.	puellīs	amīcīs	puerīs	dōnīs	cursibus	rēbus	Dat.
Akk.	puellās	amīcōs	puerōs	dōna	cursūs	rēs	Akk.
Abl.	puellīs	amīcīs	puerīs	dōnīs	cursibus	rēbus	Abl.

	Konsonantische Deklination			Mischdeklination			ĭ-Deklination		
	(König) m	*(Frau)* f	*(Bündnis)* n	*(Schiff)* f	*(Nacht)* f	*(Herz)* n	*(Turm)* f	*(Meer)* n	
Sg.									**Sg.**
Nom.	rēx	mulier	foedus	nāvis	nox	cor	turris	mare	Nom.
Gen.	rēgis	mulieris	foederis	nāvis	noctis	cordis	turris	maris	Gen.
Dat.	rēgī	mulierī	foederī	nāvī	noctī	cordī	turrī	marī	Dat.
Akk.	rēgem	mulierem	foedus	nāvem	noctem	cor	turrim	mare	Akk.
Abl.	rēge	muliere	foedere	nāve	nocte	corde	turrī	marī	Abl.
Pl.									**Pl.**
Nom.	rēgēs	mulierēs	foedera	nāvēs	noctēs	corda	turrēs	maria	Nom.
Gen.	rēgum	mulierum	foederum	nāvium	noctium	cordium	turrium	marium	Gen.
Dat.	rēgibus	mulieribus	foederibus	nāvibus	noctibus	cordibus	turribus	maribus	Dat.
Akk.	rēgēs	mulierēs	foedera	nāvēs (*is*)	noctēs (*is*)	corda	turrēs (*is*)	maria	Akk.
Abl.	rēgibus	mulieribus	foederibus	nāvibus	noctibus	cordibus	turribus	maribus	Abl.

a) Der **Vokativ** gleicht in allen Deklinationsklassen dem Nominativ.
   Ausnahme: Vokativ Singular der o-Deklination:
               Wörter auf **-us**: amīc-**e**
               Wörter auf **-ius**: fīlī

b) Sowohl in der o-Deklination als auch in der Konsonantischen Deklination gibt es Substantive, die im Nominativ Singular auf -er enden. Sie lassen sich in zwei Gruppen einteilen:
  – Substantive, bei denen das -e- zum Wortstock gehört (puer, pueri; mulier, mulieris),
  – Substantive, bei denen das -e- nur im Nominativ Singular zur Ausspracheerleichterung eingefügt ist (ager, agri; pater, patris).

c) Zur Mischdeklination gehören Substantive auf -s mit gleicher Silbenzahl im Nominativ und Genitiv Singular (z.B. nāvis, nāv-is; cīvis, cīv-is) und Substantive mit ungleicher Silbenzahl (in diesen beiden Kasus), deren Wortstamm auf zwei (oder mehr) Konsonanten endet (z.B. nox, noct-is; urbs, urb-is).

d) Zur u-Deklination gehören auch Neutra, z.B.: genu (Knie), cornu (Horn).

---

[1]) Die Quantität des Kennvokals **-e-** wechselt im Genitiv und Dativ Singular:
   nach Konsonant kurz (rĕī, fidĕī), nach Vokal lang (diēī).

4 Kasus und Numerus: Gemeinsamkeiten der Formenbildung

Folgende Gemeinsamkeiten gelten für alle Deklinationsgruppen:
- **Nominativ** und **Akkusativ Singular Neutrum** stimmen überein (z.B. dōnum, agmen, animal, cornu),
- **Nominativ** und **Akkusativ Plural Neutrum** enden immer auf -a (z.B. dōna, agmina, animālia, cornua),
- **Nominativ** und **Vokativ Plural** stimmen überein (z.B. amīcae, amīcī, comitēs).

Folgende Gemeinsamkeiten gelten für einzelne Deklinationsgruppen:
- **Nominativ** und **Akkusativ Plural** der ē-, u-, Kons., Misch- und ĭ-Deklination sind immer **gleich** (z.B. rēs, cursūs, virtūtēs, noctēs, turrēs),
- **Dativ** und **Ablativ Plural** stimmen innerhalb einer Deklinationsgruppe überein (z.B. puerīs, puellīs; rēbus; cursibus, virtūtibus, noctibus, turribus),
- **Nominativ** und **Vokativ Singular** aller Deklinationsgruppen mit **Ausnahme** der o-**Deklination** (↗ 22.3a) stimmen überein (z.B. amīca, rēx, comes).

5 Kasus und Numerus: Besonderheiten der Formenbildung

Manche Substantivformen weisen Besonderheiten in Kasus und Numerus auf.

5.1 Besonderheiten der Formen lassen sich auf folgende Ursachen zurückführen:
- Lautveränderungen (↗ L 18.1; L 18.2: Verkürzung; ↗ L 20: Erweiterung; ↗ L 19; L 21.2: Kontraktion),
- Fortbestehen von Endungen aus früher Zeit,
- Wechsel der Deklinationsgruppe.

Übersicht	Beispiele und Hinweise
ā-Deklination	
Dat./Abl.Pl.: -ābus	(cum) dīs et deābus (mit) den Göttern und Göttinnen
Gen.Sg.: -ās	pater/māter familiās (*neben* familiae)
o-Deklination	
Gen./Vok. Sg. der Eigennamen auf -ius: -ī	Cornēlī des Cornelius/mein Cornelius! (*so auch*: fīlī! mein Sohn!)
Gen.Sg. der Neutra auf -ium: -ī	cōnsilī
deus Nom./Vok.Pl.:	deī *neben* dī
Dat./Abl.Pl.:	(cum) deīs *neben* dīs
Gen.Pl.:	deōrum *neben* deum

Konsonantische Deklination

Iūppiter (< Iov-pater)   *aber:* Iov-is, Iov-ī, Iov-em, (ab) Iov-e
bōs (< bov-s) Rind   *Plural:* bov-ēs, bo-um (↗ L 26), bō-bus (↗ L 18.4)

nur im Abl. Sg.:   forte durch Zufall
       (suā) sponte aus eigenem Antrieb

nicht dekliniert: fās göttliches Recht
       nefās Unrecht, Frevel

erweitert im Nom.Sg.:   coniūnx (< con-iung-s), coniugis Gattin
       senex (< sene-c-s), senis alter Mann

verkürzt im Nom.Sg.   sanguis (< sanguin-s), sanguinis Blut
Nebenformen aus anderen
Deklinationen: plēbs, plēbis *neben* plēbēs, plēbeī Volk

Mischdeklination

Gen.Pl. *neben* -ium: -um   parentum (*neben* parentium)
       mēnsum (*neben* mēnsium)
Abl.Sg. *neben* -e: -ī   īgnī (*neben* īgne)

ĭ-Deklination

vīs *unvollständig im Sg.*   vĭ-s, vi-m, vī (Pl.: vīrēs, vīrium, vīribus *usw.*)

u-Deklination

Dat./Abl.Pl.: -ubus   (in) portubus (*neben* portibus)
nur im Abl.Sg.   iussū auf Befehl

domus
Abl.Sg., Gen.Pl., Akk.Pl.   (in) domō, domōrum (*neben* domuum), domōs
nach der o-Dekl.   (*neben* domūs)

5.2 Von manchen Substantiven gibt es

a) nur Singularformen (‚Singularwörter‘: ‚singulāria tantum‘),
b) nur Pluralformen (‚Pluralwörter‘: ‚plūrālia tantum‘),
c) im Plural neue (andere oder zusätzliche) Bedeutungen.

Beispiele:
a) scientia, -ae   Wissen, Kenntnisse
    vestis, -is   Kleid, Kleider

b) angustiae, -ārum   (der) Engpass; (die) Notlage
    dīvitiae, -ārum   (der) Reichtum
    reliquiae, -ārum   (die) Überreste
    īnsidiae, -ārum   (der) Hinterhalt, (die) Falle
    Kalendae, -ārum   die Kalenden (↗ 146.3.2)

līberī, -ōrum	Kinder
īnferī, -ōrum	(Götter der) Unterwelt
arma, -ōrum	Waffen
precēs, -um	Bitten
septentriōnēs, -um	Siebengestirn, Großer Bär, Norden
moenia, -ium	Stadtmauer(n)
Īdūs, -uum	die Iden (↗ 146.3.2)

c) im Singular / im Plural

cōpia, -ae	Menge, Vorrat	cōpiae, -ārum	Vorräte; Truppen, Heer
littera, -ae	Buchstabe	litterae, -ārum	Buchstaben; Brief; Wissenschaft(en)
locus, -ī	Ort, Platz, Stelle	locī, -ōrum	Stellen in Büchern
		loca, -ōrum	Orte, Gegend
auxilium, -ī	Hilfe	auxilia, -ōrum	Hilfstruppen
castrum, -ī	Festung	castra. -ōrum	(das) Lager
mōs, mōris	Sitte	mōrēs, mōrum	Sitten; der Charakter
parēns, -ntis	Vater/Mutter	parentēs, -nt(i)um	Eltern
pars, partis	Teil, Seite	partēs. partium	Teile; Partei; Rolle (z.B. im Drama)
aedis, -is	Tempel	aedēs, -ium	Haus, Wohnhaus
fīnis, -is	Ende, Grenze	fīnēs, -ium	Grenzen; Gebiet
vīs	Kraft, Gewalt	vīrēs, vīrium	Kräfte; Streitkräfte

23 Genus

Man unterscheidet zwischen einem grammatischen und einem natürlichen Geschlecht.

1 Das grammatische Geschlecht

In der Regel hängt das Genus eines Substantivs ab von der Zuordnung zu einer Deklinationsgruppe (↗ 22.1).

1.1 Vokalische Deklinationsgruppen

Feminina		Beispiele:	Ausnahmen:
ā-Stämme:	-a, -ae	dīligentia vestra	
ē-Stämme:	-ēs, -eī	fidēs bona	diēs prīmus; merīdiēs
ĭ-Stämme:	-is, -is	turris alta	

Maskulina			
o-Stämme:	-us, -ī	morbus perīculōsus	humus bona; vulgus profānum
	-er, -(e)rī	ager vāstus	
u-Stämme:	-us, -ūs	vīctus cottidiānus	domus alta; manus tua; tribus tōta

Substantiv: Genus

Neutra

o-Stämme:	-um, -ī	templum altum
u-Stämme:	-u, -ūs	cornu Indicum
		(Elfenbein)
ĭ-Stämme:	-e, -is	mare nostrum
	-al, -ālis	animal īnfirmum

1.2 Konsonantische Deklinationsgruppen

Feminina

auf:	-ō, -ōnis	legiō prīma	sermō cottidiānus
	-ō, -inis	orīgō parva	ōrdō longus
	-ās, -ātis	lībertās aequa	
	-ūs, -ūtis	servitūs dūra	
	-ēs, -ētis/-ēdis	quiēs grāta	pēs alter
	-s (< ds), -dis	fraus mala	
	-x (< cs), -cis	crux alta	
	-x (< gs), -gis	lēx aequa	
	-ns, -ntis	mēns mala	pōns altus
			(*ebenso*: dēns, fōns, mōns)
	-is, -is	classis Rōmāna	orbis tōtus; mēnsis Māius;
			īgnis parvus, pānis bonus,
			fīnis certus
	-es, -is	sēdēs alta	

Maskulina

auf:	-or, -ōris	amor tuus
	-ōs, -ōris	mōs improbus
	-er, -eris	carcer plēnus
	-l, -lis	sōl nimius

Neutra

auf:	-us, ⎫	tempus omne	
	-ur, ⎬ -oris	rōbur dūrum	
	-or, ⎭	aequor Libycum	arbor alta
	-us, -eris	mūnus honestum	
	-en, -inis	nōmen tuum	
dazu:	iūs, iūris	iūs aequum	
	vēr, vēris	vēr iūcundum	
	caput, cápitis	caput hūmānum	
	iter, itíneris	iter difficile	

2 Das natürliche Geschlecht

Unabhängig von der Zuordnung zu einer Deklinationsgruppe können Maskulinum und Femininum männliche oder weibliche Lebewesen bezeichnen.

2.1 Dem natürlichen Geschlecht nach sind Maskulina:

	Beispiele:
Namen von Männern	Mārcus, Aenēās, Scīpiō, Seneca
Bezeichnungen für Männer	pater (Vater), nauta (Matrose), senex (alter Mann)
Namen von Völkern	Persae (die Perser)
von Flüssen	Mosella (die Mosel)[1]
von Winden	aquilō (der Nordwind)[1]

2.2 Dem natürlichen Geschlecht nach sind Feminina:

	Beispiele:
Namen von Frauen	Cornēlia, Dīdō
Bezeichnungen für Frauen	māter (Mutter), soror (Schwester), anus (alte Frau)
Bezeichnungen von Bäumen	laurus (Lorbeerbaum)
Namen von Städten und Inseln	Dēlus[2]

2.3 Substantiva communia[3]

Eine Anzahl lateinischer Personenbezeichnungen unterscheidet nicht zwischen Maskulinum und Femininum. Das betreffende Substantiv ist dem Maskulinum und dem Femininum gemeinsam, z.B.

comes meus   mein Begleiter   comes mea   meine Begleiterin

2.4 Sammelbegriffe

Bezeichnungen von Gruppen (‚Sammelbegriffe‘) folgen dem grammatischen Geschlecht, obwohl sie Lebewesen erfassen. Solche Sammelbegriffe sind z.B.

cōpiae *f*   die Truppen   legiō *f*   die Legion
auxilia *n* die Hilfstruppen   manus *f* die Schar

3 Genusformen der Adjektive, Numeralia und Pronomina

Adjektive (↗ 24/25), Numeralia (↗ 26) und Pronomina (↗ 27) richten sich nach den Regeln der Kongruenz nicht nur im Kasus und Numerus, sondern auch im Genus nach dem Bezugswort, auf das sie sich als Attribut (↗ 41), Praedicativum (↗ 40.5) oder Prädikatsnomen (↗ 37.2) beziehen.

Sie haben im Nominativ Singular
– entweder für jedes Genus eine eigene Form (‚dreiendig‘)
– oder für Maskulinum und Femininum dieselbe Form
  (‚zweiendig‘)
– oder für alle drei Genera dieselbe Form (‚einendig‘).

---

[1] Das Maskulinum geht auf die Vorstellung von Fluss-/Windgöttern zurück.
[2] Das Femininum geht auf die Vorstellung einer Baum-/Stadtgöttin zurück.
[3] commūnis, -e: gemeinsam

Beispiele:

	m	f	n
‚dreiendig'	bonus	bona	bonum
	ācer	ācris	ācre
	ūnus	ūna	ūnum
	hic	haec	hoc
‚zweiendig'	fortis		forte
	trēs		tria
‚einendig'	ingēns		

24 Adjektiv: Erscheinungsform und Deklination

1 Erscheinungsform und syntaktische Funktion

1.1 Nach ihrer Erscheinungsform im Nominativ Singular können Adjektive[1] eingeteilt werden in

‚dreiendige'
‚zweiendige' } Adjektive.
‚einendige'

‚Dreiendige' Adjektive bilden **jeweils** eine **eigene Form** für

Maskulinum:	equus	māgnus	celer
Femininum:	nāvis	māgna	celeris
Neutrum:	animal	māgnum	celere

‚Zweiendige' Adjektive bilden eine **gemeinsame Form** für

Maskulinum und   amīcus ⎫
Femininum: amīca ⎭ ūtilis
eine **eigene** für das **Neutrum:**   animal   ūtile

‚Einendige' Adjektive bilden eine **gemeinsame Form** für

Maskulinum: numerus ⎫
Femininum: terra   ⎬ ingēns
Neutrum: animal ⎭

1.2 Von Adjektiven können Vergleichsstufen (↗ 25) und Adverbien (↗ 33.2.1) gebildet sein.

1.3 Adjektive können **substantiviert** sein.

Plural des Maskulinums:	sapientēs	die Weisen	Rōmānī	die Römer
Singular des Neutrums:	bonum	das Gute, das Gut	vērum	das Wahre, die Wahrheit
Plural des Neutrums:	multa	vieles, viele Dinge	difficilia	Schweres, Schwierigkeiten

---

[1] < adiectum < ad-icere (hinzufügen)

1.4 Wechsel zwischen Adjektiv und Substantiv

amĭcus, -a, um	befreundet	amĭcus/amĭca	Freund/Freundin
inimĭcus, -a, -um	feindlich	inimĭcus/inimĭca	Feind/Feindin
victor, -ōris	siegreich	victor, -ōris *m*	Sieger
senex, senis	alt	senex, senis *m*	alter Mann, Greis
prĭnceps, -cipis	erster	prĭnceps, -cipis *m*	erster Mann, Fürst

1.5 Adjektive können die **syntaktische Funktion** des
  - Attributs (↗ 41),
  - Prädikats (als Prädikatsnomen in Verbindung z.B. mit einer Form von **esse** ↗ 37.2) oder
  - Adverbiales (in Form des Praedicativums ↗ 40.5) erfüllen,
als substantivierte Adjektive auch die des
  - Subjekts (↗ 38) oder
  - Objekts (↗ 39).

2 Deklination der Adjektive

Adjektive werden wie die Substantive dekliniert. Sie lassen sich den bekannten Deklinationsgruppen (↗ 22.1) zuordnen.

2.1 Adjektive der o-/ā-Deklination

Die Adjektive der o-/ā-Deklination sind ,dreiendig'.

	(froh)			*(rau)*		
	m	f	n	m	f	n
Sg.						
Nom.	laetus	laeta	laetum	asper[1]	aspera	asperum
Gen.	laetĭ	laetae	laetĭ	asperĭ	asperae	asperĭ
Dat.	laetō	laetae	laetō	asperō	asperae	asperō
Akk.	laetum	laetam	laetum	asperum	asperam	asperum
Abl.	laetō	laetā	laetō	asperō	asperā	asperō
Pl.						
Nom.	laetĭ	laetae	laeta	asperĭ	asperae	aspera
Gen.	laetōrum	laetārum	laetōrum	asperōrum	asperārum	asperōrum
Dat.	laetĭs	laetĭs	laetĭs	asperĭs	asperĭs	asperĭs
Akk.	laetōs	laetās	laeta	asperōs	asperās	aspera
Abl.	laetĭs	laetĭs	laetĭs	asperĭs	asperĭs	asperĭs

▶ Wie die Adjektive der o-/ā-Deklination werden auch das **Partizip Perfekt Passiv** (↗ 11.3), das **Partizip Perfekt der Deponentien** (↗ 15.2.3), **das Partizip Futur Aktiv** (↗ 11.2) und das **Gerundivum** (↗ 91) dekliniert.

▶ Auch die **Pronominaladjektive** (↗ 32) folgen – mit Ausnahme des Genitiv Singular (-ĭus) und des Dativ Singular (ī) – dieser Deklinationsgruppe.

---

[1]) Die Adjektive, die im Nominativ Singular des Maskulinums auf **-er** enden, lassen sich – wie die Substantive (↗ 22.3b) – in zwei Gruppen einteilen:
  - Adjektive, bei denen das **-e-** zum Wortstock gehört, also in allen Genera erhalten bleibt (z.B. asper, aspera, asperum; miser, misera, miserum; lĭber, lĭbera, lĭberum).
  - Adjektive, bei denen das **-e-** im Nom.Sg.Mask. nur zur Ausspracheerleichterung eingeschoben ist (z.B. pulcher, pulchra, pulchrum).

2.2 Adjektive der ĭ-Deklination

In der ĭ-Deklination gibt es ‚dreiendige', ‚zweiendige' und ‚einendige' Adjektive.

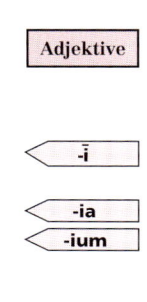

	(schnell, rasch)			*(brauchbar, nützlich)*			*(ungeheuer, gewaltig)*		
	m	f	n	m	f	n	m	f	n
Sg. Nom.	celer[1]	celeris	celere	ūtilis		ūtile	ingēns		
Gen.		celeris			ūtilis			ingentis	
Dat.		celerī			ūtilī			ingentī	
Akk.	celerem		celere	ūtilem		ūtile	ingentem		ingēns
Abl.		celerī			ūtilī			ingentī	
Pl. Nom.	celerēs		celeria	ūtilēs		ūtilia	ingentēs		ingentia
Gen.		celerium			ūtilium			ingentium	
Dat.		celeribus			ūtilibus			ingentibus	
Akk.	celerēs		celeria	ūtilēs		ūtilia	ingentēs		ingentia
Abl.		celeribus			ūtilibus			ingentibus	
	‚dreiendig'			‚zweiendig'			‚einendig'		

Adjektive

◁ **-ī**

◁ **-ia**
◁ **-ium**

▶ Wie die ‚einendigen' Adjektive der ĭ-Deklination auf -āns, -antis und -ēns, -entis, die häufig von Verben abgeleitet sind (z.B. cōnstāns, -ntis: fest < cōnstāre: feststehen; dīligēns, -entis: sorgfältig < dīligere: lieben, schätzen) wird das **Partizip Präsens Aktiv** (↗ 11.1) dekliniert; nur im **Ablativ Singular** endet es auf -e (z.B. ē domō ārden**te**: aus dem brennenden Haus).

▶ Die ‚einendigen' Adjektive memor *(in Erinnerung, sich erinnernd an)* und supplex *(demütig, flehend)* enden im Genitiv Plural auf -um.

2.3 Adjektive der Konsonantischen Deklination

Die Adjektive

dīves   (Gen.: dīvitis):   reich
pauper   (Gen.: pauperis):   arm
vetus   (Gen.: veteris):   alt
prĭnceps (Gen.: prĭncipis):   erster

gehören zur Konsonantischen Deklination. Sie sind ‚einendig'.

Sie unterscheiden sich von den Adjektiven der ĭ-Deklination in folgenden Kasus:

Ablativ Singular:	**-e:**	prĭncip**e** locō	an erster Stelle	**-e**
Nominativ/Akkusativ Plural Neutrum:	**-a:**	castra veter**a**	das alte Lager	**-a**
Genitiv Plural:	**-um:**	inopia hominum pauper**um**	die Not armer Menschen	**-um**

Adjektive

---

[1]) Die Adjektive, die im Nominativ Singular des Maskulinums auf **-er** enden, lassen sich – wie die Substantive (↗ 22.3b) – in zwei Gruppen einteilen:
  – Adjektive, bei denen das **-e-** zum Wortstock gehört, also in allen Genera erhalten bleibt (z.B. celer, celeris, celere),
  – Adjektive, bei denen das **-e-** im Nom. Sg. Mask. nur zur Ausspracheerleichterung eingeschoben ist (z.B. ācer, ācris, ācre)

25   Adjektiv: Komparation

Von einem Adjektiv können **Vergleichsstufen** gebildet werden.
Die Formen der Vergleichsstufen werden benötigt, wenn zwei oder mehr Lebewesen,
Gegenstände oder Begriffe miteinander verglichen werden: **Komparation**[1]. Ausgehend
von der **Grundstufe** eines Adjektivs (*Positiv*) lassen sich durch **Bildungselemente**, die in
der Regel an den Wortstock treten, eine **Höherstufe** (*Komparativ*[1]) und eine **Höchst-
stufe** (*Superlativ*[2]) bilden.

1 Bildung von Komparativ und Superlativ – regelmäßig

1.1 Bei den meisten Adjektiven sind Komparativ und Superlativ durch folgende Bildungs-
elemente gebildet:

Bildungselemente			
	m	f	n
Komparativ	-ior-		-ius[3]	(,zweiendig')
Superlativ	-is-sim-us -rim-us -lim-us	-is-sim-a -rim-a -lim-a	-is-sim-um -rim-um -lim-um	(,dreiendig')

Das Bildungselement des Superlativs lautete ursprünglich **-sim-**; es wurde bei den meisten Superlativbildungen
zu -is-sim- erweitert. Nur bei Adjektiven auf **-er** im Nominativ Singular (↗ 24.2.1; 24.2.2) und bei einigen Adjekti-
ven auf **-ilis** entfällt die Erweiterungssilbe **-is-**; **-sim-** wird zu **-rim-** bzw. zu **-lim-** (↗ L 23: Assimilation).
Das Bildungselement **-rim-** tritt an den Nominativ Singular des Maskulinums.

Positiv	Wortstock	Komparativ		Superlativ	
longus	long-	longior	longius	longissimus,	-a, -um
asper	asper-	asperior	asperius	asperrimus,	-a, -um
pulcher	pulchr-	pulchrior	pulchrius	pulcherrimus,	-a, -um
celer	celer-	celerior	celerius	celerrimus,	-a, -um
ācer	acr-	ācrior	ācrius	ācerrimus,	-a, -um
fortis	fort-	fortior	fortius	fortissimus,	-a, -um
prūdēns	prūdent-	prūdentior	prūdentius	prūdentissimus,	-a, -um
similis	simil-	similior	similius	simillimus,	-a, -um

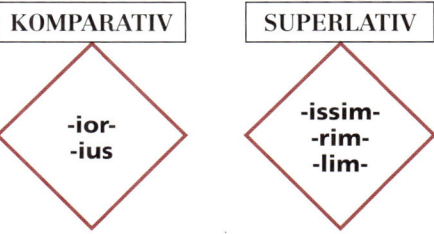

KOMPARATIV	SUPERLATIV
-ior- -ius	-issim- -rim- -lim-

---

[1]) < comparāre (vergleichen)
[2]) < superlātum (darüber gehoben) < superferre
[3]) Bildungselement -ior-, -ius ↗ L 21.1; 22

1.2 Deklination von Komparativ und Superlativ

Die Deklination des Komparativs entspricht der Deklination der Adjektive der Konsonantischen Deklination (↗ 24.2.3).

	Singular		Plural	
	m/f	n	m/f	n
Nom.	longior	longius	longiōrēs	longiōra
Gen.	longiōris		longiōrum	
Dat.	longiōrī		longiōribus	
Akk.	longiōrem	longius	longiōrēs	longiōra
Abl.	longiōre		longiōribus	

Die Deklination des Superlativs entspricht der o-/ā-Deklination.

2 Bildung von Komparativ und Superlativ mit verschiedenen Stämmen

2.1 Folgende Adjektive bilden unregelmäßige Vergleichsformen:

Positiv	Komparativ	Superlativ
māgnus	māior, māius	māximus, -a, -um
parvus	minor, minus	minimus, -a, -um
bonus	melior, melius	optimus, -a, -um
malus	pēior, pēius	pessimus, -a, -um
multī	plūrēs, plūra	plūrimī, -ae, -a

2.2 Folgende Vergleichsformen gehen auf **Präpositionen** bzw. **Adverbien** zurück:

herzuleiten von:	Komparativ		Superlativ	
intrā innerhalb	**inter**ior, -ius	innere(r)	**int**imus, -a, -um	innerste(r)
extrā außerhalb	**exter**ior, -ius	äußere(r)	**extrē**mus, -a, -um	äußerste(r)
īnfrā unterhalb	**īnfer**ior, -ius	untere(r)	**īnf**imus, -a, -um / īmus, -a, -um	unterste(r)
suprā oberhalb	**super**ior, -ius	obere(r), frühere(r)	**suprē**mus, -a, -um / **sum**mus, -a, -um	oberste(r), höchste(r)
prope nahe	**prop**ior, -ius	nähere(r)	**proxi**mus, -a, -um	nächste(r)
ultrā jenseits	**ulter**ior, -ius	jenseitige(r)	**ulti**mus, -a, -um	entfernteste(r)
prō vor	**prior**, -ius	frühere(r)	**prī**mus, -a, -um	erste(r)
post nach	**poster**ior, -ius	spätere(r)	**postrē**mus, -a, -um	letzte(r)

2.3 Umschreibung von Komparativ und Superlativ

Adjektive auf **-us, -a, um** mit vorhergehendem Vokal bilden in der Regel keine Vergleichsstufen.

Der Komparativ wird mit **magis** umschrieben:

vir **magis** idōneus   ein geeignet*erer / recht* geeigneter Mann (↗ 3.1)

Der Superlativ wird mit **māximē** umschrieben:

virī **māximē** piī   gewissenhaft*este / äußerst* gewissenhafte Männer (↗ 3.1)

3 Verwendung der Vergleichsstufen

3.1 ‚Innerhalb' eines Vergleichs

Beim Vergleich bedient sich das Lateinische häufig der Partikel quam, die – je nach Verwendung – im Deutschen unterschiedlich wiedergegeben wird:

- beim Positiv: tam celer **quam** Mārcus   so schnell **wie** Marcus
- beim Komparativ: celerior **quam** Mārcus   schneller **als** Marcus
  (hier ist auch Ablativus comparationis möglich ↗ 55.4)
- beim Superlativ: **quam** celerrimum auxilium   schnellst**mögliche** Hilfe /
                                                         möglichst rasche Hilfe

3.2 ‚Außerhalb' eines förmlichen Vergleichs

- Komparativ:
  zur **Verstärkung** oder **Abmilderung**:

  puer prūdent**ior**   ein $\begin{cases} recht \\ ziemlich \\ zu \end{cases}$ kluger Junge

- Superlativ:
  zum Ausdruck eines sehr **hohen Grades** (Elativ[1]):

  puer prūdent**issim**us   ein $\begin{cases} außerordentlich \\ sehr \\ äußerst \end{cases}$ kluger Junge

4 Zusätze beim Komparativ und Superlativ

Komparativ		Superlativ	
etiam ...	noch	longē ...	bei weitem
multō ...	(um) viel(es)	quam ...	möglichst
		vel ...	sogar
		... quisque	gerade

26   Numerale

1 Arten der Numeralia

Im Lateinischen werden folgende Arten von **Zahlwörtern** (*Numeralia*) unterschieden:

Bezeichnung		auf die Frage	Verwendung
Grundzahlen	(Kardinalzahlen)	wie viele?	Mengenangabe
Ordnungszahlen	(Ordinalzahlen)	der wievielte?	Reihenfolge
Verteilungszahlen	(Distributivzahlen)	wie viele **jedesmal**?	Gruppenbildung
Vervielfältigungszahlen	(Multiplikativzahlen)	wie viel**mal**?	Vervielfältigung

Die Zahlen dieser vier Gruppen sind in der Regel jeweils vom gleichen Wortstock gebildet, z.B. **quī**nque (fünf) – **quī**ntus (der fünfte) – **quī**nī (je fünf) – **quī**nquiēs (fünfmal). Am häufigsten begegnen die **Grund**- und **Ordnungszahlen**.

1.1 Bildungsweise der Grund- und der Ordnungszahlen

Einer, **Zehner** und **Hunderter** derselben Zahl[2] sind in der Regel jeweils **vom gleichen Wortstock** gebildet, z.B. **trēs**, **tria** (drei) – **trī**gintā (dreißig) – **tre**centī (dreihundert).

---

[1] < ēlātum (herausgehoben) < efferre
[2] Auch die Grundzahlen 11–17 sind mit Hilfe des gleichen Wortstocks gebildet wie die entsprechenden Einerzahlen. Hinzu tritt das Element -decim (< decem).

Folgende Bildungselemente sind kennzeichnend:

	bei Grundzahlen	bei Ordnungszahlen
für Zehner	-gintī/ -gintā	-cēsimus/ -gēsimus
für Hunderter	**-centī/** **-gentī**	**-centēsim**us/ **-gentēsim**us

1.2 Übersicht

Ziffer	Grundzahl	Ordnungszahl	Ziffer	Grundzahl	Ordnungszahl
1 I	ūnus, -a, -um	prīmus			
2 II	duo, -ae, -o	secundus	20 XX	vīgintī[1]	vīcēsimus
3 III	trēs, tria	tertius	30 XXX	trīgintā	trīcēsimus
4 IV	quattuor	quārtus	40 XL	quadrāgintā	quadrāgēsimus
5 V	quīnque	quīntus	50 L	quīnquāgintā	quīnquāgēsimus
6 VI	sex	sextus	60 LX	sexāgintā	sexāgēsimus
7 VII	septem	septimus	70 LXX	septuāgintā	septuāgēsimus
8 VIII	octō	octāvus	80 LXXX	octōgintā	octōgēsimus
9 IX	novem	nōnus	90 XC	nōnāgintā	nōnāgēsimus
10 X	decem	decimus	100 C	centum	centēsimus
11 XI	úndecim	ūn-decimus			
12 XII	duódecim	duo-decimus	200 CC	ducentī	ducentēsimus
13 XIII	trēdecim	tertius decimus	300 CCC	trecentī	trecentēsimus
14 XIV	quattuordecim	quārtus decimus	400 CD	quadringentī	quadringentēsimus
15 XV	quīndecim	quīntus decimus	500 D	quīngentī	quīngentēsimus
16 XVI	sēdecim	sextus decimus	600 DC	sescentī	sescentēsimus
17 XVII	septendecim	septimus decimus	700 DCC	septingentī	septingentēsimus
18 XVIII	duo-dēvīgintī	duodēvīcēsimus	800 DCCC	octingentī	octingentēsimus
19 XIX	ūn-dēvīgintī	ūndēvīcēsimus	900 CM	nōngentī	nōngentēsimus
			1000 M	mille	mīllēsimus
20 XX	vīgintī[1]	vīcēsimus	2000 MM	duo mīlia	bis mīllēsimus

1.3 Die Ordnungszahlen sind alle deklinierbar, von den Grundzahlen nur

▶ die Einer **ūnus, -a, -um**; **duo, duae, duo**; **trēs, tria**,

▶ die Vielfachen von Hundert, z.B. **trecentī, -ae, -a**,

▶ die Vielfachen von Tausend ab 2000, z.B. **tria mīlia**, **decem mīlia**.

ūnus			duo			trēs			mīlia
ūnus	ūna	ūnum	duo	duae	duo	trēs	trēs	tria	mīlia
	ūnīus		duōrum	duārum	duōrum		trium		mīlium
	ūnī		duōbus	duābus	duōbus		tribus		mīlibus
ūnum	ūnam	ūnum	duō(s)	duās	duo	trēs	trēs	tria	mīlia
ūnō	ūnā	ūnō	duōbus	duābus	duōbus		tribus		mīlibus

ambō, ambae, ambō   **beide**   wird wie duo dekliniert.

1.4 Das Neutrum der Ordnungszahlen wird als Adverb verwendet (↗ 33.3.4):
prīmum zum ersten Mal; decimum zum zehnten Mal.

---

[1]) < dui-ginti

2 Mehrstellige Grund- und Ordnungszahlen

▶ Mehrstellige Zahlen mit den Endziffern 1–7 sind durch „**Addition**" gebildet,

z.B. vīgintī quīnque *oder* quīnque **et** vīgintī: fünfundzwanzig
vīcēsimus quīntus *oder* quīntus **et** vīcēsimus: fünfundzwanzigster
ducentī octōgintā septem *oder*   zweihundert-
      septem **et** octōgintā **et** ducentī: siebenundachtzig
ducentēsimus octōgēsimus septimus *oder*   zweihundert-
      septimus **et** octōgēsimus **et** ducentēsimus: siebenundachtzigster

▶ Die Einerstellen 8 und 9 (z.B. 18, 19; 28, 29; 38, 39 usw.) sind durch „**Subtraktion**" gebildet,

z.B. duo-dē-vīgintī: achtzehn
duo-dē-vīcēsimus: achtzehnter
ūn-dē-trīgintā: neunundzwanzig
ūn-dē-trīcēsimus: neunundzwanzigster

▶ Die Tausender unterscheiden zwischen **mīlle** (einem Tausend) und **mīlia** (mehreren Tausendern),

z.B. **reine Tausender:**
1000 Männer: mīlle virī,
3000 Männer: tria mīlia virōrum (↗ 65),
mit 1000 Männern: cum mīlle virīs,
mit 3000 Männern: cum tribus mīlibus virōrum (↗ 65)

Tausenderzahlen mit Hundertern, Zehnern, Einern:
1321 Männer: mīlle trecentī vīgintī ūnus virī
3321 Männer: tria mīlia virōrum (↗ 65) **et** trecentī vīgintī ūnus

3 Häufigere Verteilungs- und Vervielfältigungszahlen

singulī, -ae, -a	je eine(r)	semel	einmal
bīnī, -ae, -a	je zwei	bis	zweimal
ternī, -ae, -a	je drei	ter	dreimal
quaternī, -ae, -a	je vier	quater	viermal
quīnī, -ae, -a	je fünf	quīnquiēs	fünfmal
dēnī, -ae, -a	je zehn	deciēs	zehnmal
centēnī, -ae, -a	je hundert	centiēs	hundertmal
		mīlliēs	tausendmal

Bei Vielfachen von Tausend werden für die Bildung der Ordnungszahlen die Vervielfältigungszahlen verwendet,
z.B.   passus mīllēsimus   der tausendste Doppelschritt
passus **ter** mīllēsimus   der dreitausendste Doppelschritt

27   Pronomen: Begriff – Funktion

1 Pronomina[1] sind deklinierbar.

Die meisten Pronomina zeigen nur in den Formen des **Singulars** Besonderheiten, wobei die folgenden Endungen gemeinsam sind:

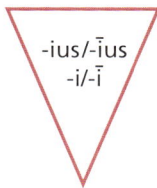

	Nominativ/Akkusativ Singular des Neutrums: **-d**	Genitiv Singular: **-ius/-īus**	Dativ Singular: **-ī/-i**
z.B.	**id** (↗ is 28.1; 29.2) **quod** (↗ quī 30.1) **illud** (↗ ille 29.1)	**eius** (↗ is 28.1; 29.2) **cuius** (↗ quī 30.1) **illīus** (↗ ille 29.1)	**eī** (↗ is 28.1; 29.2) **cui** (↗ quī 30.1) **ipsī** (↗ ipse 29.2)

Die Pluralformen folgen fast alle der o-/ā-Deklination.

Ausnahmen:
Nom./Akk. Plural des Neutrums von hic, haec, hoc (↗ 29.1),
        von quī, quae, quod und seinen Zusammensetzungen
        (↗ 30.1),
Dat./Abl. Plural von quī, quae, quod und seinen Zusammensetzungen (↗ 30.1).

2 Funktionen der Pronomina

Pronomina verweisen auf etwas Gemeintes oder zuvor Genanntes. Sie stehen als ‚Stellvertreter' (‚Für-Wörter') für ein Nomen oder als ‚Begleiter' bei einem Nomen.

2.1 Pronomina können substantivisch (‚stellvertretend') oder adjektivisch (‚begleitend') verwendet sein. Sie erfüllen die gleichen **syntaktischen** Funktionen wie Substantive und Adjektive.
Darüber hinaus dienen sie zur Verknüpfung von Sätzen (↗ 108.1.3).

2.2 Pronomina erfüllen folgende **semantische** Funktionen:

▶ Kennzeichnung von Personen und Dingen:	persönlich:	Personal-Pronomina	↗ 28.1
▶ oder der Zugehörigkeit zu ihnen:	besitzanzeigend:	Possessiv-Pronomina	↗ 28.2
▶ Betonter Hinweis auf Personen oder Dinge:	hinweisend:	Demonstrativ-Pronomina	↗ 29
▶ Frage nach Personen oder Dingen:	fragend:	Interrogativ-Pronomina	↗ 30.2
▶ Kennzeichnung von Personen oder Dingen, die nicht genauer bestimmt werden können oder sollen:	unbestimmt:	Indefinit-Pronomina	↗ 31

2.3 Im Zusammenhang des Textes können Pronomina als Verweiswörter auf Erwähntes zurück- und auf Kommendes vorverweisen (↗ 140.1).

---

[1] prō-nōmen: Für-wort

28 Personal-Pronomina und Possessiv-Pronomina

Personal-Pronomina stehen für
– sprechende Personen: 1. Person Singular/Plural: ich/wir
– angesprochene Personen: 2. Person Singular/Plural: du/ihr
– besprochene Personen oder Sachen: 3. Person Singular/Plural: er, sie, es/sie
Possessiv[1]**-Pronomina** bezeichnen die Zugehörigkeit zu diesen Personen oder Sachen.

1 Personal-Pronomina

Der Rückbezug auf das Subjekt des Satzes ist durch das **reflexive**[2] Personal-Pronomen ausgedrückt.
Nur für die **3. Person** gibt es eine eigene Form des reflexiven Personal-Pronomens.

	1. Person	2. Person	3. Person			reflexiv
			nicht-reflexiv			reflexiv
	ich	*du*	*er*	*sie*	*es*	
Sg.						
Nom.	ego	tū	is	ea	id	–
Gen.	meĭ	tuĭ		eius		suĭ
Dat.	mihĭ	tibĭ		eĭ		sibĭ
Akk.	mē	tē	eum	eam	id	sē
Abl.	(ā) mē	(ā) tē	(ab) eō	(ab) eā	(ab) eō	(ā) sē
	wir	*ihr*	*sie*			
Pl.						
Nom.	nōs	vōs	iĭ (eĭ)	eae	ea	–
Gen.	nostrĭ/ nostrum	vestrĭ/ vestrum	eōrum	eārum	eōrum	suĭ
Dat.	nōbĭs	vōbĭs		iĭs (eĭs)		sibĭ
Akk.	nōs	vōs	eōs	eās	ea	sē
Abl.	(ā) nōbĭs	(ā) vōbĭs		(ab) iĭs (eĭs)		(ā) sē

1.1 Besonderheiten

▶ Die Genitivformen nost**rum**/vest**rum** treten nur in der Bedeutung des Genitivs der Teilung (↗ 65) auf:
Quis nostrum? – Wer von uns?

▶ Die Präposition **cum** (↗ 67.2.2) ist bei folgenden Ablativformen angehängt:
mē**cum**, tē**cum**, sē**cum**, nōbĭs**cum**, vōbĭs**cum**.

▶ Personal-Pronomina sind gelegentlich durch Suffixe verstärkt:
ego**met**, tū**te**, sē**sē**.

---

[1]) < possessus, -a, -um (in Besitz, als Eigentum) < possidēre
[2]) < reflexus, -a, -um (zurückgewandt) < reflectere

1.2 Verwendung

a) Das Personal-Pronomen wird nur substantivisch verwendet.

b) Der Nominativ des Personal-Pronomens steht nur dann, wenn die handelnde Person in Vergleich oder Gegenüberstellung stark betont ist.

    Ego id audīvī, nōn **tū**.   **Ich** habe das gehört, nicht **du**.

c) Das reflexive Personal-Pronomen drückt aus, dass sich das im Prädikat genannte Geschehen auf die im Subjekt genannte Person zurückbezieht.

    Tū tē semper laudās.   Du lobst **dich** immer **(selbst)**.

    Nēmō **sibī** nocēre vult.   Niemand will **sich (selbst)** schaden.

2 Possessiv-Pronomina

Die Possessiv-Pronomina werden wie die Adjektive der o-/ā-Deklination dekliniert und stehen in KNG-Kongruenz zu ihrem Bezugswort.

Der Rückbezug auf das Subjekt des Satzes, d.h. wenn das Subjekt zugleich der ‚Besitzer‘ ist, ist durch das **reflexive** Possessiv-Pronomen ausgedrückt.

Nur für die **3. Person** gibt es eine eigene Form des reflexiven Possessiv-Pronomens: **suus, sua, suum**.

Das **nicht-reflexive** Possessiv-Pronomen der 3. Person ist durch die Genitivformen (↗ 63.1: Genitiv des Besitzers) des Personal-Pronomens ausgedrückt: **eius**; **eōrum, eārum, eōrum**.

Quis aut līberīs **suīs**   Wer will **seinen** (eigenen) Kindern

    aut amīcīs **eōrum** nocēre vult?   oder **ihren** Freunden schaden?

		1. Person	2. Person	3. Person	
				nicht-reflexiv	reflexiv
Sg.		*mein*	*dein*	*sein, ihr*	
		meus, -a, -um	tuus, -a, -um	eius	suus, -a, -um
Pl.		*unser*	*euer*	*ihr*	
		noster, -tra, -trum	vester, -tra, -trum	eōrum, eārum, eōrum	suus, -a, -um

2.1 Besonderheiten der Form

▶ Der Vokativ des Maskulinums von meus lautet im Singular **mī**.
    mī amīce!   mein Freund!

▶ Das Possessiv-Pronomen ist gelegentlich durch das Suffix **-pte** verstärkt.
    suā**pte** manū   durch seine/ihre (eigene) Hand, mit eigener Hand

2.2 Verwendung

a) Das Possessiv-Pronomen steht im Lateinischen nur dann, wenn das Besitz- oder Zugehörigkeitsverhältnis besonders hervorgehoben werden soll.
    Meīs oculīs hoc vīdī.   Mit (meinen) **eigenen** Augen habe ich dies gesehen.
    aber:
    Vīrēs exerceō.   Ich übe **meine** Kräfte.

b) Die Possessiv-Pronomina sind in der Regel adjektivisch verwendet. Sie können aber auch substantiviert sein, zumeist im Plural:

meī, meōrum	‚die Meinen‘, meine Angehörigen
suī, suōrum	‚die Seinen/Ihren‘, seine/ihre Leute
nostrī, nostrōrum	‚die Unseren‘, unsere Leute
mea, meōrum	‚das Meine‘, meine Sachen, mein Besitz
suum, suī	‚das Seine/Ihre‘
dē suō	aus eigenem Vermögen

29 Demonstrativ-Pronomina

Demonstrativ[1]-Pronomina **heben** bestimmte Personen oder Dinge **hervor**, indem sie auf diese **hinweisen**.
Dabei kann

hic, **haec**, **hoc**	auf eine 1. sprechende Person,
iste, **ista**, **istud**	auf eine 2. angesprochene Person,
ille, **illa**, **illud**	auf eine 3. besprochene Person

hinweisen.

1 hic – iste – ille

1.1 Übersicht

	dieser, diese, dieses			*dieser, diese, dieses da/dein*			*jener, jene, jenes*		
	m	f	n	m	f	n	m	f	n
Sg. Nom.	hic	haec	hoc	iste	ista	istud	ille	illa	illud
Gen.		huius			istīus			illīus	
Dat.		huic			istī			illī	
Akk.	hunc	hanc	hoc	istum	istam	istud	illum	illam	illud
Abl.	hōc	hāc	hōc	istō	istā	istō	illō	illā	illō
Pl. Nom.	hī	hae	**haec**	istī	istae	ista	illī	illae	illa
Gen.	hōrum	hārum	hōrum	istōrum	istārum	istōrum	illōrum	illārum	illōrum
Dat.		hīs			istīs			illīs	
Akk.	hōs	hās	**haec**	istōs	istās	ista	illōs	illās	illa
Abl.		hīs			istīs			illīs	

[1] < dēmōnstrāre (hinweisen)
Die meisten Demonstrativ-Pronomina sind von is (↗ 29.2.1) gebildet:
is-te, ille < is-le; īdem < is-dem; ipse < is-pse

1.2 Bedeutung

	bezeichnet	Beispiele:	
hic, haec, hoc	Zugehörigkeit zur sprechenden Person (1. Person)	**hic** liber in **hāc** rē pūblicā	*(dieses)* **mein** Buch in *(diesem)* **unserem** Staat
	räumliche Nähe	**hic** vir	**dieser** Mann **hier**
	zeitliche Nähe	**hae** angustiae **hōc** diē	die/unsere **gegenwärtige** Notlage am **heutigen** Tag
	das Folgende	**haec** dīxit	er sagte **Folgendes**
	das alle Betreffende	**hoc** miserum bellum	**dieser** (für alle) unglückliche Krieg
iste, ista, istud	Zugehörigkeit zur angesprochenen Person (2. Person)	**ista** prōvincia **istae** cūrae	*(die/diese)* **dir übertragene** Provinz *(diese)* **eure** Sorgen
	vor Augen Stehendes	**iste** vir	**der** (vor euch allen *stehende)* Mann **hier**
	Angesprochenes/ Vorzufindendes	**ista** auctōritās	der dir **dort eingeräumte** Einfluss
	Verachtung, Abwertung	**iste** Catilīna	**dieser** Catilina **da / ein Kerl wie** C.
ille, illa, illud	Zugehörigkeit zur besprochenen Person (3. Person)	**illa** verba	*(jene)* **seine/ihre** Worte
	räumliche Ferne	**ille** senex	**der** alte Mann **dort**
	zeitliche Ferne: Vormaliges/Zukünftiges	**illa** tempora	die **damaligen** Zeiten/ **künftige** Zeiten
	Bekanntes/Berühmtes	**illae** laudēs tuae **illud** Caesaris	deine **weltberühmten** Taten **jenes berühmte** Wort Cäsars

2 is – īdem – ipse

2.1 Übersicht

	dieser, diese, dieses; der-, die-, dasjenige			derselbe, dieselbe, dasselbe; eben dieser, diese, dieses			selbst, selber		
	m	f	n	m	f	n	m	f	n
Sg.									
Nom.	is	ea	id	īdem	eadem	idem	ipse	ipsa	ipsum
Gen.		eius			eiusdem			ipsīus	
Dat.		eī			eīdem			ipsī	
Akk.	eum	eam	id	eundem[1]	eandem	idem	ipsum	ipsam	ipsum
Abl.	eō	eā	eō	eōdem	eādem	eōdem	ipsō	ipsā	ipsō
Pl.									
Nom.	iī (eī)	eae	ea	īdem (iīdem)	eaedem	eadem	ipsī	ipsae	ipsa
Gen.	eōrum	eārum	eōrum	eōrundem[1]	eārundem	eōrundem	ipsōrum	ipsārum	ipsōrum
Dat.		iīs (eīs)			iīsdem			ipsīs	
Akk.	eōs	eās	ea	eōsdem	eāsdem	eadem	ipsōs	ipsās	ipsa
Abl.		iīs (eīs)			iīsdem			ipsīs	

---
[1] eundem, eōrundem usw.: Konsonantenannäherung m > n vor d (↗ L 24)

2.2 Bedeutung

	bezeichnet/ verwendet als	*Beispiele:*	
is, ea, id	Rückverweis	(Extrēmum *oppidum* Allobrogum est Genava.)	(Die letzte *Stadt* im Gebiet der Allobroger ist Genf.)
	Vorverweis	Ex **eō** oppidō pōns ad Helvētiōs pertinet. Caesar **eī** mūnitiōnī, *quam* fēcerat, T. Labiēnum praefēcit.	Von **dieser** Stadt führt eine Brücke zu den Helvetiern. Cäsar übertrug T. Labienus den Befehl über **die** Befestigung, *die* er hatte anlegen lassen.
	Genitivformen als nicht-reflexives Possessiv-Pronomen der 3. Person (↗ 28.2)	(*Caesar* ad Genavam pervēnit.) Ubī dē **eius** adventū Helvētiī certiōrēs factī sunt,	(*Cäsar* gelangte nach Genf.) Sobald die Helvetier von **seiner** Ankunft benachrichtigt worden waren,
	Personal-Pronomen (↗ 28.1)	lēgātōs ad **eum** mīsērunt.	schickten sie Gesandte zu **ihm**.
īdem, eadem, idem	Gleichheit („Identität")	(Orgetorīx Casticō persuāsit, *ut rēgnum in cīvitāte suā occupāret.*) Item Dumnorīgī Haeduō, ut **idem** cōnārētur, persuāsit.	(Orgetorix überredete Casticus *sich der Herrschaft in seinem Stamm zu bemächtigen.*) Ebenso überredete er den Häduer Dumnorix **dasselbe** zu versuchen.
ipse, ipsa, ipsum	Hervorhebung	Tē **ipse** vīcistī. Catō **ipse** … hāc **ipsā** nocte …	Du hast dich **selbst** übertroffen. Cato **selbst**/(höchst-)**persönlich** … **gerade** in dieser Nacht …
	Verstärkung eines Pronomens	sē **ipsum** cognōscere	sich **selbst** erkennen
	Vertretung oder Verdeutlichung eines reflexiven Pronomens in der Oratio obliqua (↗ 136)	(*Caesar* rogāvit:) Cūr dē **ipsīus** dīligentiā dubitārent?	(*Cäsar* fragte:) Warum zögen sie **seine** Umsicht in Zweifel?

30 Relativ-Pronomina, Interrogativ-Pronomina und Korrelativa

1 Das **Relativ**[1]**-Pronomen** dient zur Einleitung von Relativsätzen (↗ 131–134) und als relativischer Satzanschluss (↗ 135).

Man unterscheidet zwischen einfachem und verallgemeinerndem Relativ-Pronomen.

einfach			verallgemeinernd				
			substantivisch		adjektivisch		
der, die, das *welcher, welche, welches*			*wer/was auch immer* *jeder, der; alles, was*		*welcher/welche/welches auch immer* *jeder …, der; alle …, die*		
m	f	n	m/f	n	m	f	n
Sg.							
Nom. qui	quae	quod	quisquis	quidquid[2]	quicumque	quaecumque	quodcumque
Gen.	cuius			–		cuiuscumque	
Dat.	cui			–		cuicumque	
Akk. quem	quam	quod	–	quidquid	quemcumque	quamcumque	quodcumque
Abl. quō	quā	quō	–		quōcumque	quācumque	quōcumque
Pl.							
Nom. qui	quae	quae			quicumque	quaecumque	quaecumque
Gen. quōrum	quārum	quōrum			quōrumcumque	quārumcumque	quōrumcumque
Dat.	quibus					quibuscumque	
Akk. quōs	quās	quae			quōscumque	quāscumque	quaecumque
Abl.	quibus					quibuscumque	

2 Das **Interrogativ**[3]**-Pronomen** leitet unabhängige (↗ 95.2) und abhängige (↗ 118) Fragesätze ein.

substantivisch		adjektivisch			substantivisch und adjektivisch		
wer, was		*welcher, welche, welches*			*wer/was von beiden* *welcher, welche, welches von beiden*		
nur Singular		Singular und Plural			nur Singular		
m/f	n	m	f	n	m	f	n
Sg.							
Nom. quis	quid	qui	quae	quod	uter	utra	utrum
Gen.	cuius		cuius			utrīus	
Dat.	cui		cui			utrī	
Akk. quem	quid	quem	quam	quod	utrum	utram	utrum
Abl. (ā) quō		quō	quā	quō	utrō	utrā	utrō
Pl.		*usw.* ↗ 30.1					

▶ Das Interrogativ-Pronomen ist gelegentlich durch das Suffix **-nam** verstärkt.
   Quisnam?   Wer denn?   Quaenam urbs?   Welche Stadt denn?

▶ Die Präposition cum (↗ 67.2.2) ist an den Ablativ angehängt.
   Quōcum?   Mit wem?   Quibuscum hominibus?   Mit welchen Menschen?

---

[1]) < relātus (bezogen)
[2]) Das verallgemeinernde Relativ-Pronomen quisquis, quidquid (auch: quicquid) ist nur substantivisch und nur in den aufgeführten Formen verwendet.
[3]) < interrogāre (fragen)

3 Korrelativa

Pronomina der Korrelation (*Korrelativa*[1]) werden beim Vergleich von zwei Personen, Gruppen oder Dingen verwendet. Sie sind eigentlich Adjektive, die
entweder **demonstrative**   (z.B. **tantus so** groß) oder
         relative   (z.B. **quantus wie** groß)
Bedeutung haben. Oft stehen sie in Wechselbeziehung zu einem stammverwandten Korrelativum.

tālis, -e	– quālis, -e	so (beschaffen)	– wie
tantus, -a, -ūm	– quantus, -a, -um	so groß	– wie (groß)
tot[2]	– quot	so viele	– wie (viele)
(undeklinierbar)			
totidem	– quot	ebenso viele	– wie

Quot hominēs, tot sententiae.   Wie viele Menschen, so viele Meinungen.

---

31 Indefinit-Pronomina

Indefinit[3]-Pronomina kennzeichnen Personen oder Dinge, die nicht genau bestimmt werden können oder sollen, z.B. aliquis – irgendeine(r).
Darüber hinaus können sie auch – generalisierend – eine Gesamtheit bezeichnen ohne genauer zu differenzieren, z.B. quīvīs – jeder beliebige.
Die Indefinit-Pronomina sind zum größten Teil durch Erweiterungen der Interrogativ-Pronomina **quis/quī** gebildet. Bei der Deklination bleiben die Erweiterungen unverändert.

1 Nicht-generalisierende Indefinit-Pronomina

1.1 quis/quī – aliquis/aliquī – quisquam/ūllus

substantivisch (nur im Singular): *irgendeine(r) /jemand, (irgend-) etwas*					
m/f	n	m/f	n	m/f	n
quis	quid	aliquis	aliquid	quisquam	quicquam (quidquam)
cuius		alicuius		cuiusquam	
cui		alicui		cuiquam	
usw. (↗ 30.2)		usw.		usw.	

adjektivisch (Singular und Plural): *irgendein, -eine, -ein*								
m	f	n	m	f	n	m	f	n
quī	qua(e)	quod	aliquī	aliqua	aliquod	ūllus	ūlla	ūllum
cuius			alicuius			ūllīus		
cui			alicui			ūllī		
usw. (↗ 30.1)			usw.			usw. (↗ 32)		

---

[1] < cor-relātus (aufeinander bezogen)
[2] unveränderlich
[3] indēfīnītus (unbestimmt) < dēfīnīre

▶ **quis** (subst.) und **quī** (adj.) lassen sich als Indefinit-Pronomina daran erkennen, dass ihnen bestimmte Partikeln vorausgehen:

sī	nisī	nē	num	quō	ubī	cum
wenn, falls	wenn nicht, falls nicht	(dass) nicht	etwa	je	sobald	wenn, sobald usw.

Dīc, **sī quid** vīs!   Sag' es, **wenn** du **etwas** willst!

▶ quisquam (subst.) und ūllus (adj.) stehen nur in Sätzen, die eine Verneinung enthalten, insbesondere nach neque, sine, vix, negāre:

Vix **quisquam** ante mortem   Kaum **(irgend-)jemand** kann vor dem Tod
    beātus praedicārī potest.   glücklich gepriesen werden.

Ego quidem negō   Ich jedenfalls behaupte,
    quemquam ante mortem   dass **niemand** vor dem Tod
    beātum praedicārī posse.   glücklich gepriesen werden kann.
                                 (Ich bestreite, dass **irgendeiner**…)

1.2 quīdam

substantivisch und adjektivisch		
ein (gewisser/bestimmter); Pl.: manche, einige		
m	f	n
quīdam	quaedam	quiddam/quoddam *(adj.)*
	cuiusdam	
	cuidam	
quendam[1]	quandam	quiddam/quoddam *(adj.)*
quōdam	quādam	quōdam
quīdam	quaedam	quaedam
quōrundam	quārundam	quōrundam
usw. (↗ 30.1)		

Rūfus quīdam   ein gewisser Rufus
philosophus quīdam Graecus   ein griechischer Philosoph
Quīdam nārrant …   Einige berichten, …
Fuit quoddam tempus, cum …   Es gab eine (gewisse) Zeit, als …

▶ **quīdam** kann die Aussage eines Substantivs abmildern oder einschränken ('sozusagen/eine Art von') und die Aussage eines Adjektivs hervorheben und verstärken ('geradezu/ganz/wirklich').
tacitus quīdam sermō   eine Art von stillem Gespräch
Caesar mīrā quādam prūdentiā erat.   Cäsar bewies eine geradezu erstaunliche
                                  Umsicht.

---

[1] quendam usw.: Konsonantenannäherung m > n vor d (↗ L 24)

2 Generalisierende Indefinit-Pronomina

2.1 quisque

substantivisch		adjektivisch		
jeder (einzelne); Pl. alle				
m/f	n	m	f	n
quisque	quidque	(quīque)	quaeque	quodque
cuiusque			cuiusque	
cuique			cuique	
usw. (↗ 30.2)			usw. (↗ 30.1)	

▶ **quisque** erscheint nur im Anschluss an **ūnus**, Ordnungszahlen, Superlative sowie Relativ- oder Reflexiv-Pronomina.

ūnusquisque (Gen.: ūnīuscuiusque)	ein jeder, jeder einzelne
quīntō quōque annō	alle vier Jahre (in jedem 5. Jahr)
optimus quisque	jeweils der Beste, gerade die Besten, alle Guten
Quod quisque amat, spērat.	(Was ein jeder gern hat, das erhofft er.)
	Jeder erhofft das, was er gern hat.
Suum cuique!	Jedem das Seine!

2.2 quīvīs/quīlibet

substantivisch und adjektivisch		
jeder (beliebige/mögliche/ohne Unterschied)		
m	f	n
quīvīs	quaevīs	quidvīs[1]/quodvīs *(adj.)*
	cuiusvīs	
	cuivīs	
	usw. (↗ 30.2)	

Ebenso: quīlibet, quaelibet, quidlibet[2]/quodlibet, cuiuslibet *usw.*

2.3 nēmō/nihil – nūllus,-a,-um

substantivisch		adjektivisch		
niemand, keine(r)/nichts		*kein(er), keine, kein(es)*		
m/f	n	m	f	n
nēmō	nihil	nūllus	nūlla	nūllum
nūllīus	nūllīus reī		nūllīus	
nēminī	nūllī reī		nūllī	
nēminem	nihil	nūllum	nūllam	nūllum
(ā) nūllō	nūllā rē	nūllō	nūllā	nūllō
			usw.	

nēmō < ne-homo (kein Mensch ↗ne-uter 32) und nihil < ne-hilum (kein Fädchen) – gelegentlich zu **nīl** verkürzt – kommen nicht in allen Kasus vor; als Ersatz erscheinen Formen von **nūllus** bzw. **nūlla rēs**.

---

[1] < quid-vīs (was du willst)
[2] < quid-libet (was beliebt)

▶ in Verbindung mit der Negation nōn wird die Verneinung aufgehoben; dabei ist auf die Stellung von nōn besonders zu achten:

nēmō nōn	jeder	nōn nēmō	mancher
nihil nōn	alles	nōn nihil	einiges, manches
		nōnnūllī	einige, manche

32 Pronominaladjektive

Einige Adjektive der o-/ā-Deklination haben mit den Pronomina (↗ 27–31) die Endung des Genitiv Singular **-īus** und die des Dativ Singular **-ī** gemeinsam; man nennt sie Pronominaladjektive. Zu diesen zählen

▶ einige Adjektive, die eine Menge bezeichnen:

tōtus,-a,-um	ganz
sōlus,-a,-um	allein
ūnus,-a,-um	ein einziger (↗ 26.1.3)

▶ alius,-a,-u*d*   ein anderer; Pl.: andere

Sg.			Pl.		
m	f	n	m	f	n
alius	alia	aliu**d**	aliī	aliae	alia
	alterīus		aliōrum	aliārum	aliōrum
	aliī[1]			aliīs	
alium	aliam	aliu**d**	aliōs	aliās	alia
aliō	aliā	aliō		aliīs	

▶ die adjektivisch gebrauchten Indefinit-Pronomina:

ūllus,-a,-um	irgendein (↗ 31.1.1)
nūllus,-a,-um	kein (↗ 31.2.3)

▶ die Pronomina der ‚Zweiheit‘:

uter, utra, utrum	wer (von beiden)
uterque, utraque, utrumque	jeder (von beiden)
néuter, néutra, néutrum	keiner (von beiden)
alter, altera, alterum	der eine/andere (von beiden)

33 Adverb

1 Das **Adverb** ist unveränderlich.

Adverbien erfüllen entweder die **syntaktische Funktion** des Adverbiales (↗ 40.1) oder des Attributs (↗ 41.2.4).

Adverbien, die die syntaktische Funktion des Adverbiales erfüllen, geben die näheren Umstände eines Geschehens oder einer Handlung an.

---

[1] auch alterī

1.1 Diese näheren Umstände lassen sich nach folgenden Bedeutungsrichtungen unterscheiden:

Bedeutungsrichtung		Fragen
Ort	(lokal)	wo? – wohin? – woher?
Zeit	(temporal)	wann? – wie lange? – seit wann?
Art und Weise	(modal)	wie? – wodurch?
Grund	(kausallogisch)	warum? – wozu?

1.2 Adverbien können durch Erstarrung von Nominalformen, durch Zusammensetzung selbstständiger Wörter oder durch Ableitung von Pronominalstämmen gebildet sein. Ferner können Adverbien aber auch nach bestimmten Regeln von Adjektiven abgeleitet sein. Diese lateinischen Adverbien haben im Unterschied zum Deutschen eine eigene Form.

2 Bildungsweisen von Adverbien

2.1 Von Adjektiven abgeleitete Adverbien

a) Das Adverb wird jeweils vom **Wortstock** des Adjektivs gebildet.
   An diesen tritt
   – bei Adjektiven der o-/ā-Deklination das Bildungselement **-ē**,
   – bei Adjektiven der ĭ-Deklination das Bildungselement **-iter**, das sich bei den Wortstöcken, die auf -nt- enden, zu **-er** verkürzt:

	Wortstock		Positiv
o-/ā-Dekl.			
doctus	doct-	gebildet	doct-**ē**
miser	miser-	jämmerlich	miser-**ē**
pulcher	pulchr-	schön	pulchr-**ē**
Sonderformen:			
bonus	bon-	gut	ben-**ĕ**
malus	mal-	schlecht	mal-**ĕ**
ĭ-Dekl.			
celer	celer-	schnell	celer-**iter**
ācer	ācr-	heftig	ācr-**iter**
similis	simil-	ähnlich	simil-**iter**
atrōx	atrōc-	schrecklich	atrōc-**iter**
prūdēns[1]	prūdent-	klug	prūdent-**er**

Adverb
-ē
-iter
-er

b) **Komparation des Adverbs**
   Von Adjektiven gebildete Adverbien haben auch in den Vergleichsstufen Komparativ und Superlativ (↗ 25) unveränderliche Formen:
   – Im Komparativ tritt das Bildungselement **-ius** (vgl. Neutrum Singular des Komparativs) an den Wortstock des Adjektivs.
   – Im Superlativ tritt das Bildungselement **-ē** (vgl. Positiv des Adverbs der o-/ā-Deklination) an den Wortstock des Superlativs:

---

[1]) Zu den Wortstöcken, die auf -nt- enden, zählt auch das Partizip Präsens Aktiv; es bildet das Adverb auf dieselbe Weise, z.B. liben**ter** (gern).

Komparativ		Superlativ	
doct-**ius** miser-**ius** pulchr-**ius**	Komparativ **-ius**	doct-issim-**ē** miser-rim-**ē** pulcher-rim-**ē**	Superlativ **-issimē** **-rimē** **-limē**
celer-**ius** ācr-**ius** simil-**ius** atrōc-**ius**		celer-rim-**ē** ācer-rim-**ē** simil-lim-**ē** atrōc-issim-**ē**	
prūdent-**ius**		prūdent-issim-**ē**	

2.2 Andere Bildungsweisen

a) **Erstarrte Kasusformen von Substantiven und Adjektiven**
   Ablativ (↗ 53–61), z.B.

ūnā (*erg.* manū)	zusammen	diū	lange (Zeit)
sērō (*erg.* tempore)	spät, zu spät	cāsū	zufällig
modo	(gerade) eben, bald; nur	forte	zufällig
māgnopere	sehr	hodiē	heute
noctū	nachts	omnĭnō	gänzlich, überhaupt

   ,Lokativ' (↗ 60.4; 61.3), z.B.

domĭ	zu Hause	herĭ	gestern
vesperĭ	abends		

   Akkusativ (↗ 47.2), z.B.

multum	viel, sehr	cēterum	im Übrigen, übrigens
paulum	ein wenig	statim	sofort
parum	zu wenig	prĭvātim	persönlich
tantum/sōlum	nur	facile	leicht

   Nominativ, z.B.

rūrsus (< reversus)	wieder	satis	genug

b) **Zusammensetzung**
   Präpositionale Verbindung

anteā	vorher, früher	praetereā	außerdem, überdies
posteā	nachher, später	imprĭmĭs	besonders, vor allem
intereā	unterdessen	obviam	entgegen
proptereā	deswegen	admodum	sehr, in hohem Maße

   Verbindung ursprünglich selbstständiger Wörter

adeō	so sehr	deinde	von da an, darauf
interdum	manchmal	cottĭdiē	täglich

c) **Ableitungen von Pronomina (Pronominaladverbien)**
   Es lassen sich Adverbien unterscheiden, die abgeleitet sind von

► Interrogativ-Pronomina (↗ 30),
► Demonstrativ-Pronomina (↗ 29)   und
► Indefinit-Pronomina (↗ 31).

Interrogativ-Pronomina		Adverbien								
quis?	wer?	ŭbĭ?	wo?	quō?	wohin?	unde?	woher?	quandō? wann?	quā (viā)?	wie?
Demonstrativ-Pronomina										
hic	dieser	hīc	hier	hūc	hierher	hinc	von hier		hāc	so
is	dieser	ibĭ	dort, da	eō	dorthin	inde	von da		eā	so
ille	jener	illīc	dort	illūc	dorthin	illinc	von dort	ōlim	einst	
īdem	derselbe	ibĭdem	ebenda	eōdem	eben-dorthin				eādem	ebenso
Indefinit-Pronomina										
aliquis	irgend-einer/	alicubĭ	irgend-wo	aliquō	irgend-wohin				aliquā	irgend-wie
quis-quam	jemand	ūsquam	irgend-wo					umquam jemals	nequā-quam	keines-wegs
		nus-quam	nirgends					num-quam	nie	
quīdam	ein (ge-wisser)							quon-dam	einst	
quisque	jeder	ubĭque	überall			undque	von allen Seiten			
alius	ein anderer	alibĭ	anders-wo	aliō	anders-wohin			aliās	ein an-deres Mal	

d) **Sonstige** (meist frühe) **Bildungen**

ita/sĭc	so	nunc	jetzt	mox	bald
paene	fast, beinahe	tum	da, damals	saepe	oft
vix	kaum	iam	schon, bereits	simul	zugleich

e) **Adverbien**, die (später) als **Präpositionen** verwendet werden (↗ 67.1)

   ante   vorher, früher   post   nachher, später   prope   nahe, beinahe

3 Besonderheiten

3.1 Auch einige der unter 2.2 aufgeführten Adverbien haben Vergleichsformen:

diū	–	diūtius	–	diūtissimē	lange	–	länger	–	am längsten
saepe	–	saepius	–	saepissimē	oft	–	öfter	–	am häufigsten
–	–	potius	–	potissimum	–		eher, lieber	–	am liebsten
(prō)	–	prius	–	primum	(vor)	–	früher	–	zuerst
(prope)	–	propius	–	proximē	(nahe)	–	näher	–	am nächsten
(post)	–	posterius	–	postrēmō	(nachher)	–	später	–	zuletzt

3.2 Vergleichsformen gibt es auch von den Adverbien, die von Adjektiven mit unregelmäßiger Komparation (↗ 25.2.1) gebildet sind:

māgnopere/valdē	–	magis	–	māximē	sehr	–	mehr	–	am meisten
paulum	–	minus	–	minimē	wenig	–	weniger	–	am wenigsten
multum	–	plūs	–	plūrimum	viel	–	mehr	–	am meisten
benĕ	–	melius	–	optimē	gut	–	besser	–	am besten
malĕ	–	pēius	–	pessimē	schlecht	–	schlechter	–	am schlechtesten

34 Partikeln

Partikeln[1] sind unveränderlich.

1 Zu den Partikeln zählen:

- ▶ **Adverbien** (↗ 33)
- ▶ **Konjunktionen** (↗ 109.1.2)
- ▶ **Präpositionen** (↗ 67; 68)
- ▶ **Interrogativ-Partikeln**
  (bei direkten Fragesätzen ↗ 98.4/5, bei abhängigen/indirekten Fragesätzen ↗ 118.2/3):

-ne num nōnne	(unübersetzt)/ob etwa …?/ob (etwa/denn) nicht …?/ ob nicht; ob	utrum … an -ne … an – … an }… oder …?/ ob … oder	utrum … necne -ne … necne – … necne }… oder nicht?/ ob … oder nicht

- ▶ **Interjektionen**
  Interjektionen[2] sind Ausrufe, die eine körperliche oder seelische Empfindung ausdrücken. Solche Ausrufe kommen vor allem in der Umgangssprache vor.

ah	ach!	eho	holla!	ēn	sieh!
heu	wehe! ach!	hem	hm	ecce	schau!
vae	wehe!	heus	hallo!	hercle	beim Hercules!
ei	au!	ō	oh! ach!	pol/edepol	beim Pollux!

Den Interjektionen kann auch der Vokativ (↗ 42.3) zugerechnet werden.

2 Darüber hinaus gibt es Wörter, die als Partikeln dazu dienen,

- – eine Aussage abzutönen bzw. eine Sinnschattierung zu erreichen, z.B.

quidem	zwar, allerdings
(sīn) autem	(wenn) aber
(nisī) forte	(wenn nicht) zufällig; es sei denn, dass
quippe (quī)	(der) ja; da (er) ja

- – eine Aussage oder ein Wort zu verneinen, z.B.

nōn/haud	nicht

- – eine Aussage oder ein Wort zu steigern, z.B.

quam	möglichst
vel	sogar
etiam	noch, sogar
nē … quidem	nicht einmal

- – einen Vergleich zu ziehen, z.B.

quam	wie, als
quasi tamquam }	wie; als ob

---

[1] < particula   (Teilchen)
[2] < inter-icere   (dazwischen-werfen)

DIE LEHRE VOM SATZ

SYNTAX DES SATZES UND SEINER GLIEDER

35　**Der Bau des Satzes**

1 Das Satzmodell

Der **lateinische Satz** lässt sich in einem grafischen Satzmodell verdeutlichen. Er birgt streng voneinander zu unterscheidende Positionen in sich. Das Satzmodell mit seinen fünf Positionen ist im Folgenden entwickelt.

1.1 Alle sprachlichen Erscheinungen, die in dieser Grammatik systematisch behandelt werden, lassen sich an einer der im Satzmodell aufgezeichneten **fünf Positionen** in den ‚**Bau des Satzes**‘ (Syntax) einordnen, wo sie den Gesamtsinn des Satzes mittragen.

1.2 Diese **Positionen** sind, je nach Betonung und Absicht des Sprechenden oder Schreibenden, in ihrer Reihenfolge **vertauschbar**.

▶ Die **fünf Positionen** des Satzes können durch unterschiedliche sprachliche Elemente **gefüllt** sein.

▶ Sprachliche Elemente **erfüllen** an einer **Position** im Satz immer eine **syntaktische Funktion** (Aufgabe).

▶ Diese Funktionen werden von Satzgliedern bzw. Satzgliedteilen übernommen.

Im Satzmodell:

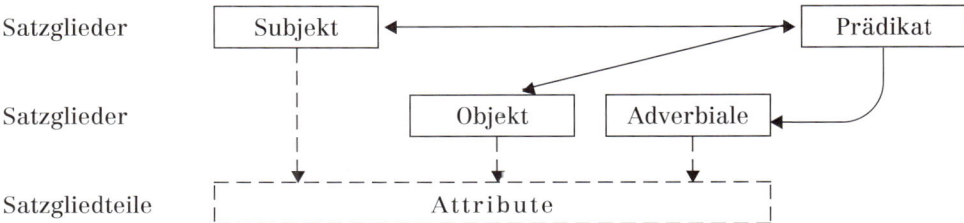

2 Satzglieder: Subjekt – Prädikat

2.1 Der Bau eines Satzes ruht auf zwei ‚Grundpfeilern‘: **Subjekt und Prädikat**.

▶ Das **Subjekt** gibt an, wer oder was eine Handlung vollzieht, ein Geschehen auslöst oder davon betroffen ist.
Die Position des Subjekts wird in der Regel gefüllt durch ein **Nomen** (deklinierbares Wort).
Dazu zählen:
　　　Substantiv (Namen-/Hauptwort),
　　　Adjektiv (Eigenschaftswort),
　　　Pronomen (Fürwort),
　　　Numerale (Zahlwort).

▶ Das **Prädikat** gibt an, was ist oder geschieht.
Die Position des Prädikats wird zumeist gefüllt durch ein **Verb** (Zeitwort/Tätigkeitswort).

2.2 Subjekt und Prädikat bilden **zuweilen** allein schon einen syntaktisch **vollständigen Satz** mit einer sinnvollen Aussage. Dieser Satz besteht demnach aus **zwei Satzgliedern**; sie stehen in einer engen Beziehung zueinander.

Cicerō	⟵⟶	rĭdet.
Cicero	⟵⟶	lacht.
Senātōrēs	⟵⟶	stupent.
Die Senatoren	⟵⟶	staunen.

3 Satzglieder: Objekt – Adverbiale

In den meisten Fällen treten zum ‚einfachen' Satz (Subjekt – Prädikat) ergänzende Satz-glieder hinzu. Solche Satzglieder müssen o d e r können stehen; dies hängt davon ab, wie viele Satzglieder das Verb, das die syntaktische Funktion des Prädikats erfüllt, aufgrund seiner Bedeutung benötigt, damit ein grammatisch vollständiger Satz entsteht. Solche Ergänzungen stehen demnach in **Dependenz (Abhängigkeit)** vom Prädikat. Die Fähig-keit eines Verbs bestimmte Satzpositionen an sich zu binden nennt man **Valenz (Wertig-keit)**.

3.1 Ergänzungen können sein:
► das **Objekt**:
Es gibt an, auf wen oder worauf die im Prädikat ausgedrückte Handlung gerichtet ist. ①

► das **Adverbiale**:
Es gibt die näheren Umstände einer Handlung oder eines Geschehens an. ②

①	Cicerō Antōnium ⟵ irrĭdet.
	Cicero verspottet Antonius.
②	Hic Brundisiī versātur.
	Dieser hält sich in Brundisium auf.
	Brundisium longē ā Rōmā abest.
	Brundisium ist weit von Rom entfernt.

3.2 Satzglieder, die von der Valenz des Verbs, das die syntaktische Funktion des Prädikats erfüllt, nicht notwendig gefordert werden, nennt man freie Angaben. ③ ④

③	Cicerō Antōnium (iterum atque iterum) irrĭdet.
	Cicero verspottet Antonius (immer wieder).
④	Senātōrēs (laetī) audiunt.
	Die Senatoren hören (erheitert) zu.

3.3 Oft erscheinen die Satzglieder Objekt und Adverbiale gemeinsam im Satz.

Cicerō apud senātum Antōnium ⟵ accūsat.
Cicero klagt vor dem Senat Antonius an.

4 Erweiterung durch Satzgliedteile: Attribute

Zu den Satzgliedern können **Erweiterungen** treten. Diese sind nicht von der Valenz des Verbs, das die syntaktische Funktion des Prädikats erfüllt, abhängig; denn sie sind nur Teile der Satzglieder, denen sie beigefügt sind: **Attribute**.

Cicerō Antōnium cōnsulem apud summum cōnsilium orbis terrārum accūsat.
Cicero klagt den Konsul Antonius vor der höchsten Ratsversammlung der Welt an.

Im Satzmodell:

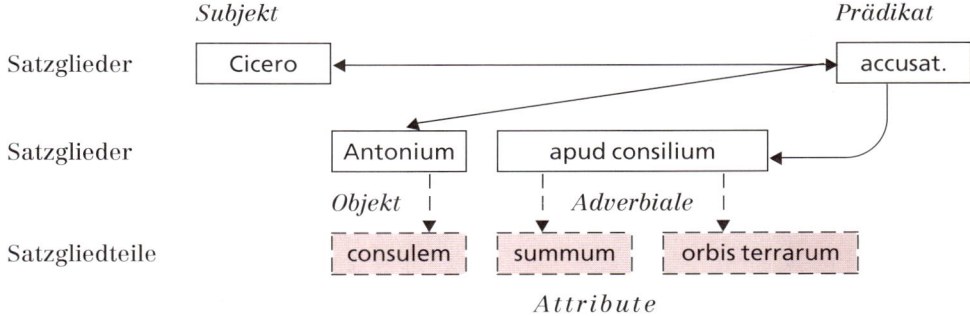

36 Satzpositionen und Füllungsarten

Die **fünf Positionen** des Satzmodells können von verschiedenen sprachlichen Elementen gefüllt sein: **Füllungsarten**.

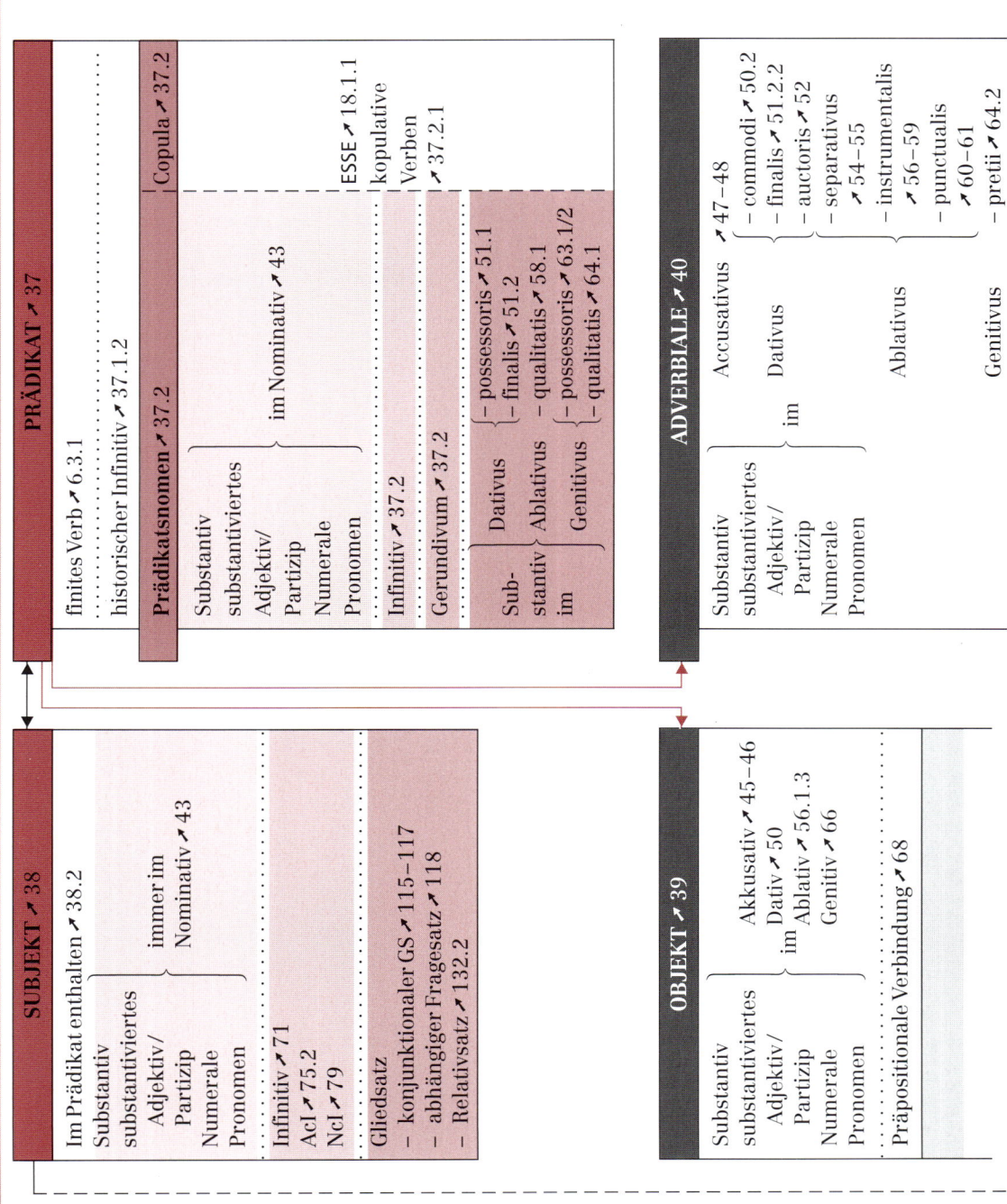

Infinitiv ↗ 72
AcI ↗ 75.2

Gerundium ↗ 90.2.1a

Gliedsatz
– konjunktionaler GS ↗ 115–117
– abhängiger Fragesatz ↗ 118
– Relativsatz ↗ 132.2

Adverb ↗ 33

Präpositionale Verbindung ↗ 48.1.2; 55.1.2; 56.1.2; 57.1; 60.2; 61.2

Substantiv/Adjektiv als Praedicativum ↗ 40.5

Gerundium ↗ 90.2.1c
Gerundivum ↗ 92.1

Participium coniunctum ↗ 83–85
Ablativus absolutus ↗ 86–88

Supinum auf -um ↗ 94.2

Gliedsatz
– konjunktionaler Gliedsatz ↗ 119–130
– Relativsatz ↗ 132.2

ATTRIBUT ↗ 41

ohne KNG-Kongruenz ↗ 41.2

Substantiv (substantiviertes) Adjektiv/ Partizip Numerale Pronomen — im Genitivus
– possessoris ↗ 63.1/2
– subiectivus ↗ 63.3
– obiectivus ↗ 63.4
– qualitatis ↗ 64.1
– pretii ↗ 64.2
– partitivus ↗ 65

Gerundium ↗ 90.2.1b

Substantiv im Ablativus – qualitatis ↗ 58.1

Adverb

Supinum auf -ū ↗ 94.3

Präpositionale Verbindung ↗ 41.2.3; 68

Relativsatz ↗ 132.1; 133

mit KNG-Kongruenz ↗ 41.1

Substantiv als Apposition ↗ 41.4

(substantiviertes) Adjektiv/ Partizip Numerale Pronomen

Gerundivum ↗ 92.2

37   Prädikat

Es gibt zwei Arten von Prädikaten ($\nearrow$ 35.2):
▶ das **einfache** Prädikat,
▶ das **zusammengesetzte** Prädikat.

1   Das einfache Prädikat

1.1 Das einfache Prädikat besteht aus einem Wort. Dies ist meist eine **finite Verbform** ($\nearrow$ 7.3.1).

Cicerō rīdet.	Cicero lacht.
Senātōrēs stupent.	Die Senatoren staunen.
Audiātur et altera pars!	Auch die andere Seite soll gehört werden!

1.2 In seltenen Fällen steht statt einer finiten Verbform ein **Infinitiv** Präsens (historischer Infinitiv $\nearrow$ 103).

(Ita Caesar cum suīs diēs quīndecim iter fēcit.) Cottīdiē Caesar Haeduōs frūmentum flāgitāre; diem ex diē dūcere Haeduī.

(Auf diese Weise zog Cäsar mit seinen Soldaten 15 Tage dahin.) Täglich forderte Cäsar von den Häduern die Lieferung von Getreide; doch die Häduer zogen diese von Tag zu Tag hin.

2   Das zusammengesetzte Prädikat

Das zusammengesetzte Prädikat erscheint als Wortgruppe, die meist aus Formen der **Copula** ESSE[1] und einem **Prädikatsnomen** besteht.
Das Prädikatsnomen steht häufig im Nominativ ($\nearrow$ 38.4).
Prädikatsnomen kann sein

▶ ein Partizip:
Vīta līberōrum **servāta** est.	Das Leben der Kinder wurde gerettet.
Vītam līberōrum **servātūrī** sumus.	Wir wollen das Leben der Kinder retten.

▶ ein Adjektiv:
Vīta hominis **brevis** est.	Ein Menschenleben ist kurz.

▶ ein Substantiv oder substantiviertes Adjektiv:
Vīta **bonum** est.	Das Leben ist ein Gut.

▶ ein Gerundivum:
Vīta hominum **servanda** est.	Das Leben der Menschen muss bewahrt werden.

▶ ein Infinitiv:
In Verbindung mit einem Infinitiv als Prädikatsnomen wird die Copula EST übersetzt mit ‚bedeutet‘, ‚heißt‘.
Vīvere **mīlitāre** est.	Leben heißt kämpfen.

2.1 Wie ESSE haben folgende Verben die Valenz einer Copula und verbinden sich mit einem Prädikatsnomen im Nominativ *(Verba copulativa)*:

manēre	bleiben	existere	auftreten (als)
fierī	werden	nāscī	geboren werden (als)

---

[1] ESSE kann auch Vollverb ($\nearrow$ 7.1.2) sein. In diesem Fall hebt es die tatsächliche Existenz einer Person oder Sache hervor: Sunt, quī dīcant … – Es gibt Leute, die sagen … .

In der deutschen Übersetzung muss das Prädikatsnomen häufig durch die Partikel „*als*" gestützt werden.

Nēmō sapiēns nāscitur.	Niemand wird als Weiser geboren.

2.2 Außer im Nominativ kann ein Prädikatsnomen auch in folgenden Kasus stehen:
– **Dativ**:

Amīcitia tua mihī **ūsuī** fuit.	Deine Freundschaft hat mir genützt.

– **Ablativ**:

Tē duce **bonō animō** sum.	Unter deiner Führung bin ich guten Mutes.

– **Genitiv**:

Idem velle atque idem nōlle **bonī amīcī** est.	Dasselbe zu wollen und dasselbe nicht zu wollen ist Zeichen eines guten Freundes.

3 Das Prädikat, vor allem die Copula ESSE, kann in Sentenzen wegfallen.

Calamitās virtūtis occāsiō.	Unglück (ist) Gelegenheit zur Bewährung.
Nōn scholae, sed vītae (erg. discimus).	Nicht für die Schule, sondern für das Leben (lernen wir).

38   Subjekt

1 Die **Position des Subjekts** kann gefüllt werden durch ein

– Substantiv:	Amīcī	⎫	Freunde	⎫
– Adjektiv:	Multī	⎪	Viele	⎪
– Pronomen:	Quīdam	⎬ auxiliō veniunt.	Manche	⎬ kommen zu Hilfe.
– Zahlwort:	Decem	⎪	Zehn	⎪
– Partizip:	Amantēs	⎭	Liebende	⎭
– Infinitiv:	Amīcīs adesse	⎫ oportet.	Freunden zu helfen	⎫ gehört
– AcI:	Nōs amīcīs adesse	⎭	Dass wir Freunden helfen,	⎭ sich.
– NcI:	Vōs amīcīs adesse vidēminī.		Ihr scheint den Freunden zu helfen.	
– Gliedsätze:	Quī amīcīs adest, laudātur.		Wer den Freunden hilft, erntet Lob.	
	Fierī nōn potest, quīn tibī adsim.		(Es ist nicht möglich, dass ich dir nicht helfe.) Ich muss dir helfen.	

2 Häufig ist das Subjekt allein im Person-Zeichen (➚ 9.1) enthalten

2.1 **als persönliches Subjekt:**

Ībam.	**Ich** ging.
Adeste!	Helft! (*nämlich*: **ihr** da)
Cūr tacent?	Warum schweigen **sie**?

Nur bei starker Hervorhebung (Gegensatz!) wird das persönliche Subjekt durch das Personal-Pronomen (➚ 28.1.2b) ausgedrückt:

Ego nōn negō, tū tacēs.	**Ich** leugne nicht, **du** aber schweigst.

Das persönliche Subjekt kann manchmal in verallgemeinernder Form verstanden werden:

1. **Person Plural**:	Errāmus.	**Man** irrt sich.
2. **Person Singular**:	Crēderēs…	**Man** hätte glauben können…
3. **Person Plural**:	Dīcunt…	**Man** sagt… (*nämlich*: Die Leute sagen…).

2.2 als unbestimmtes Subjekt:

Place**t**.	**Es** gefällt / Man beschließt.
Placuit.	**Es** ist beschlossen. (Formel bei der Beschlussfassung im Senat)
Ī**tur**.	**Man** geht.

3 Kongruenz des Prädikats mit dem Subjekt

Grundsätzlich sind die Wortform des Subjekts (im Nominativ) und die des Prädikats (Person-Zeichen) aufeinander bezogen und voneinander abhängig (↗ 35.2.2). Diese Beziehung drückt sich in der sog. **Kongruenz**[1] aus. Die Kongruenz erfasst immer **Person** und **Numerus**; besteht das Prädikat aus Copula und Prädikatsnomen im Nominativ (↗ 37.2), so erfasst sie meist auch das **Genus**.

Anchīsēs:	Anchises:
Ego tē docēbō,	**Ich** werde dich belehren,
tū autem audiēs:	**du** aber wirst (auf mich) hören:
Gent**ī** tuae nova patri**a** dēstināt**a** est.	Deinem Volk ist eine neue Heimat bestimmt.
E**ī** gent**ī** imperi**um** sine fīne dat**um** est.	Diesem Volk ist eine grenzenlose Herrschaft gegeben.

3.1 Besonderheiten des Numerus

– Ein Subjekt im Singular kann nach dem im Wort enthaltenen Sinn als Plural aufgefasst sein (*Constructio ad sensum*[2]):

Multitūd**ō** hominum in forum concurru**nt**.	Eine Menschenmenge strömt auf dem Markt zusammen.

– Umgekehrt kann die Verbindung zweier Subjekte als begriffliche Einheit aufgefasst werden; das Prädikat steht demnach im Singular:

Senātus populusque Rōmānus iussi**t**.	Volk und Senat von Rom haben befohlen.

3.2 Besonderheiten des Genus

– Ein Infinitiv in der syntaktischen Funktion des Subjekts (↗ 6.1) gilt als Nomen im Neutrum Singular:

Errāre hūmān**um** est.	Irren ist menschlich.

– Hinter einem Sachbegriff im Plural kann sich die Vorstellung von Personen verbergen (*Constructio ad sensum*[2]):

Capi**ta** cīvitātis pūnīt**ī** sunt.	Die Häupter des Staates wurden bestraft.

– Wenn das Subjekt als Demonstrativ-, Interrogativ- oder Relativ-Pronomen erscheint, richtet es sich im Genus nach dem Prädikatsnomen:

Ista quidem v**īs** est!	**Das** ist ja Gewalt!
Hī sunt hominēs nefāri**ī**.	**Das** sind Verbrecher.
aber:	
Quid est homō?	Was ist das **Wesen** des Menschen?
Quid est virtūs?	Was ist das **Wesen** der Tugend?

---

[1] < congruere (übereinstimmen)
[2] Konstruktion ,nach dem Sinn', sinngemäße Konstruktion

3.3 Besonderheit der Person-Kongruenz

Wenn mehrere Personen im Singular (*ich, du, er/sie*) Subjekt sind, steht das Prädikat im Plural; dabei hat aber die erste Person vor der zweiten und dritten Vorrang, die zweite Person vor der dritten:

Ego et tū valēmus.	Ich und du (wir) sind gesund.
Tū et frāter valētis.	Du und dein Bruder (ihr) seid gesund.

4 Kongruenz des Prädikatsnomens

– Ein adjektivisches Prädikatsnomen im Neutrum Singular bezeichnet etwas Allgemeines, das in der deutschen Übersetzung mit „Sache, Wesen, Wert, Eigenschaft" und ähnlichen im Kontext zutreffenden Begriffen wiedergegeben werden kann:

Pāx meli**us** est quam bellum.	Friede ist ein höherer Wert (etwas Besseres) als Krieg.

– Bei mehreren Sachen als Subjekt steht das Prädikatsnomen im Neutrum Plural oder es richtet sich nach dem am nächsten stehenden Subjekt:

Multōrum flāgitia et iniūriae dētēcta/dētēctae sunt.	Schandtaten und Ungerechtigkeiten von vielen wurden aufgedeckt.

– Häufig richtet sich das einfache oder zusammengesetzte Prädikat nach dem Prädikatsnomen, wenn dieses unmittelbar vorausgeht:

Tōta gēns populō Rōmānō inimīcī factī **sunt**.	Der gesamte Volksstamm wurde dem römischen Volk zum Feind.

39   Objekt

Das Objekt gibt als Satzergänzung nähere Informationen zu dem durch Subjekt und Prädikat dargestellten Sachverhalt. Art und Anzahl der Objekte werden in der Regel durch die Valenz (➚ 7.3.1) des Verbs, das im Satz die syntaktische Funktion des Prädikats erfüllt, bestimmt.

1 Einteilung der Objekte:

Man unterscheidet folgende Objekte:

1.1 Akkusativobjekt

Die Position des Akkusativobjekts kann gefüllt werden durch

– ein **Nomen**:	Homō **hominem** dīligitō!	Ein Mensch soll den anderen lieben!
– einen **Infinitiv**:	Quis **resistere** audet?	Wer wagt es, Widerstand zu leisten?
– einen **AcI**:	**Nēminem resistere** sciō.	Ich weiß, dass niemand Widerstand leistet.
– einen **Gliedsatz**:	Nēmō rogat, **cūr restiterim**.	Niemand fragt (danach), warum ich Widerstand geleistet habe.
	Quod petīveram, perfēcī.	Was mein Ziel war, habe ich erreicht.

1.2 Dativobjekt

Quis **suīs** nocēre vult?	Wer will den Seinen schaden?

1.3 Ablativobjekt

Quis **armīs** ūtī māvult quam **pāce**?	Wer will lieber Waffengewalt anwenden als Frieden halten?

1.4 Genitivobjekt

Nē oblītī sītis **pācis**!	Vergesst den Frieden nicht!

1.5 Präpositionalobjekt

Dē pāce dēlīberāre oportet.	Man muss über den Frieden nachdenken.

2 Zwei Objekte im Satz

Manche Verben haben aufgrund ihrer Valenz zwei Objekte bei sich (dreiwertige Verben ↗ 7.3.1). Die Objekte erscheinen in folgenden Kasus:

2.1 Akkusativ und Akkusativ

Hoc tē admoneō.	Daran erinnere ich dich.

2.2 Akkusativ und Dativ

Quis **tibī hanc poenam** imposuit?	Wer hat dir diese Strafe auferlegt?

2.3 Akkusativ und Ablativ

Quis **tē hāc poenā** affēcit?	Wer hat dich mit dieser Strafe belegt?

2.4 Akkusativ und Genitiv

Tē huius reī admoneō.	Ich erinnere dich an diese Sache.

2.5 Akkusativ und Präpositionalobjekt

Tē dē hāc rē admoneō.	Ich erinnere dich an diese Sache.

40   Adverbiale (und Praedicativum)

Das Adverbiale ist ein Satzglied, das manchmal eine notwendige Ergänzung (↗ 35.3.1), manchmal eine ‚freie Angabe‘ im Satz darstellt. ‚Freie Angaben‘ sind solche Satzglieder, die von der Valenz des Verbs nicht notwendig gefordert werden, d.h. sie könnten ohne Folgen für die syntaktische Vollständigkeit des Satzes weggelassen werden (↗ 35.3.2). Die Position des Adverbiales können füllen:

1 Adverbien

Diū/Dīligenter labōrāvī.	Ich habe lange/sorgfältig gearbeitet.

2 Nomina im

2.1 Ablativ

Hōc diē/māgnā dīligentiā labōrāvī.	Ich habe heute/mit großer Sorgfalt gearbeitet.

2.2 Akkusativ (↗ 48.2)

Itaque **multās hōrās** dormiam. Daher werde ich viele Stunden (lang) schlafen.

2.3 Dativ (↗ 93.1.4)

Hominibus labōrēs subeundī sunt. Die Menschen müssen Mühen auf sich nehmen.

2.4 Genitiv (↗ 64.2.1)

Nōnne ōtium **plūris** aestimāmus   Schätzen wir Freizeit nicht höher
   quam labōrem?   als Arbeit?

2.5 Akkusativ/Ablativ in präpositionaler Verbindung

In hortum missus sum,   Ich wurde in den Garten geschickt
   ut labōrārem.   um zu arbeiten.
In hortō diū labōrāvī.   Im Garten habe ich lange gearbeitet.

Die Ortsangabe in hortō ist eine ‚freie Angabe‘.
Dagegen ist die Zielangabe in hortum eine notwendige Ergänzung, die von der Valenz
des Verbs mittere gefordert wird.

3 Satzwertige Konstruktionen

3.1 Partizipialkonstruktionen

► **Participium coniunctum** (↗ 83–85)

Carmen **cantantēs**   Indem wir ein Lied sangen,
   diem coepimus.   begannen wir den Tag.

► **Ablativus absolutus** (↗ 86–88)

Lūce appārente/Prīmā lūce   Wenn die Sonne aufgeht,
   labōrāre incipimus.   beginnen wir die Arbeit.

3.2 Gerundium (↗ 90.2.1c)

Labōrandō discimus.   Indem wir arbeiten, lernen wir.

3.3 Gerundivum (↗ 92.2.2)

Labōribus subeundīs discimus.   Indem wir Arbeiten übernehmen,
                                       lernen wir.

3.4 Supinum auf -um (↗ 94.2)

Eāmus **spectātum** nostrōs labōrēs! Gehen wir um unsere Leistungen anzuschauen!

4 Gliedsätze

4.1 Konjunktionale Gliedsätze (↗ 119–130)

Ubī (**prīmum**) lūx **appāruerit**, Sobald der erste Sonnenstrahl erscheint,
   labōrāre incipiam.   werde ich zu arbeiten beginnen.

4.2 Relativsätze (↗ 132.2.5)

Legiōnēs in eum locum, **unde**   Die Legionen kehrten alle an den Ort zurück,
   discesserant, omnēs rediērunt.   von dem (*woher*) sie ausgerückt waren.

5 Praedicativum

Eine besondere Art des Adverbiales stellt das **Praedicativum** dar. Es bestimmt wie ein Adverbiale den Prädikatsvorgang näher, gleichzeitig stimmt es aber mit einem weiteren Satzglied in Kasus, Numerus und Genus überein.
Die Position des Praedicativums kann gefüllt werden durch:

5.1 Substantive

Cicerō cōnsul	Cicero als Konsul, in seinem Konsulat
Caesar victor	Cäsar als Sieger
Hannibal puer	Hannibal als Junge, in seiner Kindheit
Catō senex	Cato als alter Mann, im hohen Alter

Cicerō **cōnsul**   Cicero deckte **in seinem Konsulat**
  Catilīnae facinora dētēxit.   die Verbrechen des Catilina auf.

5.2 Adjektive

a) Adjektive als Praedicativa bezeichnen meist seelische oder körperliche Zustände von Personen:

laetus	fröhlich, heiter	salvus	wohlbehalten, unverletzt
maestus		vīvus	lebend, zu Lebzeiten
trīstis	traurig, betrübt	mortuus	tot, gestorben
invītus	ungern, unfreiwillig	absēns (abesse!)	abwesend, in Abwesenheit

Cicerō non **invītus** Catilīnam   Cicero hätte Catilina nicht **ungern**
  dēprehendisset.   verhaften lassen.

b) Adjektive als Praedicativa können auch eine Reihenfolge bezeichnen:

prīmus		medius	in der Mitte
prīnceps	als Erster, zuerst	summus	als Höchster
decimus	als Zehnter	postrēmus	als Letzter, zuletzt

Cicerō **prīnceps**   Cicero trat **als Erster** dafür ein,
  Catilīnam capitis damnārī voluit.   dass Catilina zum Tod verurteilt werde.

5.3 Pronomina und Pronominaladjektive als Praedicativa heben hervor:

ipse	selbst, persönlich	ūnus	allein, als Einziger
īdem	zugleich	sōlus	
		tōtus	ganz, gesamt

Sōlus Cicerō Catilīnam offendit.   **Als Einziger** griff Cicero Catilina an.
Cicerō ōrātor fuit **īdem**que   Cicero war Redner und **zugleich** Philosoph.
  philosophus.

5.4 Gerundivum (↗ 92.1)
Cicerō ōrātōribus Graecīs trāditus   Cicero war griechischen Rhetoren zur
  erat **ērudiendus**.   Ausbildung übergeben worden.

5.5
Das Praedicativum kann in verschiedenen Kasus auftreten: Beim Übersetzen muss darauf geachtet werden, mit welchem Satzglied es in Kongruenz steht, z.B.:
Cicerō prīm**us** Catilīnam accūsāvit.   Cicero hat **als Erster** (*zuerst*) Catilina angeklagt.
Cicerō Catilīn**am** prīm**um** accūsāvit. Cicero hat Catilina **als Ersten** (*zuerst*) angeklagt.

41 Attribut und Apposition

Das Attribut[1] gibt eine nähere Bestimmung zum Subjekt, Objekt, Adverbiale, Prädikats-
nomen oder anderen Attributen. Es hängt nicht von der Valenz des Verbs ab, das die
syntaktische Funktion des Prädikats erfüllt. Es ist einem Satzglied oder Teil eines Satz-
gliedes (Prädikatsnomen) beigefügt: **Satzgliedteil** (↗ 35.4).
Die Position des Attributs kann gefüllt werden durch:

1 Attribute mit KNG-Kongruenz:

1.1 Adjektiv (↗ 24)

Helvētiī **reliquīs** Gallīs virtūte
    praestābant.

Die Helvetier übertrafen die übrigen Gallier
    an Tapferkeit.

Einige Adjektive, die als Attribute zu Substantiven eine nähere Bestimmung des Ortes
oder der Zeit angeben, können je nach Kontext verschiedene Bedeutung haben:

summus mōns	der höchste Berg	der Gipfel des Berges
mediō in forō		mitten auf dem Marktplatz
ultimō diē	am letzten Tag	am Ende des Tages

1.2 Partizip (↗ 81.2)

Lēgātī Helvētiōrum diē **cōnstitūtā**
    ad Caesarem revertērunt.

Die Gesandten der Helvetier kamen zum
    festgesetzten Termin zu Cäsar zurück.

1.3 Gerundivum (↗ 92.2)

Spēs flūminis **trānseundī**
    Helvētiōs fefellit.

Die Helvetier sahen sich in der Hoffnung
    getäuscht den Fluss überqueren zu können.

1.4 Pronomen (↗ 27.2.1) **oder Pronominaladjektiv** (↗ 32)

Quā dē causā Helvētiī
    ē fīnibus **suīs** exīre cōnstituērunt?

Aus welchem Grund beschlossen die Helvetier
    aus ihrem Gebiet auszuwandern?

1.5 Numerale (↗ 26)

Caesar **ūnā** aestāte
    duo māxima bella cōnfēcit.

Cäsar führte in einem Sommer
    zwei bedeutende Kriege erfolgreich zu Ende.

2 Attribute ohne KNG-Kongruenz

2.1 im Genitiv (↗ 62)

Hostibus facultās **fugae**
    data nōn est.

Den Feinden bot sich keine Möglichkeit
    zur Flucht.

Nerviī erant hominēs
    māgnae virtūtis.

Die Nervier waren Menschen
    von großer Tapferkeit.

Orgetorīx cōnsilium
    rēgnum **occupandī** cēpit.

Orgetorix fasste den Entschluss
    die Königsherrschaft an sich zu reißen.

---

[1]) < attribūtum (Hinzu-, Beifügung) (< attribuere < ad-tribuere)

2.2 im Ablativ (↗ 58.1)

Erant apud Caesarem Raucillus et Egus, hominēs **singulārī virtūte**.	Bei Cäsar waren Raucillus und Egus, Männer von außerordentlicher Tapferkeit.

2.3 Ablativ oder Akkusativ in präpositionaler Verbindung (↗ 67.2 Anm. 2)

Indutiomārus Treverus inimīcō **in Rōmānōs** animō erat.	Der Treverer Indutiomarus war den Römern feindlich gesonnen.
Cicerōnis **dē rē pūblicā** cūra māgna erat.	Die Sorge Ciceros um den Staat war groß.

2.4 Adverb (↗ 33.1) als Attribut

Catō vir **vērē** Rōmānus putātur.	Cato wird als ein wahrer/echter Römer angesehen.

2.5 Supinum auf -ū (↗ 94.3) als Attribut

Quod dīxit, incrēdibile erat **audītū**.	Was er sagte, hörte sich unglaublich an.

2.6 Relativsatz (↗ 132.1) als Attribut

Belgae proximī sunt Germānīs, **quī trāns Rhēnum incolunt**, **quibuscum continenter bellum gerunt**.	Die Belger sind unmittelbare Nachbarn der Germanen, die jenseits des Rheines wohnen und mit denen sie beständig Krieg führen.

3 Häufung von Attributen

Attribute mit und ohne KNG-Kongruenz kommen oft gehäuft vor; in diesem Fall bevorzugt das Lateinische die geschlossene (,attributive') Wortstellung.

Dē **māximō** **Athēniēnsium in tyrannōs** *odiō* multa audīvimus.	Über den glühenden Tyrannenhass der Athener haben wir schon viel gehört.

4 Apposition

Eine besondere Art des Attributs stellt die **Apposition**[1] dar.

4.1 Appositionen sind in der Regel **substantivische Attribute**, die einem Bezugswort im gleichen Kasus beigefügt und durch Kommata abgetrennt sind.

Urbs **Rōma** ā *Rōmulō*, **prīmō rēge** Rōmānōrum, condita est.	Die Stadt Rom wurde von Romulus, dem ersten König der Römer, gegründet.
In tribus praecipuē *virtūtibus* illa rēs pūblica, quam Platō contrā tyrannōs mente composuit, posita est: (in) **temperantiā, fortitūdine, sapientiā**.	Hauptsächlich auf drei Einzeltugenden beruht jener Staat, den Platon gegen die Herrschaft der Tyrannen entworfen hat: (auf) Selbstbeherrschung, Tapferkeit und Weisheit.

---

[1] < appositiō (Zusatz, Beifügung)

4.2 Als Appositionen zu Demonstrativ-Pronomina erscheinen häufig **Infinitivkonstruktio-
nen** (↗ 70–79) und **abhängige Erläuterungssätze** (↗116); das Demonstrativ-Pronomen
weist auf die folgende Apposition im Voraus hin.

Sōcratēs semper *idem* dīxit,	Sokrates betonte immer *dasselbe*, (nämlich)
animōs tyrannōrum malōs esse.	dass die Seele von Tyrannen verdorben sei.
Hoc est proprium hominis,	*Das* ist eine typische Eigenschaft des
ut aliquid sibī prōpōnat.	Menschen, dass er sich ein Ziel/Ziele setzt.

SEMANTIK DER SATZGLIEDER

42   Die semantische Funktion von Sprachelementen – Grundfunktionen der Kasus

1   In den §§ 35–41 wird gezeigt, dass alle sprachlichen Elemente, die in einem Satz auftreten, Füllungsarten der fünf Satzpositionen sind; sie haben also eine **syntaktische Funktion**.

In dieser syntaktischen Funktion sind die sprachlichen Elemente auch Träger von **Sinn** und **Bedeutung**. Insofern kommt ihnen auch eine **semantische Funktion** zu.

Diese beiden Funktionen sind bei der Analyse von sprachlichen Elementen stets zu unterscheiden, auch bei der **Analyse der Kasus**. Ein Kasus füllt jeweils eine Satzposition, zeigt aber an dieser jeweils eine besondere Sinn- oder Bedeutungsrichtung. Diese bestimmt die Gesamtaussage des Satzes mit; sie lässt sich immer erst von diesem Zusammenhang her erschließen.

2   Für die einzelnen Kasus, die im Folgenden (↗ 43–66) nach ihrer jeweiligen Hauptfunktion im Satz bzw. nach ihrer hauptsächlichen Position im Satzmodell angeordnet sind, lassen sich folgende **semantische Grundfunktionen** erfassen:

2.1   Der **Nominativ** benennt Personen als *Träger* der Handlung oder Personen, Sachen und Begriffe als *Gegenstände* von *Aussagen*.

2.2   Der **Akkusativ** gibt *Richtung*, *Ziel* und *Ergebnis* einer Tätigkeit an.

2.3   Der **Dativ** deutet auf *Zuwendung*, intensive *Beteiligung* und *Zuordnung* hin.

2.4   Der **Ablativ**[1] umfasst drei Grundfunktionen, denen in früher Zeit eigenständige Kasus entsprachen:

▶ *Separativus*[2] als Kasus des *Ausgangspunkts* und der *Trennung* (eigentlicher Ablativ).

▶ *Instrumentalis*[3] als Kasus des *Mittels* (der Mitwirkung) und der *Begleitung*,

▶ *Punctualis*[4] als Kasus *örtlich-räumlicher Lage* und *zeitlicher Fixierung*.

2.5   Der **Genitiv** bezeichnet eine *Zugehörigkeit*, d.h. den *Bereich*, auf den ein Begriff bezogen ist.

Diese Grundfunktionen der Kasus haben im Laufe der Zeit differenziertere Sinnrichtungen entfaltet.

3   Der **Vokativ**[5] ist in seiner **semantischen Funktion** der Kasus, in dem eine Person oder Sache direkt **angesprochen** oder **angerufen** wird.

---

[1] < ab-lātum, auferre (ab-getrennt)
[2] < sēparāre (abtrennen, absondern)
[3] < īnstrūmentum, -ī (Mittel, Werkzeug)
[4] < pūnctum, -ī (Stich, Punkt). Im Punctualis sind der ursprüngliche Lokativ und der Ablativus temporis zusammengefasst.
[5] < vocāre (rufen)
[6] < inter-icere, interiectum (dazwischen-werfen, einschieben)

Vincere scīs, Hannibal,	Zu siegen verstehst du, Hannibal,
victōriā ūtī nescīs.	aber den Sieg zu nutzen, das verstehst du nicht.
(Livius)	
O fōns Bandusiae!	O Bandusias Quell!
(Horaz)	

Als Interjektion erfüllt er keine syntaktische Funktion.

43 Nominativ

Der **Nominativ** eines deklinierten Wortes benennt
▶ die **Person**, die **handelt** oder von einer Handlung **betroffen ist**,
▶ die **Sache** oder den **Sachverhalt**, über die bzw. den eine **Aussage gemacht wird** (Frage: *wer? – was?*).

Der Nominativ benennt
▶ **als Prädikatsnomen** und **als Attribut**
die **Beschaffenheit** einer Person oder Sache, die Subjekt ist (Frage: *wie beschaffen? – von welcher Art?*),
▶ **als Praedicativum**
den **Zustand** einer Person oder Sache (Frage: *als was für ein?*).

Somit erfüllt der Nominativ die syntaktische Funktion des **Subjekts** (↗ 38), ferner (als **Prädikatsnomen** mit einer Form von ESSE] die des **Prädikats** (↗ 37.2), des **Praedicativums** (↗ 40.5) und des **Attributs** (↗ 41).

44 Akkusativ

Der **Akkusativ** gibt **Richtung**, **Ziel** und **Ergebnis** einer Tätigkeit an.
Er steht also in Abhängigkeit von Verben, die in diesen Bedeutungsbereichen eine Ergänzung *(Objekt)* erfordern: *transitive*[1] *Verben*.
So bezeichnet der **Akkusativ**:

▶ die Person oder Sache, auf die eine Handlung gerichtet ist (Frage: *wen? – was?*),
▶ das Ziel, auf das eine Bewegung gerichtet ist (Frage: *wohin?*).

Darüber hinaus bezeichnet der Akkusativ
▶ eine räumliche und zeitliche Ausdehnung, über die sich eine Handlung oder ein Vorgang – bis hin zu einem Ergebnis – erstreckt (Frage: *wie weit? – wie hoch? – wie lange?*).

Nach der syntaktischen Funktion ist der Akkusativ demnach der eigentliche **Objektskasus**, darüber hinaus kann er auch Adverbiale (↗ 40) sein.

---

[1] < trāns-īre (hinübergehen – *zu einem Objekt*)

45 Akkusativ nach transitiven Verben

1 Für viele Verben, die syntaktisch ein Akkusativobjekt erfordern *(transitive Verben)*, stellt der Akkusativ eine **inhaltliche** Ergänzung (Person oder Sache) dar. Sie bezeichnet Zielrichtung oder Ergebnis einer Handlung:

Aegrōtī **medicum** cōnsulunt.	Kranke fragen **den Arzt** um Rat.
Medicus **medicīnam** affert.	Der Arzt bringt **Medizin**.

Häufig tritt neben das Akkusativobjekt ein Dativobjekt (↗ 49):

Medicus aegrōtīs medicīnam affert.	Der Arzt bringt **den Kranken** Medizin.

1.1 In der Regel wird der Akkusativ auch im Deutschen mit einem Akkusativ wiedergegeben.
Unterschiede in der Übersetzung ergeben sich bei folgenden Verben:

---

im Lateinischen transitive Verben:

iuvāre/adiuvāre īnfirmōs	den Schwachen helfen
	(die Schwachen unterstützen)
iubēre servum	dem Diener befehlen
	(den Diener beauftragen)
vetāre discipulum	dem Schüler verbieten
	(den Schüler durch Verbot hindern)
fugere hostem	vor dem Feind fliehen
	(den Feind meiden)
fugere/effugere perīculum	der Gefahr entgehen
	(die Gefahr vermeiden)
aequāre amīcum	dem Freund gleichkommen
	(den Freund erreichen)
sequī lēgēs	den Gesetzen gehorchen
	(die Gesetze befolgen)
ulcīscī 1. amīcum	*für* den Freund Rache nehmen, den Freund rächen
2. inimīcum	sich *am* Feind rächen, den Feind bestrafen
3. iniūriam amīcī	sich *für* das Unrecht, das dem Freund zugefügt wurde, rächen
dēficere aliquem	jemandem fehlen, mangeln
	(jemanden verlassen)

unpersönliche Ausdrücke:

decet mē	*es* gehört sich für mich	pudet mē	*es* beschämt mich, ich schäme mich
iuvat mē	*es* macht mir Spaß	fallit mē	*es* entgeht mir, ich weiß nicht
paenitet mē	*es* reut mich, ich bereue	fugit mē	

1.2 Soweit diese Verben ein Passiv bilden, sind sie wie alle transitiven Verben ‚persönlich‘ konstruiert. Aus dem Akkusativobjekt wird im passivisch gewendeten Satz das Subjekt.
Der ‚persönlichen‘ Konstruktion im Lateinischen entspricht meist eine ‚unpersönliche‘ im Deutschen:

Aktiv:	Medicī aegrōtōs adiuvant.	Die Ärzte helfen den Kranken.
Passiv:	Aegrōtī	Den Kranken
	ā medicīs adiuvantur.	wird von den Ärzten geholfen.
		(Die Kranken werden … unterstützt).

2 Eine inhaltliche Ergänzung mit der Bedeutung einer **Zielrichtung** wird häufig von Komposita gefordert, die von eigentlich intransitiven[1] **Verben der Bewegung** gebildet sind:

2.1

circum-venīre moenia	die Mauern umstellen
trāns-īre flūmen	den Fluss überqueren
trā-icere nāve Hellēspontum	den Hellespont zu Schiff überqueren
praeter-mittere occāsiōnēs	Gelegenheiten vorübergehen lassen

2.2 Die Komposita von īre erscheinen häufig **in übertragener Bedeutung**:

ad-īre perīculum	eine Gefahr auf sich nehmen
ad-īre medicum	sich an den Arzt wenden
in-īre cōnsilium	einen Plan fassen
ob-īre mortem	sterben
sub-īre cōnsulātum	das Konsulat übernehmen

3 Bei **Verben der Gemütsbewegung** findet sich neben dem Akkusativobjekt oft auch ein Präpositionalobjekt:

cavēre	{ canem ā cane	sich vor dem Hund hüten, in Acht nehmen
dolēre	{ mortem dē morte	einen Todesfall bedauern, über einen Todesfall Schmerz empfinden
flēre	{ clādem dē clāde	eine Niederlage beklagen, über eine Niederlage klagen
querī	{ iniūriās dē iniūriīs	sich über Beleidigungen beschweren
stupēre carmen		über das Lied staunen
indīgnārī iniūriam		über ein Unrecht empört sein

In der deutschen Übersetzung erfordern diese Verben meist ein Präpositionalobjekt; dieses kann nur gelegentlich durch ein Akkusativobjekt ersetzt werden.

4 Besonderheiten

4.1 Auch andere transitive Verben, die meist ein **intensives Streben** in eine **Zielrichtung** bedeuten, erfordern im Deutschen ein Präpositionalobjekt:

cōgitāre pācem	an Frieden denken
cūrāre negōtia	sich um Geschäfte kümmern
dēsīderāre praemium	nach einer Belohnung verlangen
petere alicuius vītam	jemandem nach dem Leben trachten
petere cōnsulātum	sich um das Konsulat bewerben
spērāre salūtem (*auch*: dē salūte)	auf Rettung hoffen

---

[1] Intransitive Verben nehmen kein Akkusativobjekt zu sich (↗ 7.3.1; 50.1).

4.2 Einige **unpersönliche Ausdrücke der Gemütsstimmung**, die durch ein persönliches Objekt ergänzt werden, lassen sich am treffendsten durch persönliche Wendungen wiedergeben:

paenitet nōs (↗ 66.1.2)	*es* reut uns, **wir** bereuen
pudet vōs (↗ 66.1.2)	*es* beschämt euch, **ihr** schämt euch

46 ,Doppelter' Akkusativ

Von ,doppeltem' Akkusativ spricht man bei folgenden Erscheinungen:

1 Einige dreiwertige Verben binden zwei Akkusativobjekte an sich, von denen eines eine Person erfasst (,Person-Objekt'), das andere eine Sache (,Sach-Objekt'):

docēre	lehren, unterrichten
poscere pōstulāre }	fordern, verlangen

Cicerō Rōmānōs philosophiam docuit.   Cicero lehrte die Römer Philosophie.
Caesar Haeduōs frūmentum poposcit.   Cäsar forderte von den Häduern Getreide.
aber: docēre mit Ablativ in präpositionaler Verbindung:
docēre aliquem dē rē   jemanden über eine Sache unterrichten

2 Zu bestimmten Verben muss, damit eine sinnvolle Aussage entsteht, ein Objekt treten, das aus der Verbindung zweier Nomina im Akkusativ besteht:

putāre dūcere exīstimāre iūdicāre arbitrārī }	aliquem iūstum	jemanden *für* gerecht halten
appellāre dīcere nōmināre vocāre }	aliquem amīcum	jemanden *als* Freund bezeichnen, jemanden Freund nennen
invenīre aliquem fīdum		jemanden (*für*) treu (be)finden
praestāre sē fortem		sich tapfer zeigen, sich *als* tapfer erweisen
reddere aliquem īrātum		jemanden zornig machen, erzürnen
facere aliquem amīcum		jemanden *zum* Freund machen
creāre aliquem cōnsulem		jemanden *zum* Konsul wählen

2.1 Im **Passiv** wird aus dem doppelten Akkusativ ein ,**doppelter' Nominativ** (↗ 37.2.1: *Verba copulativa*):
Aktiv:
Aegrōtī medicōs amīcōs putant.   Die Kranken halten die Ärzte für ihre Freunde.
Passiv:
Ab iīs medicī amīcī putantur.   Von ihnen werden die Ärzte für Freunde gehalten.

2.2 Als doppelter Akkusativ erklärt sich auch der *Akkusativ des Ausrufs*, der häufig durch die Interjektionen (↗ 34.1) heu oder ō eingeleitet ist.
(Heu) nōs miserōs (*ergänze* dīcimus)!   Ach, wir Unglücklichen!

47 Akkusativ des Inhalts – Adverbialer Akkusativ

1 Akkusativ des Inhalts

Bei einigen – meist **intransitiven** – Verben findet sich als Akkusativobjekt ein Begriff, der seiner Bedeutung nach dem **Inhalt** dieser Verben entnommen ist *(inneres Objekt)* und als **Ziel** oder **Ergebnis** der jeweiligen Handlung aufgefasst ist. Der so gewonnene Begriff ist meist durch ein attributives Adjektiv erweitert bzw. erläutert.
Häufig ist dieser Begriff auf das Neutrum eines Pronomens verkürzt:

cursum currere	ein Rennen laufen, eine Bahn durcheilen
vītam molestam vīvere	ein beschwerliches Leben führen
id studēre (*aber* ↗ 50.1.1: litterīs)	danach streben
idem gaudēre (*auch* ↗ 59.1: eādem rē)	sich über dieselbe Sache freuen

1.1 Auch **transitive Verben** können den Akkusativ des Inhalts, meist als **Neutrum eines Pronomens**, bei sich haben:

Hoc tē cōnsulō.	Ich frage dich in dieser Sache um Rat.
Hoc ūnum tē rogō/ōrō.	Um das Eine bitte ich dich.
Quid mē rogās?	Was fragst du mich?

1.2 Außer dem Neutrum eines Pronomens kommt auch das **Neutrum von Adjektiven** als Akkusativ des Inhalts vor:

dulce rīdēre	süß lächeln	māius exclāmāre	lauter schreien

2 Adverbialer Akkusativ

Der **adverbiale Akkusativ** (↗ 33.2.2 a) lässt sich als Verkürzung des Akkusativs des Inhalts (↗ 47.1) erklären:

cēterum	im Übrigen, übrigens	multum	vielfach, sehr
immāne	schrecklich, riesig	plūs – plūrimum	mehr – am meisten
facile	leicht	plērumque	meistens
facilius (↗ 33.2.1 b)	leichter	nihil	überhaupt nicht,
māgnam partem	großenteils		in keiner Weise
quid?	warum? inwiefern?	prīmum (↗ 61.1)	zuerst, das erste Mal

Reōrum verbīs **nihil** mōtus est iūdex.   Durch die Worte der Angeklagten ließ sich der Richter in keiner Weise beeindrucken.

Bei Dichtern und in nachklassischer Zeit erscheint der sog. **Accusativus Graecus** oder **limitationis** (vgl. Ablativus limitationis ↗ 56.2); er bezeichnet bei Adjektiven, Partizipien und Verben eine nähere Bestimmung (Frage: *in welcher Beziehung?*):
Priamus ferrum cingitur.   Priamus ist mit dem Schwert bewaffnet/... trägt ... am Gürtel.

48 Akkusativ der Richtung zur Angabe von Ziel und Ausdehnung

1 Akkusativ zur Angabe des Ziels

Die Grundbedeutung des Akkusativs als Kasus, der Ziel oder Richtung angibt, ist auch nach manchen **intransitiven Verben der Bewegung** spürbar; der Akkusativ der Richtung übernimmt die **syntaktische Funktion** des **Adverbiales** (Frage: *wohin?*):

domum redīre	nach Hause zurückkehren
rūs īre	auf das Land gehen

1.1 Der Akkusativ der Richtung steht auch, wenn das Ziel eine **kleinere Insel** oder **eine Stadt** ist:

Dēlum proficīscī	nach Delus abreisen
Rōmam contendere	nach Rom eilen

1.2 Wenn das Ziel oder die Richtung eine *große Insel*, ein *Land* oder ein *Stammesgebiet* ist, steht die Präposition in *mit Akkusativ*; durch die Präposition wird die Grundfunktion des Akkusativs als des Kasus der Richtung verdeutlicht (↗ 67.2):

in Crētam nāvigāre	nach Kreta fahren
in Italiam redīre	nach Italien zurückkehren
in Gallōs dūcere (*erg.* agmen)	nach Gallien, in das Gebiet der Gallier ziehen

1.3 Bei einigen **Verben der Bewegung** (reisen, (sich) versammeln) und des **Meldens** wird im Lateinischen das Ziel oder die Richtung der Bewegung bezeichnet (Frage: *wohin?*), während im Deutschen der Ort (Frage: *wo?*) angegeben wird:

in urbem advenīre	in der Stadt ankommen
in castra convenīre	im Lager zusammenkommen, sich im Lager versammeln
in forum cōgere	auf dem Marktplatz versammeln
Athēnās nūntiāre	in Athen melden

2 Akkusativ der Richtung zur Angabe räumlich-zeitlicher Ausdehnung

Bei einigen Verben und Adjektiven bezeichnet der Akkusativ der Richtung eine Ausdehnung in Raum und Zeit (Frage: *wie weit? – wie hoch? – wie lange? – wie alt?*):

multa mīlia[1] passuum abesse	viele Meilen entfernt sein
viam ūnīus diēī prōcēdere	(nur) einen Tagesmarsch vorrücken
decem pedēs altus	zehn Fuß hoch/tief
Dionȳsius duodecim annōs nātus	der zwölfjährige Dionysius
Dē tē diēs noctēsque cōgitāvī.	Über dich habe ich tage- und nächtelang nachgedacht.

[1] Wörtlich: viele tausend Doppelschritte. Statt des Akkusativs erscheint bei abesse auch der *Ablativus mensurae* (↗ 56.3).

49   Dativ

Der **Dativ** gibt die Person oder Sache an, der sich das handelnde Subjekt mit Interesse **widmet** (Frage: *wem? – welcher Sache?*).
Der **Dativ** bezeichnet im Einzelnen:

1. die Person, der sich der Handelnde **zuwendet** (Frage: *wem?*) oder die Sache, an der er sich **intensiv beteiligt** (Frage: *woran?*),
2. die Person oder Sache, zu deren **Vorteil** (oder **Nachteil**) eine Handlung geschieht (Frage: *für wen? – wofür?*),
3. **Zuordnung** und **Zweck** (Frage: *zu wem / wozu gehörig? – wozu?*).

Der Dativ steht in Abhängigkeit von Verben, die eine entsprechende Ergänzung erfordern. Verben, die eine Ergänzung im Dativ verlangen, werden zu den **intransitiven** (↗ 7.3.1; 45.2) Verben gezählt.

Seiner **syntaktischen Funktion** nach ist der Dativ zunächst **Objektskasus**, er kann aber auch als Prädikatsnomen, d.h. als ein Teil des Prädikats (↗ 51.1/2), und als Adverbiale (↗ 50.3; 51.2; 52.1) auftreten.

50   Dativ der Zuwendung

1 Für eine Reihe von Verben stellt der Dativ in der **syntaktischen Funktion** des **Objekts** eine **Ergänzung** dar.
Solche Verben bedeuten eine Zuwendung im Sinne des Nützens oder des Schadens:

Sōcratēs **nēminī** nocēre,	Sokrates wollte **niemandem** schaden,
sed **omnibus** prōdesse voluit.	sondern **allen** nützen.
Sōcratēs id petīvit,	Sokrates strebte danach,
ut hominēs **sibī** fidem habērent.	dass **ihm** die Menschen Vertrauen schenkten.

1.1 In der Regel wird der Dativ auch im Deutschen mit einem Dativ wiedergegeben. Unterschiede in der Übersetzung ergeben sich bei folgenden Verben:

favēre amīcō	den Freund begünstigen / fördern
	(dem Freund gewogen sein)
invidēre alterī	den Anderen beneiden
	(dem Anderen etwas neiden / missgönnen)
parcere inimīcīs	die Feinde schonen
	(den Feinden Schonung gewähren)
persuādēre resistentibus	die Widerspenstigen überreden, überzeugen
	(den Widerspenstigen zureden, einreden)
studēre litterīs	die Wissenschaften mit Eifer betreiben
	(sich den Wissenschaften widmen)
nūbere nōbilī virō	einen Adligen heiraten
	(sich einem Adligen vermählen)

1.2 Im *Passiv* sind diese Verben wie alle intransitiven Verben *unpersönlich* konstruiert:

Invident hominēs minimē paribus, sed etiam īnferiōribus invidē**tur** vehementer.	Die Menschen beneiden am wenigsten Gleichgestellte, doch sogar Geringere werden heftig beneidet.
Sibī persuāsit. Eī persuāsum est.	Er ist überzeugt.

1.3 Zu den Verben mit der Bedeutung ‚sich zuwenden' gehören auch mehrere Komposita von **esse**, **stāre**, **venīre** u.ä.:

adesse amīcīs	den Freunden helfen, beistehen
interesse lūdīs	an Spielen teilnehmen
praeesse prōvinciae	die Provinz leiten (der Provinz vorstehen)
superesse fīliō	den Sohn überleben
īnstāre hostibus	den Feinden drohen
praestāre cēterīs	den Übrigen überlegen sein
subvenīre sociīs	den Verbündeten zu Hilfe kommen
succēdere patrī	dem Vater nachfolgen (in einem Amt)

2 Der Dativ der Zuwendung findet sich auch bei einigen Verben, die, transitiv gebraucht, eine andere Bedeutung haben.
Als intransitive Verben bedeuten sie ‚nützen' im Sinne fürsorglicher Zuwendung:

transitiv		intransitiv	
cōnsulere senātum	den Senat befragen	cōnsulere cīvibus	für die Bürger sorgen
prōvidēre futūra	die Zukunft vorhersehen	prōvidēre salūtī cīvium	für das Wohl der Bürger sorgen
metuere timēre } dolōrem	den Schmerz fürchten	metuere timēre } rēbus suīs	für/um sein Vermögen fürchten
temperāre rem pūblicam	den Staat ordnen	temperāre sibī	sich mäßigen

3 Als Dativ der Zuwendung lässt sich auch der **Dativus commodi/incommodi**[1] **(Dativ des Vor-/Nachteils)** erklären.
Er bezeichnet die Person oder Sache, zu deren Nutzen bzw. Schaden etwas geschieht (Frage: *für wen? – wofür?*).

Sōcratēs putāvit	Sokrates glaubte,
sē **aliīs** in lūcem ēditum esse.	er sei **für** andere auf die Welt gekommen.

Der Dativ des Vor-/Nachteils erfüllt die **syntaktische Funktion** des **Adverbiales**.

51 Dativ des Besitzers und Dativ des Zwecks

1 Dativ des Besitzers

1.1 Der Dativ gibt in Verbindung mit der Copula **ESSE** die Person an, die an einer **Sache** als **Besitzer** beteiligt ist: **Dativus possessoris**[2] (Frage: *wem gehörend?*).
Der Dativ des Besitzers erfüllt als Prädikatsnomen mit einer Form von ESSE die **syntaktische Funktion** des **Prädikats**.

Cui māgna pecūnia est?	**Wer** hat viel Geld? (*Wem gehört viel Geld?*)
Dīvitiae **nōbīs** nōn sunt.	**Wir** besitzen keinen Reichtum.

---

[1]) < commodum (Vorteil, Nutzen); < in-commodum (Nachteil, Verlust)
[2]) < possessor, -ōris < possidēre (besitzen (➤ 63.1)).

1.2 Der Dativ des Besitzers kennzeichnet häufig in übertragener Bedeutung ein Zuordnungsverhältnis:

Est **mihī** cum frātre tuō amīcitia.	Ich habe mit deinem Bruder ein freundschaftliches Verhältnis.
Aristīdī cognōmen erat Iūstus/Iūstō.	Aristides hatte den Beinamen „der Gerechte".

1.3 Auch der Dativ nach folgenden Adjektiven kennzeichnet ein Zuordnungsverhältnis:

amīcus alicui	jemandem in Freundschaft verbunden	similis deō	gottähnlich
nōtus tibī	dir bekannt	pār cēterīs	den Übrigen gleich/ gewachsen

2 Dativ des Zwecks

2.1 Der Dativ kann auch den Zweck bezeichnen, der mit einer Handlung verbunden ist: **Dativus finalis**[1] (Frage: *wozu? – zu welchem Zweck?*).
Der Dativ des Zwecks findet sich vor allem bei Verben der Bewegung, z.B. dare, mittere, relinquere, venīre. In Verbindung mit diesen Verben erfüllt der Dativ des Zwecks die **syntaktische Funktion** des **Adverbiales**:

vitiō dare/vertere alicui aliquid	jemandem etwas als Fehler anrechnen
crīminī dare alicui aliquid	jemandem etwas zum Vorwurf machen
avaritiae tribuere alicui aliquid	jemandem etwas als Geiz auslegen
auxiliō mittere	zu Hilfe schicken
auxiliō venīre	zu Hilfe kommen
locum castrīs collocandīs dēligere	einen Platz für die Errichtung des Lagers bestimmen
urbem dīreptiōnī et incendiīs relinquere mīlitibus	die Stadt den Soldaten zur Plünderung und Brandschatzung überlassen

Cūra iuvenum Sōcratī laudī datur/vertitur.	Die Sorge um die Jugend wird Sokrates als ehrenwertes Verhalten ausgelegt.

2.2 Der Dativ des Zwecks steht häufig in Verbindungen mit der Copula ESSE. Er bezeichnet dann die Wirkung eines Vorgangs.
Hier erfüllt der Dativ des Zwecks als Prädikatsnomen mit einer Form von ESSE die **syntaktische Funktion** des **Prädikats**. Hinzu tritt meist ein **Dativus commodi** (↗ 50.3). Häufig ist der Dativ des Zwecks durch ein adjektivisches Attribut erweitert:

alicui	(māgnō) ūsuī esse	jemandem von (großem) Nutzen sein (jemandem zu (großem) Nutzen gereichen)
	(summō) honōrī esse	jemandem (höchste) Ehre einbringen
	(māgnae) cūrae esse	jemandem (große) Sorge machen
	admīrātiōnī esse	von jemandem bewundert werden
	odiō esse	von jemandem gehasst werden

Haec rēs tibī māgnō honōrī est.	Dies bringt dir große Ehre ein.

---

[1] finalis < fīnis (Ziel, Zweck)

52   Dativ der intensiven Beteiligung

1   Als **Dativus auctoris**[1] **(Dativ der handelnden Person)** bezeichnet der Dativ die Person, die an einem Geschehen als **Verursacher** beteiligt ist.
Diese Bedeutung hat der Dativ bei einem **Gerundivum** (↗ 93.1.4), manchmal auch beim **Passiv**, insbesondere beim Partizip Perfekt Passiv (statt ā/ab mit Ablativ ↗ 55.1.3).
Der Dativus auctoris erfüllt die **syntaktische Funktion** des **Adverbiales**:

Hominibus facinora sunt vītanda.	(Für die Menschen besteht die Notwendigkeit Verbrechen zu vermeiden.) Die Menschen müssen Verbrechen vermeiden.

Num **cui** Sōcratēs
   iniūriae est convictus?
	Ist etwa Sokrates von irgendjemandem
	   eines Unrechts überführt worden?

2   Als **Dativus ethicus**[2] bezeichnet der Dativ von Personal-Pronomina eine **gefühlsmäßige Beteiligung** an einem Geschehen (Unwillen oder Verwunderung):

Quid **mihī** iste agit?	Was treibt mir der Kerl da?
Quid **sibī** vult haec ōrātiō?	Was soll denn nun diese Rede wieder bedeuten?

53   Ablativ

Im **Ablativ**[3] sind drei ursprünglich selbstständige Kasus verschmolzen.
Dementsprechend umfasst der Ablativ drei **semantische Grundfunktionen**.
Der **Ablativ** bezeichnet

▶ als **Separativus**[4] (eigentlicher Ablativ) **Trennung** und **Ausgangspunkt**
(Frage: *wovon? – woher?*),

▶ als **Instrumentalis**[5] **Mittel (Mitwirkung)** und **Begleitung**
(Frage: *womit? – wodurch?*),

▶ als **Punctualis**[6] **Orts-** und **Zeitpunkt**
(Frage: *wo? – wann?*).

Diese drei semantischen Grundfunktionen haben im Laufe der Weiterentwicklung der lateinischen Sprache differenziertere Sinnrichtungen entfaltet.
Der Ablativ erfüllt hauptsächlich die **syntaktische Funktion** des **Adverbiales** (↗ 40), er kann auch die **Funktion des Objekts** (↗ 39), des **Prädikatsnomens** (↗ 37.2; 58.1) oder **des Attributs** (↗ 41; 58.1) erfüllen.

---

[1] auctor, -ōris (Urheber, Verursacher)
[2] < griech. ēthos (Sinnesart, Gemüt)
[3] < ab-lātum, auferre (ab-getrennt)
[4] < sēparāre (abtrennen, absondern)
[5] < īnstrūmentum, -ī (Mittel, Werkzeug)
[6] < pūnctum, -ī (Punkt)

54 Separativus – Ablativ der Trennung

1 Der **Ablativus Separativus** (oder **Separativus: Ablativ der Trennung**) tritt bei Verben und Adjektiven auf, die ein **Befreien, Freisein**, ein **Berauben, Leersein** oder ein **Entfernen, Entferntsein** bedeuten. In Verbindung mit diesen Verben erfüllt der Ablativ der Trennung die **syntaktische Funktion** des **Adverbiales** (↗ 40), in Verbindung mit diesen Adjektiven die des **Attributs** (↗ 41). Der Ablativ der Trennung ist häufig durch Präpositionen verdeutlicht (Frage: *wovon?*):

līberāre cūrīs (*Sache*)	von Sorgen befreien
aber:	
līberāre ā tyrannō (*Person*)	vom Tyrannen befreien
prīvāre spē	der Hoffnung berauben, (jemandem) eine Hoffnung nehmen
carēre pecūniā	kein Geld haben
egēre auxiliō	Hilfe benötigen, auf Hilfe angewiesen sein
vacāre (ā) cūrīs	von Sorgen frei sein, sorglos sein
arcēre (ā) forō	vom Forum fern halten
prohibēre (ab) iniūriā	am Unrecht hindern, vom Unrecht abhalten
movēre senātū	aus dem Senat entfernen, ausstoßen
līber (ā) cūrā	frei von Sorge, sorglos
tūtus ā perīculō	sicher vor Gefahr

2 Häufig weist schon das **Präfix von Komposita** auf einen zugehörigen Separativus hin:

abīre cōnsulātū	vom Amt des Konsuls zurücktreten
(sē) abstinēre (ab) iniūriā	sich von Unrecht fern halten
cēdere/excēdere (ē) vītā	aus dem Leben scheiden
dēcēdere (dē) officiō	von der Pflicht abweichen
dēsistere (dē) inceptō	von einem Vorhaben Abstand nehmen
differre ā bestiīs	sich von den Tieren unterscheiden
discēdere ā sententiā suā	von seiner Meinung abgehen
sēcēdere ab urbe	aus der Stadt wegziehen
interclūdere aliquem (ā) fugā	jemandem den Fluchtweg abschneiden
peregrīnīs interdīcere sacrificiīs	Fremde von der Teilnahme an Kulthandlungen ausschließen

55 Separativus – Ablativ des Ausgangspunkts

1 Der **eigentliche Ablativ** (↗ 53) bezeichnet den örtlichen oder zeitlichen **Ausgangspunkt** einer Bewegung; dabei steht nur bei Namen von Städten und kleinen Inseln der Ablativ ohne Präposition, bei allen anderen Angaben des Ausgangspunkts wird der Ablativ in der Regel durch die Präpositionen **ē/ex** oder **ā/ab** verdeutlicht (↗ 48.1.2).
Der Ablativ des Ausgangspunkts erfüllt die **syntaktische Funktion** des **Adverbiales**:

Rōmā, Carthāgine, Athēnīs venīre	aus Rom, aus Karthago, aus Athen kommen
Dēlō redīre	von Delos zurückkehren
aber:	
ex Italiā, ē (ā) Graeciā venīre	aus Italien, aus (von) Griechenland kommen
ē Crētā redīre	von Kreta zurückkehren

1.1 Der eigentliche Ablativ liegt auch vor in

domō	von daheim, von zu Hause

1.2 In allen übrigen Fällen steht eine präpositionale Verbindung:

örtlich:		*zeitlich:*	
ex urbe	aus der Stadt	ab initiō	von Anfang an
ex urbe Rōmā	aus der Stadt Rom	ab urbe conditā	seit Gründung der Stadt
dē montibus	von den Bergen herab	ā prīmā aetāte	von frühester Jugend an

1.3 In übertragener Bedeutung gibt der Ablativ des Ausgangspunkts in regelmäßiger Verbindung mit der Präposition **ā/ab** den **Verursacher** (↗ 52.1) eines Geschehens an:

Urbs Rōma **ā Rōmulō** condita est.   Die Stadt Rom wurde **von Romulus** gegründet.

2 Bei manchen Ortsangaben und bei den Verben mit der Bedeutung **abhängig sein, hängen, anfangen** wird im Lateinischen in der Regel der Ausgangspunkt bezeichnet (Frage: *woher? – von wo?*), während im Deutschen der Ruhepunkt (Frage: *wo?*) angegeben wird:

ā latere	auf der Seite (von der Seite)
ā fronte	vorn (von vorn)
ā tergō	im Rücken (von hinten)
ab/ex illā parte urbis	in jenem Teil der Stadt, auf jener Seite der Stadt
ex omnibus partibus	in allen Punkten, auf allen Seiten
ā fīne incipere	mit dem Ende anfangen
ab amīcō exemplum sūmere	sich am Freund ein Beispiel nehmen
ā senātū stāre	auf der Seite des Senats stehen

3 Der Ablativ des Ausgangspunkts bezeichnet in übertragener Bedeutung auch die **Abstammung** oder den **sozialen Stand** von Personen: **Ablativ der Herkunft (Ablativus originis)**[1].

nātus ortus	nōbilī genere	aus vornehmer Familie (stammend)
nātus ortus	humilibus parentibus	von Eltern niederen Standes (stammend)
nātus	summō locō	aus höchstem Stande (stammend)

Zur Bezeichnung eines näheren Verwandtschaftsgrades stehen in der Regel die Präpositionen ā/ab/ē/ex:

ā Catōne ortus   der/ein Sohn des Cato

4 Auch dem **Ablativus comparationis**[2] **(Ablativ des Vergleichs)** liegt der Ablativ des Ausgangspunkts zugrunde.
Der Ablativ des Vergleichs steht bei einem Komparativ (↗ 25.3.1) und gibt an, von welchem ‚Ausgangspunkt' aus ein Vergleich angestellt wird (Frage: *von wo aus gesehen? – im Vergleich wozu?*). Der verglichene Gegenstand stellt den ‚Ausgangspunkt' für den Vergleich dar (‚von … aus gesehen').

---

[1]) orīgō, -inis (Herkunft, Abstammung, Ursprung)
[2]) comparātiō < comparāre (vergleichen)

Der Ablativ des Vergleichs hat dieselbe Bedeutung wie **quam** mit Nominativ oder Akkusativ:

Nēmō **saepius** cōnsul factus est C. Mariō (quam C. Marius).	Niemand ist **öfter** Konsul geworden **als Marius.** *(Im Vergleich zu Marius ist niemand öfter Konsul geworden.)*

Wenn die verglichene Person oder der verglichene Gegenstand durch ein Relativ-Pronomen ausgedrückt ist, empfiehlt sich eine Übersetzung des Komparativs durch Superlativ (↗ 25):

Marius, **quō** nēminem Rōmānī fēcērunt **saepius** cōnsulem, humilī locō nātus erat.	Marius, **den** die Römer **am häufigsten** zum Konsul gemacht haben, war von niederer Herkunft. (im Vergleich zu dem die Römer niemanden häufiger ...)

56 Instrumentalis – Ablativ des Mittels und der Begleitung

1 Der Ablativ in der semantischen Funktion des Instrumentalis (↗ 53) gibt das **Mittel** oder das **Werkzeug** an, durch dessen Einsatz eine Handlung vollzogen wird (Frage: *womit? – wodurch?*).
Der Ablativ des Mittels erfüllt die **syntaktische Funktion** des **Adverbiales**:

gladiō pūgnāre	mit dem Schwert kämpfen
pecūniā corrumpere	mit Geld bestechen

1.1 Häufig entspricht in der deutschen Übersetzung dem Ablativ des Mittels eine präpositionale Verbindung, die als Adverbiale des Ortes aufgefasst ist (Frage: *wo?*):

manū tenēre	**in** der Hand halten
memoriā tenēre	**im** Gedächtnis behalten
tēctō recipere	**im/in** sein Haus aufnehmen
certāmine vincere/vincī	**im** Wettkampf siegen/unterliegen
rēctā (viā) īre	**auf** direktem Wege gehen

1.2 Personen werden nicht als Mittel aufgefasst, ausgenommen militärische Einheiten (**Sociativus**[1]); Begleitpersonen sind mit der Präposition **cum** beim **Ablativ** bezeichnet, Mittelspersonen dagegen durch **per** beim **Akkusativ** oder **auxiliō/operā** mit **Genitiv**:

Cōnsul **cum** collēgā oppidum expūgnāre cōnstituerat.	Der Konsul hatte zusammen mit seinem Kollegen beschlossen die Stadt zu erstürmen.
Statim cūnctīs **cōpiīs** moenia circumvēnit.	Sofort umstellte er mit allen Truppen die Mauern.
Per nūntiōs enim cognōverat urbem capī posse sine ūllō perīculō.	Er hatte nämlich durch Boten erfahren, dass die Stadt ohne jedes Risiko eingenommen werden könne.

---

[1] < sociāre (vereinigen)

1.3 Der Ablativ des Mittels steht auch bei **Verben** und **Adjektiven** mit der Bedeutung **ausstatten, füllen** bzw. **ausgestattet, voll** in der **syntaktischen Funktion** des **Adverbiales**, bei Verben mit der Bedeutung **Gebrauch machen** in der **syntaktischen Funktion** des **Objekts**:

als Adverbiale:	
ōrnāre sē veste pretiōsā	sich mit einem wertvollen Kleid schmücken
dīgnum esse laude	des Lobes würdig sein, Anerkennung verdienen
implēre domum opibus	das Haus mit Schätzen anfüllen
abundāre omnibus rēbus	an allem Überfluss haben
als Objekt:	
afficere aliquem poenā/laude	jemanden bestrafen/loben (mit Strafe/Lob ausstatten)
ūtī auctōritāte	von seinem Einfluss Gebrauch machen, seinen Einfluss ausnützen
abūtī auctōritāte	seinen Einfluss missbrauchen
potīrī ūrbe	sich der Stadt bemächtigen, die Stadt erobern
fungī mūnere	ein Amt verwalten
Beachte:	
Mihī auxiliō opus est.	Ich brauche Hilfe.

2 Ablativ der näheren Bestimmung

Der **Ablativus limitationis**[1] (**Ablativ der näheren Bestimmung**) lässt sich aus dem Ablativ des Mittels erklären.

Mit Hilfe des Ablativs wird ein allgemeiner Begriff näher eingegrenzt (Frage: *in welcher Beziehung? worin? inwiefern?*).

Der Ablativ der näheren Bestimmung erfüllt bei Nomina die **syntaktische Funktion** des **Attributs**, bei Verben die **syntaktische Funktion** des **Adverbiales**:

bei Nomina:	
trēs numerō	drei an der Zahl
māior ⎱ nātū[2]	älter
minor ⎰	jünger
puer aetāte	seinem Alter nach (noch) ein Knabe
parātus animō	innerlich bereit, fest entschlossen
bei Verben:	
iūdicāre aliquid lēgibus	etwas nach den Gesetzen beurteilen
aequāre aliquem cōnsiliō	jemandem an kluger Einsicht gleichkommen
superāre aliquem ⎱ prūdentiā	jemanden an Klugheit übertreffen
praestāre alicui ⎰	
cadere/dēficere animō	mutlos werden

---

[1] < līmitātiō, -ōnis (Eingrenzung, Bestimmung)
[2] < nātus, -ūs (Geburt)

3 Ablativ des Unterschieds

Beim Ablativ der näheren Bestimmung (↗ 56.2) findet sich häufig der Ablativ eines Nomens, meist eines Quantitätsadjektivs oder eines Zahlwortes.

Mit Hilfe eines solchen Ablativs wird das **Maß** bezeichnet, um das sich beim **Vergleich** Personen oder Sachen voneinander **unterscheiden**:

Ablativus discriminis[1] (**Ablativ des Unterschieds**) oder **Ablativus mensurae**[2] (**Ablativ des Maßes**: Frage: *um wieviel?*).

Der Ablativ des Unterschieds erfüllt bei Nomina die **syntaktische Funktion** des **Attributs**, bei Verben die **syntaktische Funktion** des **Adverbiales**:

beim Komparativ und bei komparativischen Begriffen:	
duōbus annīs { prius / ante	(um) zwei Jahre früher, zwei Jahre zuvor
paulō / brevī } post	kurz darauf, ein wenig später
nihilō minus	nichtsdestoweniger, trotzdem
multō melior	viel besser
quō (quantō) māior – eō (tantō) melior	je größer – desto besser
bei Verben mit komparativischer Bedeutung:	
multō praestāre amīcīs prūdentiā	die Freunde an Klugheit weit übertreffen
paulō superāre adversāriōs	den Gegnern ein wenig überlegen sein
multō mālle	viel lieber wollen

57 Instrumentalis – Ablativ der Art und Weise

1 Der Ablativ bezeichnet als **Ablativus modi**[3] (Ablativ der **Art und Weise**) die **begleitenden Umstände**, unter deren **Mit- oder Einwirkung** etwas geschieht (Frage: *wie? – auf welche Weise?*).

Ohne adjektivisches Attribut erscheint er in der Regel in Verbindung mit der Präposition **cum**; steht beim Ablativus modi ein adjektivisches Attribut, kann **cum** auch fehlen.

Der Ablativ der Art und Weise erfüllt die **syntaktische Funktion** des **Adverbiales**:

1.1

ohne Attribut:	
cum dīligentiā colere	mit Sorgfalt/sorgfältig pflegen
cum lacrimīs petere	unter Tränen bitten
cum calamitāte urbis pūgnāre	zum Schaden der Stadt kämpfen

1.2

mit adjektivischem Attribut:	
māgnā (cum) dīligentiā colere	mit großer Sorgfalt/sehr sorgfältig pflegen
māgnō (cum) clāmōre in forum currere	unter großem Geschrei auf das Forum laufen

[1]) < discrīmen, -inis (Unterschied)
[2]) < mēnsūra (Maß)
[3]) modus (Art, Weise)

2 Folgende Ausdrücke stehen im bloßen Ablativus modi; in ihnen wirkt der Instrumentalis in der Bedeutung des **Sociativus** (↗ 56.1.2) nach:

cāsū forte	} durch Zufall/zufällig	nōmine	im Namen
		silentiō	unter Schweigen/still
iūre	mit Recht	vī	unter Gewaltanwendung/
iniūriā	zu Unrecht		gewaltsam
iussū	auf Befehl	meā sponte	mit meiner Zustimmung/
			freiwillig

Hierzu gehören auch die Gegensatzpaare:

nōmine –
  rē vērā
	dem Namen nach/angeblich –
	  tatsächlich
		verbō – rē	angeblich – in Wirklichkeit

---

58   Instrumentalis – Ablativ der Beschaffenheit – Ablativ der Bewertung

1 Der Ablativ bezeichnet als **Ablativus qualitatis**[1] die besondere **Beschaffenheit** oder **Gemütsverfassung** insbesondere von Personen (↗ 64.1: Genitivus qualitatis); er steht immer in Verbindung mit einem attributiven Adjektiv oder Pronomen.
Der Ablativ des Substantivs gibt eine **Eigenschaft** oder **Beschaffenheit** an, das attributive Adjektiv oder Pronomen **bewertet** den Grad der Beschaffenheit.
Der Ablativ der Beschaffenheit erfüllt teils die **syntaktische Funktion** des **Attributs**, teils als Prädikatsnomen mit einer Form von ESSE die des **Prädikats**:

Attribut:

mulier eximiā fōrmā	eine Frau von außerordentlicher Schönheit
homō māgnā audāciā	ein Mann von großer Verwegenheit

Prädikatsnomen:

Iuvenēs bonō animō erant.	Die jungen Leute waren guten Mutes. (Die jungen Leute waren in guter Stimmung.)
Iuvenēs summā virtūte inventī sunt.	Die jungen Leute erwiesen sich als höchst leistungsfähig.

2 Als **Ablativus pretii**[2] gibt der Ablativ den **allgemeinen Wert** oder den **Preis** an, nach dem eine Sache bewertet wird (Frage: *um welchen Preis? – wie teuer?*).
Der Ablativus pretii erfüllt die **syntaktische Funktion** des **Adverbiales**:

māgnō parvō	} ⟨pretiō⟩	emere	teuer billig	} kaufen
māgnō parvō	} ⟨pretiō⟩	(cōn-)stāre	viel kosten, teuer sein wenig kosten, billig sein	
plūrimō minimō	} ⟨pretiō⟩	vendere	sehr teuer sehr billig	} verkaufen

Wenn man zu dem attributiven Adjektiv, das die Bewertung enthält, *pretiō* ergänzt, zeigt sich, dass sich der Ablativ der Preisangabe aus dem Ablativus instrumentalis (↗ 56.1.1) entwickelt hat.
Nur bei einigen Wertangaben steht bei den Verben des Handelsverkehrs auch der Genitivus pretii (↗ 64.2.2: plūris, minōris, tantī, quantī).

---

[1] < quālitās < quālis (wie beschaffen)
[2] < pretium, -ī (Wert)

59 Instrumentalis – Ablativ des Grundes

1 Der **Ablativus causae (Ablativ des Grundes)** hat sich aus dem **Ablativus instrumentalis** (↗ 56) entwickelt. Er gibt **Grund** und **Ursache** an, mit denen man einen Vorgang oder Zustand erklärt. Der Ablativ des Grundes steht vor allem bei Verben und Adjektiven der **Gefühlsbewegung**, die eine Ergänzung erfordern (Frage: *warum? – weshalb? – wodurch? – worüber?*). Der Ablativ des Grundes erfüllt die **syntaktische Funktion** des **Adverbiales**.

In der deutschen Übersetzung wird der Ablativ des Grundes durch eine **präpositionale Verbindung** wiedergegeben.

opprimī dolōribus	von Schmerzen geplagt werden
interīre fame	durch Hunger umkommen, verhungern
dolēre morte alicuius	über jemands Tod Schmerz empfinden
gaudēre victōriā	sich über den Sieg freuen
laetus victōriā	froh über den Sieg
īrātus tantā audāciā	wütend über so große Frechheit
maestus } tristis } clāde	traurig über eine Niederlage
cōnfīdere virtūte (*aber:* patrī)	auf die Tüchtigkeit vertrauen, (dem Vater vertrauen)
cōnfīsus } frētus } virtūte	auf die Tüchtigkeit vertrauend, im Vertrauen auf die Tüchtigkeit

2 Das **innere Motiv einer Handlung** wird häufig dadurch ausgedrückt, dass zu dem Ablativus causae ein **Partizip Perfekt Passiv** tritt; dieses wird in der Regel im Deutschen nicht übersetzt:

dolōre mōtus	aus Schmerz
invidiā adductus	aus Neid, aus Abneigung
dēsīderiō mōtus	vor Sehnsucht
vehementī studiō captus	aus heftiger Leidenschaft
amōre incēnsus	aus Liebe
īrā impulsus	im Zorn, aus Wut

3 Folgende Ausdrücke, die unter dem Ablativ der Art und Weise (↗ 57.2) aufgeführt sind, lassen sich auch als **Ablativus causae** erklären. Ausschlaggebend für die Sinnrichtung ist der jeweilige Kontext:

cāsū } forte }	durch einen Zufall, zufällig	quā rē?	aus welchem Grund?
vī	aufgrund von Gewalt	eā rē	daher, deshalb

60 Punctualis – Ablativ des Ortes

1 Der Ablativ bezeichnet als **Ablativus loci** den **Ort** eines Geschehens (Frage: *wo?*). Der Ablativ des Ortes hat die semantische Funktion des ursprünglichen Lokativs (↗ 42.2.4; 53: Punctualis) übernommen. Er erfüllt die **syntaktische Funktion** des **Adverbiales**. Der Ablativ des Ortes begegnet

1.1 *bei Namen von Städten und kleinen Inseln:*

Carthāgine vīvere	in Karthago leben
Athēnīs remanēre	in Athen zurückbleiben
Salamīne versārī	sich auf Salamis aufhalten

1.2 *in der Regel bei* locus *und* tōtus*:*

illō locō	an jenem Ort
meō/tuō/suō locō	
(in) locō	am rechten Platz
locīs superiōribus	auf Anhöhen
parentis locō	an Stelle des Vaters, als Vater
tōtā urbe	in der ganzen Stadt
tōtō (in) orbe terrārum	auf der ganzen Welt

1.3 *in festen Wendungen*[1]*:*

terrā marīque	zu Wasser und zu Land
ūnā (manū) cum …	zusammen mit …

2 In der Regel ist der Ablativ des Ortes durch die Präposition **in** verstärkt:

in Italiā	vīvere	in Italien	leben
in Crētā		auf Kreta	
in urbe	nātum esse	in der Stadt	geboren sein
in urbe Rōmā		in der Stadt Rom	
in montibus remanēre		auf den Bergen zurückbleiben	

3 Bei den Verben mit der Bedeutung **(sich) stellen, setzen, legen** und **zählen, rechnen, verwenden (auf)** wird im Lateinischen die Lage des Ortes bezeichnet (Frage: *wo?*), während im Deutschen Richtung oder Ziel (Frage: *wohin?*) angegeben werden:

pedem in terrā pōnere	den Fuß an Land setzen
in sēde altā cōnsīdere	sich auf einem hohen Sitz niederlassen
in cōnsule spem pōnere	auf den Konsul Hoffnung setzen
aliquid in bonīs { pōnere, dūcere, habēre, numerāre	etwas unter die Güter rechnen/zählen
tempus in litterīs cōnsūmere	Zeit auf die Wissenschaften verwenden

---

[1]) Bei Dichtern und späten Schriftstellern können Ortsbestimmungen ohne Präposition erscheinen: silvīs agrīsque in Wald und Feld.

4 Der **ursprüngliche Lokativ** auf -ī hat sich bei Namen von Städten und kleinen Inseln (Singularia der o- und ā-Deklination) erhalten, ebenso in einigen festen Wendungen:

Rōmae (< Rōmāī)	in Rom	domī	zu Hause
Corinthī	in Korinth	domī mīlitiaeque	im Krieg und im
Tarentī	in Tarent		Frieden
Dēlī	auf Delos	humī	auf dem Boden

61 Punctualis – Ablativ der Zeit

1 Der Ablativ bezeichnet als **Ablativus temporis** einen **Zeitpunkt** (Frage: *wann?*) oder einen **Zeitraum** (Frage: *innerhalb welcher Zeitspanne?*). Wie der Ablativ des Ortes (↗ 60) hat auch der Ablativ der Zeit die semantische Funktion des Punctualis (↗ 42.2.4; 53) übernommen und erfüllt wie dieser die **syntaktische Funktion** des **Adverbiales**:

Zeitpunkt:	
hieme	im Winter
hieme ineunte[1]	zu Beginn des Winters
posterō diē	am folgenden Tag
secundō bellō Pūnicō	im 2. Punischen Krieg
quīntō a. Chr. n. saeculō	im 5. Jahrhundert vor Christus
tertiā hōrā	zur dritten Stunde
multō diē	spät am Tag
prīmā lūce	bei Tagesanbruch
Cicerōne cōnsule[1]	unter dem Konsulat des Cicero
Zeitraum:	
paucīs annīs	innerhalb/binnen weniger Jahre
brevī (tempore)	in kurzem, in kurzer Zeit, bald
tribus diēbus	in drei Tagen, innerhalb von drei Tagen

Zum Ablativus temporis gehört auch **prīmō** ⟨tempore⟩ *anfangs*.

Unterscheide:

Prīmō		Anfangs/Zunächst	
Prīmum	in forum iī.	Zum ersten Mal (↗ 47.2)	ging ich zum Forum.
Prīmus/prīma		Als Erster/Erste (↗ 40.5.2b; 5.5)	

2 Wenn der Ablativus temporis **Zeitumstände** bezeichnet, ist er durch die Präposition **in** verstärkt:

in bellō – in pāce	in Kriegszeiten – in Friedenszeiten
in pueritiā – in senectūte	in der Kindheit – im Alter
in tālī tempore	unter derartigen Umständen
in tempore	zur rechten Zeit
in rēbus secundīs – in rēbus adversīs	im Glück – im Unglück

3 Der *ursprüngliche ‚Lokativ‘ auf* -ī (↗ 60.4) liegt auch in einigen Zeitangaben vor, z.B.

vesperī (auch vespere)	am Abend, abends
herī	gestern

---

[1] ↗ 86: Ablativus absolutus

62 Genitiv

Der Genitiv gibt im weitesten Sinn den **Bereich** an, auf den ein Begriff bezogen ist.
So bezeichnet der **Genitiv**:
1. die **Zugehörigkeit**,
2. die **Beschaffenheit** einer Person oder Sache, die **bewertet** wird,
3. den **Bereich** oder das **Ganze**, von dem ein Teil benannt wird.
In syntaktischer Hinsicht hat der Genitiv eine Sonderstellung, da er hauptsächlich **die syntaktische Funktion des Attributs** zu einem Nomen erfüllt[1].
In Verbindung mit der Copula ESSE oder kopulativen Verben (↗ 37.2.1) kann er aber auch als Prädikatsnomen die syntaktische Funktion des Prädikats (↗ 63.1/2; 64.1), bei einigen Verben auch die des Objekts (↗ 66) und des Adverbiales (↗ 64.2) erfüllen.

63 Genitiv der Zugehörigkeit

Der Genitiv als Kasus des Bereichs (↗ 62) hat im Lauf der Zeit differenziertere Sinnrichtungen entfaltet:

1 Als **Genitivus possessoris**[2] **(Genitiv des Besitzers)** bezeichnet er den **Eigentümer** einer Sache (Frage: *wessen? – wem gehörend?*) bzw. engste **Zugehörigkeit** (Frage: *zu wem/wozu gehörig? – worauf bezogen?*).
Der Genitiv des Besitzers erfüllt teils die **syntaktische Funktion** des **Attributs**, teils als Prädikatsnomen mit einer Form von ESSE die des **Prädikats**:

Attribut:	
cīvitās Rōmānōrum	der Staat der Römer
urbs eōrum	ihre Stadt
status cīvitātis	die Verfassung des Staates, Staatsverfassung
Prädikatsnomen:	
esse cīvium	den Bürgern gehören, Eigentum der Bürger sein
esse eius	ihm/ihr gehören
fierī cīvitātis	Eigentum des Staates werden
facere aliquid populī Rōmānī	etwas unter die Herrschaft des römischen Volkes bringen (etwas zum Eigentum des ...Volkes machen)

Cīvitās ad Tiberim condita Rōmān**ō**rum erat.	Der Staat, der am Tiber gegründet worden war, gehörte den Römern.
Illa ad Tiberim regiō Rōmān**ō**rum erat facta.	Jene Gegend am Tiber war zum Eigentum der Römer geworden.

---

[1] Als substantivisches Attribut können nur noch der Akkusativ/Ablativ in präpositionaler Verbindung (↗ 41.2.3) und der Ablativ als Ablativ der Beschaffenheit (↗ 58.1) auftreten.
[2] < possessor (Besitzer) < possidēre (besitzen) (↗ 51.1.1).

2 In übertragener Bedeutung erscheint der Genitiv der Zugehörigkeit in **unpersönlichen Wendungen**.

2.1 Er bezeichnet die Person, in deren Aufgabenbereich etwa ein Geschehen liegt:

Magistrātu**um** Rōmān**ōrum** erat
salūtī cīvium cōnsulere.

Es war **Aufgabe (Pflicht, Sache)** der römischen
Behörden, für das Wohl der Bürger zu sorgen.

Hūmānī virī/Hūmānitāt**is** habētur
miserōs adiuvāre.

Es gilt als **Zeichen** von Menschlichkeit,
den Armen zu helfen.

2.2 Bei interest und rēfert *(es liegt in jemandes Interesse, es liegt jemandem daran)* steht der Genitiv zur Bezeichnung der **Person**, in deren Interessenbereich ein Geschehen liegt:

Cicerōn**is** intererat Catilīnam
prō hoste habērī.

Es lag im Interesse Ciceros, dass Catilina als
Landesfeind gelte/galt.

a) Der Genitiv der Personal-Pronomina der 1. und 2. Person wird durch die **Possessiv-Pronomina** im Ablativ Singular des Femininums (meā, tuā, nostrā, vestrā) ersetzt:

Nostrā interest/rēfert dē Catilīnae
contrā senātum cōnsiliīs audīre.

Uns liegt daran, von Catilinas Plänen
gegen den Senat zu hören.

b) Der **Grad des Interesses** wird bei diesen Ausdrücken durch den Genitivus pretii (↗ 64.2) in der **syntaktischen Funktion** des **Adverbiales** bezeichnet; daneben finden sich in der gleichen Funktion auch Adverbien und der Akkusativ:

Genitivus pretii:	māgnī, parvī, tantī, quantī	
Adverbien:	māgnopere, magis, māximē, minimē	} interest/rēfert
Akkusativ:	multum, paulum, aliquid, quid, nihil	

Gegenstand des Interesses: ↗ 71.2: Subjektsinfinitiv; ↗ 75.2: AcI als Subjekt.

2.3 Der Genitiv des Besitzers kann auch in der syntaktischen Funktion des Attributs als **verstärkender Zusatz** zu Possessiv-Pronomina (↗ 28.2) treten:
Meum praetōr**is** est . . .   Es ist meine Aufgabe als Prätor . . .
Nostrā ips**ōrum** interest . . .   Es ist für uns selbst wichtig . . .

3 Als **Genitivus subiectivus** bezeichnet der Genitiv die Person, die ‚in Tätigkeit‘ ist. Der Genitivus subiectivus erfüllt die **syntaktische Funktion** des **Attributs**:

timor Rōmānōrum (Rōmānī timent)	die Furcht **der** Römer
amor līberōrum (līberī amant)	die Liebe **der** Kinder

Wenn die nominale Wortverbindung in einem Satz ausgedrückt wird, dessen Prädikat aus der Wortwurzel des Substantivs (z.B. *tim-*, *am-*) gebildet ist, wird die Bedeutung des Genitivs ersichtlich:
Er gibt das ‚**Subjekt**‘ des Satzes an.

4 Als **Genitivus obiectivus** bezeichnet der Genitiv die Person oder Sache, **auf die sich eine Tätigkeit richtet**. Diese Tätigkeit besteht meist in einer geistigen oder seelischen Regung.

Der Genitivus obiectivus erfüllt die **syntaktische Funktion** des **Attributs**:

timor Rōmānōrum (⟨Germānī⟩ Rōmānōs timent)	die Furcht **vor** den Römern
amor līberōrum (⟨parentēs⟩ līberōs amant)	die Liebe **zu** den Kindern
spēs salūtis	Hoffnung **auf** Rettung
odium generis hūmānī	Hass **auf** die Menschheit, Menschenhass
cupiditās cognitiōnis	Streben **nach** Erkenntnis

Wenn die nominale Wortverbindung in einem Satz ausgedrückt wird, dessen Prädikat aus der Wortwurzel des Substantivs (z.B. *tim-*, *sper-* (< spes-), *od-*, *cup-*) gebildet ist, wird die Bedeutung des Genitivs ersichtlich:
Er gibt das ‚Objekt‘ des Satzes an.

4.1 Im Bereich der Pronomina wird der Genitivus obiectivus in der Regel durch den **Genitiv des Personal-Pronomens** bezeichnet:

amor meī	Liebe **zu mir**, Eigenliebe
odium vestrī	Hass **auf/gegen euch**
fidūcia suī	Vertrauen **zu sich** selbst, Selbstvertrauen

Gelegentlich kann auch das Possessiv-Pronomen in der syntaktischen Funktion des Attributs den Genitivus obiectivus bezeichnen:

amor noster	Liebe **zu uns**
odium vestrum	Hass **auf/gegen euch**

4.2 Als **Genitivus obiectivus** lässt sich auch der Genitiv bei einigen Adjektiven und Partizipien des Präsens erklären, die eine Ausrichtung auf einen Zielbereich bedeuten:

cupidus appetēns	} glōriae	ruhmbegierig, ehrgeizig
amāns patriae		vaterlandsliebend, patriotisch
perītus reī		sachkundig, erfahren in einer Sache
imperītus īgnārus	} dīcendī	ohne Erfahrung im Reden
potēns suī		seiner mächtig, beherrscht
plēnus exemplōrum		voll von/reich an Beispielen
memor vestrī		euer eingedenk, in Gedanken an euch
immemor patriae		ohne an die Heimat zu denken
neglegēns officiī		pflichtvergessen
cōnscius coniūrātiōnis		mitverschworen
studiōsus litterārum		bemüht um die Wissenschaften

Orgetorix glōriae cupidus rēgnum occupāre studuit.	Orgetorix wollte, weil er ehrgeizig war/nach Ruhm strebte, die Herrschaft an sich reißen.

5 Als **Genitivus explicativus**[1] dient der Genitiv der Zugehörigkeit zur näheren *Erklärung eines allgemeinen Begriffes:*

nōmen virtūtis	der Begriff Tugend
cognōmen Iūstī	der Beiname „der Gerechte"
glōria līberātae patriae	das Verdienst der Befreiung der (Heimat-)Stadt/das Verdienst die Stadt befreit zu haben

---

[1]) < explicātivus < explicāre (erklären)

64 Genitiv der Beschaffenheit und der Bewertung

1 Der Genitiv bezeichnet als **Genitivus qualitatis**[1] eine **Beschaffenheit** oder ein **Merkmal**, das auf die im Beziehungswort ausgedrückte Person oder Sache **zutrifft**.
Der Genitiv der Beschaffenheit erfüllt teils **die syntaktische Funktion** des **Attributs**, teils als **Prädikatsnomen** mit einer Form von ESSE die des **Prädikats** und steht immer in Verbindung mit einem attributiven Adjektiv, Pronomen oder Zahlwort:

Attribut:	
vir māgnī ingeniī	ein Mann von großem Verstand, geistreicher Mann
eius modī hominēs	Menschen dieser Art, derartige Menschen
iter decem diērum	eine Reise von zehn Tagen, zehntägige Reise
Prädikatsnomen:	
Nōnnullī philosophī nōn sōlum	Einige Philosophen erwiesen sich nicht nur
māximī ingeniī,	als höchst geistvoll,
sed etiam summae pietātis	sondern auch als äußerst gewissenhaft.
inventī sunt.	

Zur Angabe einer äußerlichen, vorübergehenden Beschaffenheit steht der Ablativus qualitatis (↗ 58.1):

mulier eximiā fōrmā   eine Frau von ausnehmender Schönheit

2 Der Genitiv bezeichnet als **Genitivus pretii**[2] den **Wert**, der einer Person oder Sache **zukommt** (↗ 58.2: Ablativus pretii). Der Genitiv der Bewertung erfüllt teils in Verbindung mit einem kopulativen Verb (↗ 37.2.1) die **syntaktische Funktion** des **Prädikats**, teils die des **Adverbiales**:

māgnī	facere habēre putāre dūcere aestimāre	hoch (ein-)schätzen	parvī	esse habērī putārī dūcī	wenig gelten

2.1 Im Genitivus pretii erscheinen folgende **Wertangaben**:

parvī, minōris, minimī *(erg. pretii)*	wenig (z.B. gelten), gering (z.B. schätzen) weniger, geringer am wenigsten, am geringsten
māgnī, plūris, plūrimī *(erg. pretii)*	viel, mehr, am meisten (z. B. gelten) hoch, höher, sehr hoch (z. B. schätzen)
tantī – quantī	so viel – wie viel, so hoch – wie
tantīdem	ebenso viel wert

Vīta servōrum parvī erat.   Das Leben von Sklaven galt wenig.
Rōmānī servōs parvī,   Die Römer schätzten die Sklaven gering,
   nōbilēs māgnī aestimābant.   die Adligen hoch ein.

---

[1]) < quālitās < quālis (wie beschaffen)
[2]) < pretium, -ī (Wert)

2.2 In der **syntaktischen Funktion** des **Adverbiales** bezeichnet der Genitivus pretii bei **Verben des Kaufens, Verkaufens** u.ä. nur in bestimmten Formen den Wert (↗58 .2):

plūr**is**/minōr**is** emere	teurer/billiger kaufen
tant**ī**(dem) vendere	(eben)so teuer verkaufen
Quant**ī** vendidistī?	Wie teuer hast du verkauft?

Antīquī servōs saepe minōr**is** (pretiī) ēmērunt quam bestiās.	Die Alten kauften Sklaven häufig billiger als wilde Tiere.

65   Genitiv der Teilung

Als **Genitivus partitivus**[1] **(Genitiv der Teilung)** wird der Genitiv bezeichnet, der in der **syntaktischen Funktion** des **Attributs** einen Begriff erweitert, der eine Menge, ein Maß oder eine Reihenfolge benennt.
Der Genitiv der Teilung bezeichnet den **Bereich** oder das **Ganze**[2], von dem durch einen Mengen- oder Maßbegriff eine **Teilmenge** benannt wird:

bei **Substantiven**, die eine Maß-, Mengen- oder Zahlangabe ausdrücken:	
mägnus numerus homin**um**	eine große Menge (von) Menschen
parva pars servō**rum**	ein kleiner Teil der Sklaven
cōpia pecūni**ae**	eine Menge Geld
tria mīlia mīlit**um**	dreitausend Soldaten
bei substantivisch gebrauchten **Adjektiven im Neutrum**:	
multum prūdenti**ae**	viel Klugheit, ein hohes Maß an Klugheit
tantum timōr**is**	so viel Furcht
quantum oper**is**?	wie viel (an) Arbeit?
bei **Adverbien**:	
satis vīr**ium**	genügend Kräfte
ubī terrā**rum**?	wo auf der Welt?
nusquam terrā**rum**	nirgends auf der Welt
bei substantivisch gebrauchten **Pronomina**:	
nēmō mortāl**ium**	kein Sterblicher/Mensch
nihil auxiliī	keinerlei Hilfe
quis nostr**um**/vestr**um**[3]?	wer von uns/euch?
bei **Adjektiven** der **Reihen-/Rangfolge**:	
prīmus imperātō**rum**	der erste Kaiser (der erste von den Kaisern)
optimus senātō**rum**	der beste Senator (der beste unter den Senatoren)

Beachte: Bei Kardinalzahlen (↗ 26.1) finden sich zur Bezeichnung des Teilverhältnisses wie im Deutschen in der Regel *präpositionale Verbindungen*:

ūnus ex captīvīs	einer von den Gefangenen
trēs dē nostrīs	drei von den Unseren

---

[1] < pars, part-is (Teil)
[2] Der Genitivus partitivus wird auch als **Genitiv des geteilten Ganzen** (*Genitivus totius*) bezeichnet.
[3] nostrum, vestrum: besondere Formen des Genitivs (Genitivus partitivus) zu nōs, vōs (zur Bezeichnung der Menge, von der ein Teil genommen ist ↗ 28.1.1).

66 Genitiv als inhaltliche Ergänzung von Verben

1 Genitiv bei Verben des Erinnerns

Bei **Verben**, die ‚(sich) erinnern' und ‚**vergessen**' oder diesen inneren Vorgängen Ähnliches bedeuten, steht die von dem jeweiligen Verbinhalt geforderte **Ergänzung** im **Genitiv**. Der Genitiv gibt den **Bereich** (↗ 62) an, auf den sich diese Vorgänge beziehen.

1.1 Wenn die Ergänzung ein Sachobjekt ist, kann auch der Akkusativ stehen. Der Genitiv erfüllt bei den genannten Verben wie der Akkusativ die **syntaktische Funktion** des **Objekts**:

admonēre factī		an eine Tat erinnern
meminisse recordārī	} māiōrum	sich an die Vorfahren erinnern
oblīvīscī	amīcōrum	die Freunde vergessen
oblīvīscī	{ calamitātis/ calamitātem	den Verlust vergessen
miserērī sociōrum		sich der Bundesgenossen erbarmen

Vīvōrum meminī, neque tamen mortuōrum licet oblīvīscī.	Ich denke an die Lebenden, darf aber dennoch die Toten nicht vergessen.
Iniūriās meminī, quās oblīvīscī māllem.	Ich denke an Beleidigungen, die ich lieber vergäße.

Wenn das Objekt dieser Verben durch das *Neutrum eines Pronomens* ausgedrückt wird, steht nur der *Akkusativ*:

Illud memineram.	Daran erinnerte ich mich.
Hoc oblītus erat.	Dies hatte er vergessen.

Häufig erscheint bei den Verben, die ‚*(sich) erinnern*' bedeuten, wie im Deutschen ein *Präpositionalobjekt*:

admonēre aliquem dē officiīs	jemanden an seine Pflichten erinnern
recordārī dē parentibus	sich an die Eltern erinnern

1.2 Als **Genitiv des Bereichs** erklärt sich auch der Genitiv, in dem das Sachobjekt bei einigen **unpersönlichen Ausdrücken** (↗ 45.4.2) steht:

Mihī in mentem venit huius reī. *(auch:* Hoc mihī in mentem venit.)	{	Dies kommt mir in den Sinn. Ich erinnere mich daran.
Paenitet mē cōnsiliī meī.	{	Mich reut meine Absicht. Ich bereue meine Absicht.
Pudet mē huius factī.	{	Mich beschämt diese Tat. Ich schäme mich dieser Tat.

2 Genitiv bei Verben der Gerichtssprache

Bei einigen **Verben der Gerichtssprache** bestimmt der Genitiv den **Tatbestand**, dem ein Vergehen **zugeordnet** ist (**Genitivus criminis**[1]). Statt des Genitivs findet sich auch manchmal eine präpositionale Verbindung.

---

[1]) crīmen, crīminis (Vorwurf, Verbrechen)

Im Deutschen stehen entsprechend ebenfalls der Genitiv oder eine präpositionale Verbindung:

arguere sceler**is**	eines Verbrechens beschuldigen
convincere coniūrātiōn**is**	der Verschwörung überführen
accūsāre prōditiōn**is**	wegen Verrats anklagen
in iūs vocāre/ } māiestāt**is**/	wegen Majestätsbeleidigung vor Gericht
arcessere } *dē* māiestāte	fordern
damnāre sceler**is**	wegen eines Verbrechens verurteilen
condemnāre *dē* v**ī**	wegen einer Gewalttat verurteilen

Manchmal steht auch die **Strafe** im **Genitiv:**

damnāre capit**is**	zum Tod verurteilen
accūsāre capit**is**	Anklage auf Leben und Tod erheben

In der Regel wird die Art der Strafe durch den Ablativ (↗ 56.1) ausgedrückt:

damnāre capite	zum Tod verurteilen
morte multāre	mit dem Tod bestrafen

67   Präpositionen

1   **Präpositionen**[1] (Verhältniswörter) sind ihrer Form nach **unveränderlich**. Sie waren ursprünglich zumeist Adverbien (↗ 33.2.2e). Davon zeugen noch einige feste Wendungen, in denen Präpositionen als Adverbien die syntaktische Funktion des Adverbiales erfüllen:

multō ante	viel früher
paulō post	kurz darauf
ut suprā dīximus	wie ich schon oben angeführt habe
contrā dīcō	ich spreche dagegen

Contrā dīcunt Stōicī Epicūrō.	Die Stoiker widersprechen dem Epikur.

2   Präpositionen sind weder Satzglieder (↗ 35.1/2/3) noch Satzgliedteile (↗ 35.4), sondern sie gehen in der Regel mit einem Substantiv oder Pronomen eine Verbindung ein. In dieser Verbindung unterstreichen sie im Lateinischen die semantische Grundfunktion (↗ 42) des Kasus, in dem das Nomen jeweils steht. Präpositionen gehen nur mit einem Nomen im **Akkusativ** oder **Ablativ** eine Verbindung ein:

Akkusativ	(der Richtung)	In **Italiam** redīmus.	Wir kehren nach **Italien** zurück.
Ablativ	(des Ortes)	In **Italiā** vīvimus.	Wir leben in **Italien**.
Ablativ	(der Trennung)	Sine **dolōre** vīvimus.	Wir leben **ohne** Schmerz.

Die so entstandenen **präpositionalen Verbindungen** ergänzen zumeist als Adverbiale[2] das Prädikat.

---

[1]) < prae-positiō, -ōnis < praepōnere (voranstellen)
[2]) Seltener stellen präpositionale Verbindungen das Attribut (↗ 41.2.3) zu einem Substantiv (z.B.: omnēs in orbe terrārum hominēs) oder das Objekt zu einem Verb (↗ 39; 66.1.1, z.B.: admonēre dē officiīs) dar.

2.1 Die enge Beziehung zwischen dem Nomen und seiner Präposition kann nur durch die Zwischenstellung eines Attributs unterbrochen sein:

| ultrā **septimum** diem | über den siebenten Tag hinaus |
| propter **hominum** multitūdinem | wegen der großen Zahl von Menschen |

2.2 Die Präposition kann gelegentlich auch zwischen Adjektiv/Pronomen und Substantiv stehen:

| summō cum studiō | mit höchstem Eifer |

2.3 Die sog. **Postposition**[1] zeugt von einer ursprünglich kasusunterstützenden Funktion der Präposition. Sie findet sich in der Prosa nur noch bei
cum in Verbindung mit dem Ablativ von Pronomina (28.1.1; 30.2)

| mēcum | mit mir |
| quibuscum | mit welchen |

und bei **causā/grātiā** (um … willen, wegen, um … zu) mit dem Genitiv:

| amīcōrum causā | um der Freunde willen |
| exemplī grātiā | zum Beispiel, beispielsweise |

Häufiger findet sich Postposition *bei Dichtern*:

| tē propter | deinetwegen |

3 Präpositionen wirken als **Präfixe** bei der Bildung von **Verba composita** (13) mit, z.B.

| ab-dūcere   weg-führen | ante-pōnere   voran-stellen, vor-ziehen |

4 Durch Präpositionen erfasste Verhältnisse können **örtlich** (*ö.*), **zeitlich** (*z.*) oder **übertragen** (*ü.*) sein. Manche Präpositionen erfassen alle drei Bedeutungsbereiche. In übertragener Bedeutung haben sie u.a. **instrumentale**, **kausale** und **modale** Sinnrichtung.

68 Präpositionale Verbindungen

1 Präpositionen beim Akkusativ

1. ad/ūsque ad

ö. zu, an, bei, bis zu	pūgna ad Cannās (facta)	die Schlacht bei Cannae
z. bis zu, gegen	(ūsque) ad hoc tempus	bis zu dieser Zeit, bisher
	ad lūcem	gegen Morgen
	ad prīmum tumultum	auf den ersten Lärm hin
ü. zu	idōneus ad rem gerendam	für die Durchführung der Aufgabe geeignet
	Quid id ad mē?	Was geht mich das an?
	ad ūnum omnēs	alle bis auf den Letzten, alle ohne Ausnahme
	ad verbum	Wort für Wort, wörtlich

2. adversus

ö. gegen(-über)	adversus montem	gegen den Berg, gegenüber dem Berg
ü. gegen(-über)	adversus patrum superbiam	gegen den Hochmut der Patrizier
	pietās adversus deōs	Ehrfurcht gegenüber den Göttern

3. ante

ö. vor	ante oculōs	vor Augen
z. vor	ante lūcem	vor Tagesanbruch

---

[1] < post-positiō, -ōnis < postpōnere (hinten anfügen)

4. apud

ö. bei (meist bei Personen)	apud senātum	vor dem Senat
	apud Platōnem	bei Platon
	apud īnferōs	in der Unterwelt

5. circā/circum

ö. um ... herum, rings um	circā forum	in der Umgebung des Forums
um ... herum, nahe bei	circum sē amīcōs habēre	Freunde um sich haben
z. um ... herum, gegen	circā eandem hōram	um dieselbe Stunde
ü. um ... herum, betreffs	circā hoc disputāre	über dieses Thema reden

6. contrā

ö. gegenüber	īnsula contrā lītus sita	die Insel gegenüber der Küste
ü. gegen (feindlich)	contrā iūs gentium	gegen das Völkerrecht

7. extrā

ö. außerhalb	extrā fīnēs cīvitātis	außerhalb des Staats-gebietes
ü. außerhalb, über ... hinaus, außer	extrā modum	über das Maß hinaus, übermäßig

8. īnfrā

ö. unterhalb	īnfrā arcem	unterhalb der Burg
ü. unter, geringer als	māgnitūdine īnfrā elephantōs	kleiner als Elefanten

9. inter

ö. zwischen, unter	inter amīcōs	unter Freunden
z. zwischen, während	inter cēnam	während des (Abend-) Essens
ü. zwischen, unter	multum interest inter mē et tē	es ist ein großer Unter-schied zwischen mir und dir

10. intrā

ö. innerhalb	intrā mūrōs	innerhalb der Mauern
z. innerhalb, binnen	intrā paucissimās hōrās	binnen ganz weniger Stunden

11. iūxtā

ö. neben, nahe bei	iūxtā viam Appiam	neben der Via Appia

12. ob

ö. gegen ... hin, entgegen	ob oculōs habēre	vor Augen haben
ü. um ...willen, wegen	ob eam causam	aus diesem Grund, deswegen
	quam ob rem	weswegen, deswegen

13. per

ö. durch ... hindurch	per flūmen	durch den Fluss hindurch
z. während	per multōs diēs	viele Tage lang

ü. durch (Vermittlung von)	per lēgātōs	durch (Vermittlung von) Gesandte(n)
	per dolum	durch List, hinterlistig
	per deōs iūrāre	bei den Göttern schwören

14. post

ö. nach, hinter	post tergum	hinter dem Rücken
z. nach, seit	post Chrīstum nātum	nach Christi Geburt
	post hominum memoriam	seit Menschengedenken
ü. nach (in der Rangfolge)	post Mercurium māximē Apollinem colere	nach Merkur Apollo am meisten ehren

15. praeter

ö. an ... vorbei	praeter urbem vehī	an der Stadt vorbeifahren
ü. außer, abgesehen von	omnēs praeter ūnum	alle außer einem

16. prope

ö. nahe bei	prope urbem	nahe bei der Stadt
z. nahe bei, um	prope Kalendās Aprīlēs	um den 1. April
ü. beinahe, nahe an	prope virtūtem esse	der Tugend nahe sein

17. propter

ö. neben, nahe bei	propter eum cōnsīdere	neben ihm Platz nehmen
ü. wegen	propter hominum multitūdinem	wegen der großen Zahl von Menschen, wegen der Menschenmenge
	propter aliquem cīvitātem servātam habēre	jemandem die Rettung des Staates verdanken

18. secundum

ö. längs, entlang	secundum flūmen currere	am Fluss entlang laufen
ü. nach, gemäß, entsprechend	secundum aliquem sentīre	mit jemandem gleicher Meinung sein
	secundum nātūram vīvere	gemäß/nach der Natur leben

19. suprā

ö. oberhalb	suprā mare	über dem Meer
ü. über ... hinaus	suprā modum	über das Maß hinaus

20. trāns

ö. über ... hinaus, jenseits	trāns flūmen mittere	über den Fluss schicken
	trāns Rhēnum cōnsistere	auf der anderen Seite des Rheins Halt machen

21. ultrā

ö. über ... hinaus, jenseits	ultrā flūmen cōnsīdere	sich jenseits des Flusses niederlassen
	ultrā flūmen proficīscī	über den Fluss ziehen
z. über ... hinaus	ultrā septimum diem	über den siebten Tag hinaus
ü. über ... hinaus, mehr als	ultrā modum	über das Maß hinaus, übermäßig

2 Präpositionen beim Ablativ

1. ā/ab

ö. von … her,	ā latere	von der Seite, in der Flanke
von … aus	ab urbe proficīscī	von der Stadt abreisen
	procul/prope ā monte	fern vom/nah am Berg
z. von … an, seit	ab urbe conditā	seit Gründung der Stadt Rom
ü. von	ā dīs servārī	von den Göttern gerettet werden
	ā dīs salūtem exspectāre	von den Göttern Rettung erwarten
	incipere ā fīne	mit dem Ende anfangen
	ā senātū stāre	auf der Seite des Senats stehen

2. cum

ö. mit, in Begleitung von, zusammen mit	sēcum cōgitāre	im Stillen (bei sich) überlegen
	(ūnā) cum amīcīs	zusammen mit den Freunden
z. mit	simul cum morte	zugleich mit dem Tod
ü. mit, zu	cum dīligentiā	mit Gewissenhaftigkeit, sorgfältig
	cum summō dolōre nostrō	zu unserem größten Kummer

3. dē

ö. von, von … herab	dē montibus	vom Gebirge herab
z. von … an, noch während	dē tertiā hōrā	noch während der 3. Stunde
ü. über, hinsichtlich, an	dē rē pūblicā scrībere	über den Staat schreiben
	dē pāce agere	über den Frieden verhandeln
	dē salūte dēspērāre	an der Rettung verzweifeln, die Hoffnung auf Rettung aufgeben

4. ē/ex

ö. von … aus, von … heraus, aus	ex oppidō	aus der Stadt (heraus)
	ex alterā parte	auf der anderen Seite
z. von … an, seit	ex eō tempore	seit dieser Zeit
	ē labōre ōtiō sē dare	sich nach der Arbeit zur Ruhe begeben
ü. infolge	ex senātūs cōnsiliō/ cōnsultō	infolge eines Senatsbeschlusses
	māximā ex parte	größtenteils

5. prō

ö. vor	prō castrīs pūgnāre	vor dem Lager kämpfen
ü. für, anstelle von	prō nihilō habēre	für nichts halten, nicht beachten
	grātiās agere prō beneficiō	Dank für eine Wohltat sagen
	certa prō incertīs captāre	nach Sicherem statt nach Unsicherem greifen
entsprechend, im Verhältnis zu	prō multitūdine hominum	im Verhältnis zur Bevölkerungszahl

6. **sine**
    ü. ohne   nōn sine perīculō   nicht ohne Gefahr

3 Präpositionen beim Akkusativ oder Ablativ

1. a) **in** (*mit Akk.*)

ö. in, nach (Frage: *wohin?*)	in patriam redīre	in die Heimatstadt zurück-kehren
z. auf, für	magistrātum in annum creāre	einen Beamten für/auf ein (ganzes) Jahr wählen
ü. gegen, gegenüber	in utramque partem disserere	nach beiden Seiten hin (das Für und Wider) erörtern
	pietās in deōs	Ehrfurcht gegenüber den Göttern
	in aliquem crūdēliter cōnsulere	gegen jemanden grausam vorgehen

   b) **in** (*mit Abl.*)

ö. in, an, auf (Frage: *wo?*)	in senātū dīcere	in/vor dem Senat eine Rede halten
z. in, während	in rēbus adversīs	im Unglück
	in vītā	während des Lebens
	saepe in diē	oft am Tag
ü. in, bei, trotz	in summā inopiā	in/trotz höchster Not
	in eō laudāre	in diesem Punkt loben

2. a) **sub** (*mit Akk.*)

ö. unter (Frage: *wohin?*), nahe an	sub montem venīre	an den Fuß des Berges kommen
z. gegen, kurz vor	sub noctem	kurz vor Einbruch der Nacht
ü. unter	sub iūdicium sapientis cadere	dem Urteil eines Weisen überlassen werden

   b) **sub** (*mit Abl.*)

ö. unter, unterhalb (Frage: *wo?*)	sub monte	am Fuß des Berges
z. während	sub Tiberiō Caesare	während der Regierung des Kaisers Tiberius
ü. unter	sub rēgnō alicu us	unter jemandes Herrschaft

4 Postpositionen beim Genitiv

causā / grātiā

ü. … halber,	honōris causā	ehrenhalber
um … willen,	amīcitiae causā	um der Freundschaft willen
wegen, um … zu	exemplī grātiā	um ein Beispiel zu nennen, zum Beispiel
	suī pūrgandī causā	um sich zu entschuldigen

NOMINALFORMEN ALS SATZGLIEDER

69   Begriff, Bestand und syntaktische Funktion der Nominalformen

1 Die Nominalformen des Verbs nehmen eine Mittelstellung zwischen Nomen und Verb ein. Sie sind vom Verb hergeleitet, werden aber wie ein Nomen dekliniert. Eine Nominalform des Verbs heißt auch verbum infinitum (↗ 7.3.2).

2 Im Lateinischen unterscheidet man **fünf Nominalformen** des Verbs:

Infinitiv	Partizip	Gerundium	Gerundivum	Supinum

3 Die Nominalformen sind Bauelemente des Satzes; sie erfüllen im Satz die syntaktische Funktion des Subjekts, Objekts, Adverbiales oder des Attributs, oder sie sind Teil des Prädikats (Prädikatsnomen).

4 Eine Nominalform stellt häufig eine satzwertige Konstruktion dar, d.h. sie enthält die Information eines möglichen eigenständigen Satzes.
Dieser ‚Satz‘ (z.B. ex Italia expulsus erat) ist gewissermaßen in das übergreifende Satzgerüst (z.B. Cicero … maestus erat) ‚eingebettet‘.

Cicerō   ex Italiā expulsus   maestus erat.
            ‚cum ex Italiā expulsus esset,
            ex Italiā expulsus erat; eā rē

70 Infinitiv

Wo findet man was?

SUBJEKT	OBJEKT		PRÄDIKAT PRÄDIKATSNOMEN – COPULA
1. DEORUM IUSSIS PARERE Subjektsinfinitiv ↗ 71			**DECET.**
2. AENEAS	**IUSSA DEORUM NEGLEGERE** Objektsinfinitiv ↗ 72		NOLUIT.
3. AENEAS	TROIANOS MULTOS LABORES	TOLERAVISSE TOLERARE TOLERATUROS ESSE	SCIEBAT.
	AcI: ↗ 73–78 Zeitverhältnis ↗ 78 Infinitivformen ↗ 78.1		
4. DIDO	**SE** AB AENEA	AMAT**AM ESSE** **AMARI** AMAT**UM IRI**	CREDEBAT.
	AcI: Reflexiv-Pronomen ↗ 76.2 Prädikatsnomen ↗ 76.1 Zeitverhältnis ↗ 78 Infinitivformen ↗ 78.1		
5. AENEAS MAESTUS FUISSE NcI ↗ 79			DICITUR.
6. VIVERE			**COGITARE** EST. Infinitiv als Prädi- katsnomen ↗ 37.2
7. (…) HOSTES	LAPIDES		**CONCURRERE,** **CONICERE.** historischer Infinitiv ↗ 37.1.2

Übersetzung:
1. Den Befehlen der Götter zu gehorchen gehört sich/Man soll … gehorchen.
2. Äneas wollte die Befehle der Götter nicht missachten.
3. Äneas wusste, dass die Trojaner (schon) viele Schwierigkeiten auf sich genommen hatten – (nach wie vor) auf sich nahmen – (auch in Zukunft) auf sich nehmen würden.
4. Dido glaubte, dass sie von Äneas geliebt worden sei – (nach wie vor) geliebt werde – (auch in Zukunft) geliebt werde.
5. Man sagt, dass Äneas traurig gewesen sei./Äneas soll traurig gewesen sein.
6. Leben bedeutet/heißt (so viel wie) denken.
7. (…) Die Feinde liefen zusammen und warfen Steine.

1 Die **verbale Natur** des Infinitivs zeigt sich
1. in seiner Verwendung im Aktiv und Passiv (z.B.: adiuvāre – adiuvārī),
2. in der Bildung von unterschiedlichen Formen zur Bezeichnung von Zeitverhältnissen (z.B.: adiūvisse – adiuvāre – adiūtūrum esse ↗ 78.1),
3. in der Beibehaltung der Valenz[1] des Verbs (z.B.: amīcōs adiuvāre),
4. in der näheren Bestimmung durch ein Adverb und/oder eine präpositionale Verbindung (z.B. dīligenter/cum dīligentiā amīcōs adiuvāre).

2 Die **nominale Natur** des Infinitivs zeigt sich
1. darin, dass er dekliniert werden kann (↗ 90.1),
2. darin, dass er verschiedene syntaktische Funktionen erfüllen kann.

71   Der Infinitiv als Subjekt

1 Der Infinitiv als Subjekt (**Subjektsinfinitiv**) begegnet am häufigsten nach **unpersönlichen Ausdrücken** wie:

placet	es gefällt; man beschließt	interest	es ist wichtig
licet	es ist erlaubt, möglich; man darf	necesse est	es ist notwendig
			(aber ↗ 116.2.1a)
oportet	es ist nötig, gehört sich	iuvat	es erfreut, macht Spaß
	(aber ↗ 116.2.1a)		
decet	es gehört sich, ziemt sich	praestat	es ist besser

Licet intrāre.   Es ist erlaubt einzutreten/Man darf eintreten.
Discere necesse est.   Lernen ist notwendig/Lernen tut not.

Im Satzmodell:

Subjekt   *Prädikat*

Discere ◄——► necesse est.

2 Der Infinitiv als Subjekt steht auch häufig nach einem Adjektiv oder Substantiv, das im Nominativ oder im Genitivus possessoris (↗ 63.1) steht, in Verbindung mit der Copula ESSE.

Victīs parcere hūmānum est.   Besiegte zu schonen ist menschlich.

Rem pūblicam bene regere   Den Staat gut zu lenken
  difficilis ars est.   ist eine schwierige Kunst.

Miserōs adiuvāre   Notleidende zu unterstützen
  hūmānitātis est.   zeugt von Menschlichkeit.

3 Wenn zu einem Subjektsinfinitiv ein Adjektiv, Substantiv oder Partizip als Prädikatsnomen oder Praedicativum treten, so stehen diese im Akkusativ.

Lacedaemone pulchrum erat   In Sparta war es rühmlich,
  (aliquem) fortem esse/   tapfer zu sein/
  laetum perīcula subīre (↗ 40.5)/   freudig Gefahren auf sich zu nehmen/
  patriam dēfendentem occidere.   bei der Verteidigung der Heimat zu fallen.

► Nach einem Dativ kann das Prädikatsnomen ebenfalls im Dativ stehen (Kasusangleichung); in der Regel ist dies beim Subjektsinfinitiv nach licet der Fall.

Cūr hīs nōn licet   Warum ist es diesen nicht erlaubt,
  līberīs/līberīs hominibus esse?   frei/freie Menschen zu sein?

---

[1]) Valenz: ‚Wertigkeit' eines Verbs (↗ 7.3.1).

72   **Der Infinitiv als Objekt**

1   Der Infinitiv als Objekt (**Objektsinfinitiv**) begegnet in der Regel nach folgenden Verben:

velle	wollen	statuere	
nōlle	nicht wollen	cōnstituere	beschließen
mālle	lieber wollen	dēcernere	
studēre	sich bemühen, streben, wollen	audēre	wagen
contendere	sich anstrengen	solēre	pflegen
cupere	wünschen	incipere	anfangen, beginnen
posse	können	dēsinere	aufhören
dēbēre	sollen, müssen	pergere	fortfahren, weitermachen
cōgitāre	denken, beabsichtigen	cōnārī	versuchen
dubitāre	zögern, Bedenken haben	verērī	sich scheuen
			(aber: ↗ 117.2)

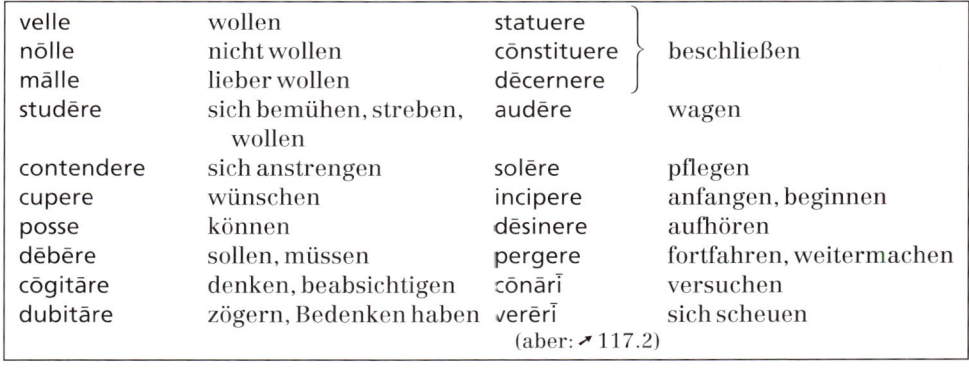

Im Satzmodell:

Subjekt — Cicero ⟷ statuit. *Prädikat*

... redire

Objekt

2   Der Objektsinfinitiv findet sich gelegentlich in einer Konstruktion mit doppeltem Akkusativ (↗ 46):

Amīcōs adiuvāre   Wir halten es für schön,
pulchrum putāmus.   Freunden zu helfen.

3   Wenn der Objektsinfinitiv eine Copula ist, dann steht das Prädikatsnomen, das sich auf das Subjekt des Satzes bezieht, im gleichen Kasus wie das Bezugswort (Subjekt), also im **Nominativ**.

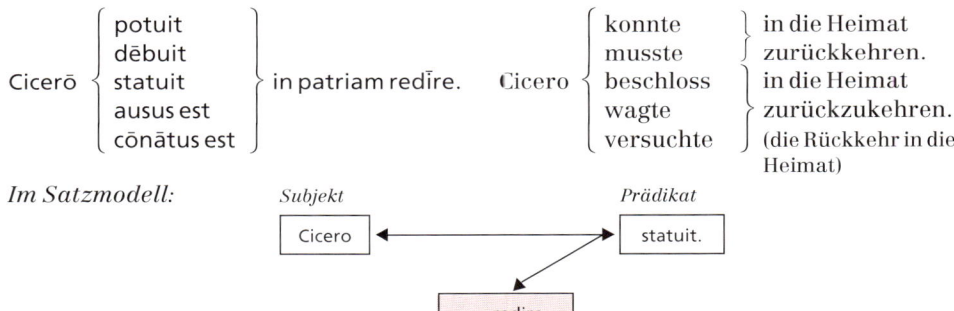

73   **Akkusativ mit Infinitiv (Accusativus cum Infinitivo: AcI)**

Der Akkusativ mit Infinitiv ist ein Bauelement eines Satzes, das auch im Deutschen im Anschluss an bestimmte Verben (z.B. hören, sehen, fühlen) vorkommt:

Ich sehe **ihn kommen**.
Der Vater ließ **die Kinder weggehen**.

Das Bauelement ‚Akkusativ mit Infinitiv' hat den Aussagewert eines eigenständigen Satzes, der aus Subjekt und Prädikat besteht. Dies wird deutlich, wenn man den Sachverhalt, den der Akkusativ mit Infinitiv enthält, folgendermaßen umschreibt:

Ich sehe, dass **er kommt**.

Der Vater ließ zu, dass **die Kinder weggingen**.

Für das Lateinische ist der AcI eine charakteristische Konstruktion.

74   Erscheinungsform des AcI

1 Konstruktion

Lāocoōn putābat.	Laokoon glaubte,
Trōiānōs in perīculō esse	dass die Trojaner in Gefahr seien.

Das Bauelement AcI 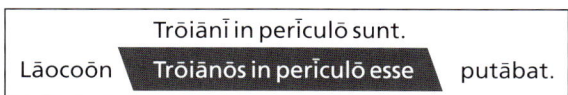 ist Bestandteil eines Satzes.

Es enthält ein ‚Subjekt' (im Akkusativ) und ein ‚Prädikat' (im Infinitiv).
Das Bauelement macht eine Aussage über einen Sachverhalt, die als eigenständiger Satz formuliert werden kann:

> Trōiānī in perīculō sunt.

Der AcI stellt also eine **satzwertige Konstruktion** dar, die in den übergreifenden Satz ‚eingebettet' ist.

> Trōiānī in perīculō sunt.
> Lāocoōn   Trōiānōs in perīculō esse   putābat.

2 Übersetzung

Die satzwertige Konstruktion AcI kann häufig mit einem Gliedsatz, der mit ‚dass' eingeleitet ist, übersetzt werden (weitere Möglichkeiten der Wiedergabe ↗ 77). Dabei gilt folgende Umbauregel:

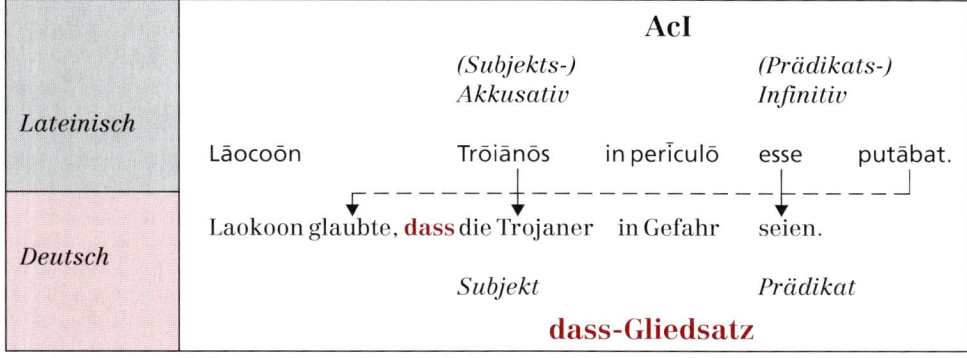

75 Anwendungsbereich des AcI

1 Der AcI enthält eine Aussage über eine Tatsache, eine Meinung oder ein Urteil. Dementsprechend steht er insbesondere bei bestimmten Verben:

1.1 Verben des Sagens und Mitteilens (verba dicendi)

dīcere	sagen	respondēre	antworten, erwidern
negāre	bestreiten; sagen, dass … nicht	docēre	lehren, unterrichten
		persuādēre	überzeugen
iubēre	befehlen, anordnen	(aber ↗ 117.1)	
nūntiāre	melden, mitteilen	contendere	behaupten
affirmāre	bestätigen, behaupten	(aber ↗ 117.1)	
iūrāre	schwören	fatērī	gestehen, behaupten
(m. Inf. Fut.)			

1.2 Verben des Wahrnehmens und Glaubens (verba sentiendi)

vidēre	sehen	cēnsēre	schätzen, meinen, der Ansicht sein
intellegere	erkennen, verstehen, einsehen	iūdicāre	urteilen
cognōscere	erkennen, bemerken	cōgitāre	denken
sentīre	empfinden, merken, meinen	meminisse	sich erinnern
audīre	hören	putāre	
scīre	wissen	exīstimāre	meinen, glauben
spērāre	hoffen	arbitrārī	
(m. Inf. Fut.)			

1.3 Verben der Gemütsbewegung (verba affectus); aber ↗ 116.1.1

dolēre	bedauern	indīgnārī	ungehalten sein, sich empören, entrüsten
gaudēre	sich freuen		
mīrārī	sich wundern	querī	klagen, sich beklagen

1.4 Verben des Wollens (verba voluntatis)

velle	wollen	mālle	lieber wollen
nōlle	nicht wollen	cupere	wünschen

Bei diesen Verben zeigt der AcI an, dass die Person, die etwas will, nicht identisch ist mit der Person, auf die sich der Wunsch bezieht.

1.5 Unpersönliche Ausdrücke

appāret	es ist offensichtlich	decet	es gehört sich, ziemt sich
cōnstat	es steht fest, ist bekannt	oportet	es ist nötig, gehört sich
necesse est	es ist notwendig	(aber ↗ 116.2.1a)	
(aber ↗ 116.2.1a)		fāma est/fert	es geht das Gerücht

1. Lāocoōn dīxit   Laokoon sagte,
   Graecōs hostibus   dass die Griechen ihren Feinden
   semper īnsidiās parāre.   immer eine Falle stellten.

2. Sed Priamus
    Trōiānōs in perīculō nōn esse
    arbitrābātur.

Aber Priamus glaubte,
    dass die Trojaner nicht in Gefahr seien.

3. Cassandra autem doluit
    nēminem Lāocoontī crēdere.

Kassandra jedoch litt darunter,
    dass niemand Laokoon glaubte.

4. Trōiānōs Sinōnī crēdere
    nōluit.

Dass die Trojaner Sino Glauben schenkten,
    wollte sie nicht.

5. Appāret
    Lāocoontem cēterīs Trōiānīs
    sapientiā praestitisse.

Es ist offensichtlich,
    dass Laokoon die anderen Trojaner
    an Einsicht übertraf.

2   Der AcI als Objekt oder Subjekt

Der AcI erfüllt je nach Art des Prädikats die **syntaktische Funktion** des **Objekts** (①) oder des **Subjekts** (②).

①   Trōiānī   sentiēbant.
      Graecōs in urbe esse

Die Trojaner merkten,
    dass Griechen in der Stadt waren.
    (die Anwesenheit der Griechen …)

②   Graecōs in urbe esse   nūntiātum est.

                Priamō

Dass Griechen in der Stadt waren,
    (Die Anwesenheit der Griechen …)
    wurde dem Priamus gemeldet.

Im Satzmodell:

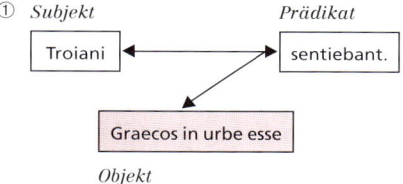 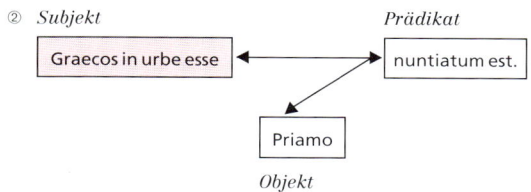

76   ,Prädikatsnomen' im AcI und Pronomina der 3. Person im AcI

1   ,Prädikatsnomen' im AcI

Besteht das ,Prädikat' des AcI aus der Copula ESSE und einem adjektivischen Prädikatsnomen (➚ 40.5), dann richtet sich dieses in Kasus, Numerus und Genus (Kongruenz) nach dem ,Subjekt' des AcI.

Trōiānī
   equ**um** līgneum pulcherrim**um** esse
putant.
	Die Trojaner sind der Ansicht,
	   dass das hölzerne Pferd sehr schön sei.

Graecī
   fraud**em** Ulixis dētēct**am** nōn esse
gaudent.
	Die Griechen freuen sich,
	   dass die List des Odysseus nicht entdeckt
	wurde.

2 Pronomina der 3. Person im AcI

Lāocoōn sōlus inter Trōiānōs prūdentiam Ulixis timēbat.	Unter den Trojanern fürchtete allein Laokoon die Gerissenheit des Odysseus.
① Lāocoōn EUM cum dolō EĪS īnsidiās parāre sciēbat.	Laokoon wusste, dass **er ihnen** listig eine Falle stellte.
② Itaque Lāocoōn SĒ et cīvēs SUŌS in perīculō esse putābat.	Deshalb glaubte Laokoon, dass **er** und **seine** Mitbürger in Gefahr seien.
Valdē dolēbat	Er litt sehr darunter,
Trōiānōs SĒ nōn audīre.	dass die Trojaner nicht auf **ihn** hörten.
③ Nam prō certō habēbat	Er sah es nämlich als sicher an,
Trōiānōs SĒ et oppidum SUUM dēfendere nōn posse.	dass die Trojaner **sich** und **ihre** Stadt nicht verteidigen könnten.

① Das **nicht-reflexive Personal-Pronomen** der 3. Person IS, EA, ID weist auf ein Nomen im vorausgehenden Satz hin: EUM → Ulixēs; EĪS → Trōiānī.

② Die **reflexiven Pronomina** SĒ, SIBĪ (personal) und SUUS, SUA, SUUM (possessiv) beziehen sich in der Regel auf das Subjekt des Satzes, in das der AcI eingebettet ist.

③ Die **reflexiven Pronomina** können sich auch auf das ‚Subjekt‘ des AcI beziehen.

Beachte:

Das Reflexiv-Pronomen SĒ kann sein:	Im Deutschen entspricht eine Wiedergabe mit:
– ‚Subjekt‘ des AcI	Personal-Pronomen im Nominativ (er, sie, es; sie)
– Objekt im AcI mit Bezug auf das Subjekt des Satzes	Personal-Pronomen im Akkusativ (ihn, sie, es; sie)
– Objekt im AcI mit Bezug auf das ‚Subjekt‘ des AcI	Reflexiv-Pronomen (sich)

Beachte:
Das Reflexiv-Pronomen SĒ kann alle Genera in Singular und Plural ausdrücken. Vgl. folgende Übersicht:

Amīcus	SE	content**um** esse dīcit.
Amīca		content**am** esse dīcit.
Amīcī		content**ōs** esse dīcunt.
Amīcae		content**ās** esse dīcunt.

77 ## Verschiedene Möglichkeiten der Wiedergabe des AcI

Der AcI lässt sich im Deutschen wiedergeben:

> ① mit einem **Gliedsatz**, der mit ‚**dass**‘ eingeleitet ist,
> ② mit einem **verkürzten Gliedsatz** (abhängige Rede),
> ③ mit einem **Hauptsatz**; dabei wird das Prädikat, von dem der AcI abhängt,
>   zu einer **präpositionalen Verbindung** oder
>   zu einem **Einschub** (Parenthese: „so", „wie"),
> ④ mit einem **Infinitiv**, wenn das ‚Subjekt‘ des AcI (sē)
>   mit dem Subjekt des Satzes übereinstimmt,
> ⑤ mit einem **Hauptsatz**; dabei wird der unpersönliche Ausdruck, von dem der AcI
>   abhängt, zu einem **Adverb**.

Lāocoōn putābat	① Laokoon glaubte, dass die Trojaner in Gefahr seien.
Trōiānōs in perīculō esse.	② Laokoon glaubte, die Trojaner seien in Gefahr.
	③ Nach Meinung des Laokoon waren die Trojaner in Gefahr.
	Die Trojaner waren, so glaubte Laokoon (wie L. glaubte), in Gefahr.
Trōiānī putābant	④ Die Trojaner glaubten, nicht in Gefahr zu sein.
sē in perīculō nōn esse.	
Appāret autem	⑤ Offensichtlich waren sie (aber) doch in Gefahr.
eōs in perīculō fuisse.	

78 ## Zeitverhältnisse im AcI

Zwischen dem Vorgang des AcI und dem Vorgang des Satzes, in den der AcI eingebettet ist, kann es **drei verschiedene Zeitverhältnisse** geben:

Gleichzeitigkeit (GZ): Vorgang des AcI und Vorgang des Satzes verlaufen zeitgleich.
Vorzeitigkeit (VZ): Vorgang des AcI ist schon vor dem Vorgang des Satzes abgeschlossen.
Nachzeitigkeit (NZ): Vorgang des AcI setzt erst nach dem Vorgang des Satzes ein.

1 Diese drei Zeitverhältnisse sind durch unterschiedliche Formen des Infinitivs ausgedrückt.

Der Infinitiv der	Infinitiv				
Gleichzeitigkeit wird gebildet vom Präsens-Stamm:	**Präsens Aktiv:** vocā-*re* **Präsens Passiv:** vocā-*rī*	docē-*re* docē-*rī*	audī-*re* audī-*rī*	dīc-e-*re* dīc-*ī*	es-*se*
Vorzeitigkeit wird gebildet vom Perfekt-Aktiv-Stamm: Partizip-Perfekt-Passiv-Stamm:	**Perfekt Aktiv:** vocāv-*isse* **Perfekt Passiv:** vocā-*tum*	docu-*isse* doc-*tum*	audīv-*isse* audī-*tum*	dīx-*isse* dic-*tum*	fu-*isse*
	-*tam*, -*tum*, -*tōs*, -*tās*, -*ta* **esse**				
Nachzeitigkeit wird gebildet mit dem Partizip Futur Aktiv und dem Infinitiv ESSE:	**Futur Aktiv:** vocā-*tūrum*	doc-*tūrum*	audī-*tūrum*	dīc-*tūrum*	fu-*tūrum* (fore)
	-*tūram*, -*tūrum*, -*tūrōs*, -*tūrās*, -*tūra* **esse**				
mit dem Supinum auf -um und dem Infinitiv īrī:	**Futur Passiv:** vocā-*tum*	doc-*tum*	audī-*tum*	dīc-*tum*	
	īrī				

2 Die unterschiedlichen Formen des Infinitivs dienen zur Bezeichnung des Zeitverhältnisses und werden deshalb unabhängig von der Zeitstufe verwendet, auf der der Vorgang des Satzes abläuft.

Zeitverhältnis	Form des Infinitivs
gleichzeitig	① Präsens Aktiv/Passiv
vorzeitig	② Perfekt Aktiv/Passiv
nachzeitig	③ Futur Aktiv/Passiv

Dīdō putābat Aenēam sē   Dido glaubte, dass Äneas sie
① valdē **amāre**.   sehr **liebe**.
② ex animō **amāvisse**.   von Herzen **geliebt habe**.
③ in aeternum **amātūrum esse**.   auf ewig **lieben werde**.

3 Beachte:
3.1 Die Copula ESSE kann beim Infinitiv Perfekt Passiv und – sehr häufig – beim Infinitiv Futur Aktiv fehlen.

Cīvitātēs sē obsidēs datūrās et   Die Stämme versprechen Geiseln zu stellen
     imperāta factūrās pollicentur.   und die Befehle auszuführen.

3.2 Der Infinitiv Futur der Copula ESSE lautet statt futūrum, -am, um, -ōs, -ās, -a esse auch fore (unveränderlich).

Caesar ea fore suspicātus erat.   Cäsar hatte vermutet, dass dies geschehen werde.

79   Nominativ mit Infinitiv (Nominativus cum Infinitivo: NcI)

1 Erscheinungsform des NcI

1.1 Konstruktion

Graecī diū errāvisse dīcuntur.   Man sagt/Es wird gesagt,
                             dass die Griechen lange umhergeirrt seien/sind.

Bei dieser Infinitiv-Konstruktion ist das Subjekt des Satzes zugleich ‚Subjekt' des Infinitivs. Dieses ‚Subjekt' bildet zusammen mit dem Infinitiv eine in sich geschlossene Einheit. Sie macht eine Aussage, die als selbstständiger Satz formuliert werden kann:
Graecī diū errāvērunt.
Die Verbindung eines Nominativs mit einem Infinitiv (NcI) ist **demnach satzwertig**.

1.2 Übersetzung

Die satzwertige Konstruktion NcI kann mit einem Gliedsatz übersetzt werden, der mit ‚dass' eingeleitet ist; dabei wird das Prädikat unpersönlich (man, es) ausgedrückt (andere Möglichkeiten der Wiedergabe ↗ 79.3).
Es gilt folgende Umbauregel:

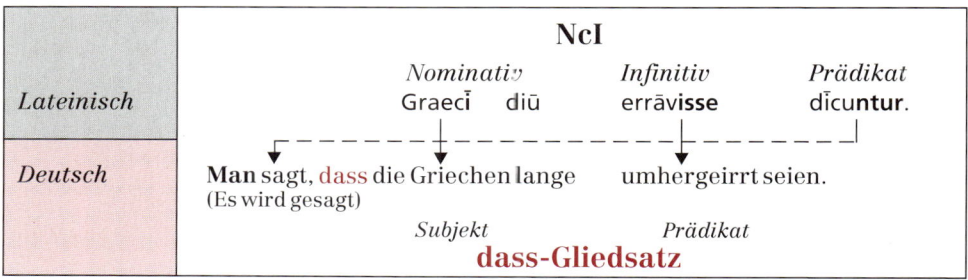

	NcI		
Lateinisch	*Nominativ* Graecī diū	*Infinitiv* errāvisse	*Prädikat* dīcuntur.
Deutsch	**Man** sagt, dass die Griechen lange (Es wird gesagt)	umhergeirrt seien.	
	Subjekt	*Prädikat*	
	dass-Gliedsatz		

1.3 ‚Prädikatsnomen' im NcI

Besteht in der Konstruktion des NcI der Infinitiv aus der Copula ESSE und einem adjektivischen ‚Prädikatsnomen', so richtet sich das ‚Prädikatsnomen' in Kasus, Numerus und Genus (Kongruenz) nach dem Subjekt (①). Die Kongruenzregel gilt auch für das Praedicativum (②).

① Germānī līberī *esse*   Man sagt,
   dīcuntur.   dass die Germanen unabhängig sind.
② Germānī laetī in proelium *īsse*   Man glaubt,
   putantur.   dass die Germanen freudig
                       in den Kampf gezogen sind.

2 Anwendungsbereich

2.1

Der NcI tritt nur bei den **Passivformen** bestimmter Verben meist nur in der 3. Person auf, z.B.

vidērī	man sieht,		dīcī	man sagt,	
iubērī	man befiehlt,	} dass	putārī	man glaubt,	} dass
vetārī	man verbietet,				

trādī	man überliefert,	
ferrī	man berichtet,	} dass

2.2 Funktion

Der NcI erfüllt im Satz die **syntaktische Funktion des Subjekts**.
Homē**rus** cae**cus** *fuisse* dīcitur.   Man sagt, dass Homer blind gewesen sei.

Im Satzmodell: *Subjekt*   *Prädikat*

3 Verschiedene Möglichkeiten der Wiedergabe

Der NcI lässt sich im Deutschen wiedergeben:

> ① mit einem **Gliedsatz**, der mit ‚**dass**' eingeleitet ist,
> ② mit einem **verkürzten Gliedsatz**,
> ③ bei manchen Verben mit einer **persönlichen Konstruktion** und einem entsprechenden Modaladverb bzw. einem Adverbiale,
> ④ bei dīcī auch mit dem **Modalverb ‚sollen'**,
> ⑤ bei iubēre, vetāre u.ä. mit einem **Infinitivsatz.**

Dīcor bene cantāvisse.	① Man sagt/Es heißt, dass ich schön gesungen habe/hätte.
	② Man sagt, ich hätte schön gesungen.
	③ Angeblich habe ich schön gesungen.
	④ Ich soll schön gesungen haben.
Bene cantāvisse vidēris.	③ Du scheinst schön gesungen zu haben./ Anscheinend hast du schön gesungen.
Gallī nāvēs mittere iussī sunt.	⑤ Die Gallier wurden beauftragt Schiffe zu schicken./ Den Galliern wurde befohlen Schiffe zu schicken.
Nāvēs mittī iussae sunt.	Man befahl Schiffe zu schicken.

4 Zeitverhältnisse

Die Zeitverhältnisse im NcI werden – wie beim AcI (↗ 78) – durch die unterschiedlichen Formen des Infinitivs ausgedrückt:

VZ		petī**visse**		Man glaubte,	angestrebt habe.
GZ	Caesar rēgnum	pete**re**	putābā̆tur.	dass Cäsar die	anstrebe.
NZ		petī**ūrus esse**		Königsherrschaft	anstreben werde.

80　Partizip

Wo findet man was?

SUBJEKT	OBJEKT	ATTRIBUT	ADVERBIALE	PRÄDIKAT	
				PRÄDIKATSNOMEN	COPULA
1. IUPPITER	AENEAM	AMA**NTEM** Partizip als Attribut ↗ 81.2	A DIDONE	AVOCAVIT.	
2. IUPPITER	AMA**NTEM** substantiviertes Partizip ↗ 81.1.2		A DIDONE	AVOCAVIT.	
3. AENEAS				AMA**NS** PATRIAE Partizip als Prädikats- nomen ↗ 81.3	ERAT.
4. AENEAS	DIDONEM		IOVE IMPERA**NTE** AMORE OPPRES**SO** IOVE AUCTORE Ablativus absolutus ↗ 86–88 Nominale Wendung im Ablativ ↗ 86.1.2	RELIQUIT.	
5. AENEAS	TURNUM		HUMI IACE**NTEM** SUBIECT**UM** Participium coniunctum ↗ 83–85	INTERFECIT.	

Übersetzung:
1. Jupiter rief den liebenden/verliebten Äneas/Äneas, der verliebt war, von Dido weg.
2. Jupiter rief den Liebenden/Verliebten von Dido weg.
3. Äneas (war vaterlandsliebend) liebte seine Heimat.
4. Äneas verließ Dido, weil Jupiter es befahl/auf Jupiters Befehl hin/auf Veranlassung Jupiters/nachdem er seine Liebe (zu Dido) unterdrückt hatte.
5. Äneas hat Turnus, als dieser auf dem Boden lag/nachdem er ihn niedergeworfen hatte, getötet.

1 Das **Partizip** ist ein von einem **Verb abgeleitetes Adjektiv** (Verbaladjektiv).

Seine **nominale Natur** zeigt sich darin,
1. dass es dekliniert wird,
2. dass es mit einem Bezugswort in Kasus, Numerus und Genus übereinstimmt (KNG-Kongruenz),
3. dass es verschiedene syntaktische Funktionen erfüllen kann.

Seine **verbale Natur** zeigt sich
1. in seiner Verwendung im Aktiv und Passiv,
2. in der Bildung von unterschiedlichen Formen zur Bezeichnung von Zeitverhältnissen,
3. in der Beibehaltung der Valenz[1] des Verbs,
4. in der näheren Bestimmung durch ein Adverb und/oder eine präpositionale Verbindung.

2 Die drei Formen des Partizips geben jeweils das Zeitverhältnis an, das zwischen dem im Partizip ausgedrückten Vorgang und dem Prädikatsvorgang herrscht.

Dabei erfasst – ähnlich wie die Formen des Infinitivs in AcI (↗ 78) und NcI (↗ 79) –
das **Partizip Perfekt** (↗ 12) die **Vorzeitigkeit**,
das **Partizip Präsens** (↗ 12) die **Gleichzeitigkeit**,
das **Partizip Futur** (↗ 12) die **Nachzeitigkeit**.

3 Die drei Zeitverhältnisse werden durch folgende Formen des Partizips ausgedrückt:

	vorzeitig	gleichzeitig	nachzeitig
Aktiv (Deponens)	– locūtus	dīcēns loquēns	dictūrus locūtūrus
Passiv	dictus	–	–

4 Das **Partizip** kann im Lateinischen alle syntaktischen Funktionen (mit Ausnahme der des Prädikats) erfüllen; es erfüllt aber vorrangig **die syntaktische Funktion des Adverbiales** (↗ 82).

81 Das Partizip als Attribut, Prädikatsnomen, Subjekt, Objekt

1 Erscheinungsformen

Außer als Verbaladjektiv (↗ 80.1) tritt das Partizip auch als Adjektiv oder Substantiv auf.

1.1 Einige Partizipien sind wie ‚echte' Adjektive verwendet und entsprechen einem deutschen Adjektiv, das meist eine dauernde Eigenschaft ausdrückt.

dīligēns	sorgfältig, gewissenhaft	(dīligere)	dēsertus	verlassen	(dēserere)
absēns	abwesend	(abesse)	futūrus	zukünftig	(esse)
neglegēns	nachlässig	(neglegere)			

1.2 Zuweilen tritt das Partizip als selbstständiges Substantiv auf. Es wird mit einem substantivierten Partizip oder einem Substantiv wiedergegeben.

amāns	der/die Liebende	scrīpta	die Schriftstücke
mortuus	der Tote	iussum	der Befehl
moritūrus	der Todgeweihte	futūrum	die Zukunft
doctī	die Gelehrten	futūra	

---

[1] Valenz: ‚Wertigkeit' des Verbs (↗ 35.3)

2 Das Partizip als Attribut

2.1 Das Partizip ist häufig einem Nomen ‚beigefügt' und stimmt mit diesem in Kasus, Numerus und Genus überein. Das Partizip als Attribut kann durch eine oder mehrere Angaben erweitert sein.

Es kann mit einem deutschen Partizip wiedergegeben werden, meist aber bietet sich die Wiedergabe mit einem Relativsatz an.

Puerī ā rēge Amuliō **expositī** fuērunt fīliī Rheae Silviae.	Die Jungen, **die** von König Amulius **ausgesetzt worden waren**, waren die Söhne der Rea Silvia.
Lupa puerōs **expositōs** servāvit.	Eine Wölfin hat die **ausgesetzten** Jungen gerettet.

2.2 Das Partizip Perfekt Passiv in der Funktion des Attributs kann gelegentlich mit einem Verbalsubstantiv wiedergegeben werden.

nūntius Siciliae āmissae	die Nachricht vom **Verlust** Siziliens
Caesar occīsus multīs pulcherrimum facinus vidēbātur.	Die **Ermordung** Cäsars erschien vielen als eine herrliche Tat.
Cicerō **cōnservātae** patriae pretium calamitātem fugae sustinuit.	Cicero hat als ‚Lohn' für die **Rettung** des Vaterlandes das Unglück der Verbannung hinnehmen müssen.

2.3 Auch die Partizipien, die zu einem ‚echten' Adjektiv geworden sind (↗ 81.1.1), können die Funktion des Attributs erfüllen.

pu**er** dīlig**ēns**	ein gewissenhafter Junge
Rēs futūr**ās** nōn prōvidēmus.	Die zukünftigen Ereignisse können wir nicht voraussehen.

Die Erweiterung solcher Partizipien des Präsens steht in der Regel im Genitivus obiectivus (↗ 63.4).

puer officiī neglegēns	ein pflichtvergessener Junge

2.4 Auch die substantivierten Partizipien (↗ 81.1.2) können die Funktion des Attributs erfüllen.

Iacet corpus **dormientis** ut **mortuī**.	Es liegt der Leib **des Schlafenden** da wie der **eines Toten**.

3 Das Partizip als Prädikatsnomen

3.1 Das Partizip Perfekt Passiv als Prädikatsnomen (↗ 37.2) bildet zusammen mit den Formen der Copula ESSE die Passivformen des Perfekts, Plusquamperfekts und Futur II (↗ 9.2.3).

Puerī ā rēge Amuliō **expositī** sunt.	Die Jungen sind vom König Amulius **ausgesetzt** worden.

3.2 Das Partizip Futur Aktiv drückt als Prädikatsnomen (↗ 37.2) zusammen mit den Formen der Copula ESSE eine bevorstehende oder beabsichtigte Handlung aus (umschreibendes Futur ↗ 37.2).

Bellum **scrīptūrus sum**, quod populus Rōmānus cum Iugurthā gessit.	**Ich werde/will** den Krieg **beschreiben**, den das römische Volk mit Jugurtha geführt hat.

3.3 Die Partizipien, die zu einem ‚echten' Adjektiv geworden sind (↗ 81.1.1), können die Funktion des Prädikatsnomens erfüllen.

Multī hominēs **dīligentēs**, nōnnūllī **labōris fugientēs**, paucī **officiī neglegentēs** sunt.	Viele Menschen sind **gewissenhaft**, einige sind **arbeitsscheu**, wenige **pflichtvergessen**.

4 Das Partizip als Subjekt

Die substantivierten Partizipien (↗ 81.1.2) können die Funktion des Subjekts erfüllen.

Avē, Caesar, **moritūrī** tē salūtant.   Sei gegrüßt, Cäsar, **die Todgeweihten** grüßen dich.

5 Das Partizip als Objekt

Die substantivierten Partizipien (↗ 81.1.2) können die Funktion des Objekts erfüllen.

Aenēās **iussa** deōrum sequitur.   Äneas folgt **den Befehlen** der Götter.

82   Das Partizip als Adverbiale

Das Partizip in der **syntaktischen Funktion** des **Adverbiales** (↗ 40.3.1) begegnet in folgenden Erscheinungsformen:
1. als Participium coniunctum (PC),
2. als Ablativus absolutus (Abl. abs.).

83   Participium coniunctum: Erscheinungsform, Beziehung und syntaktische Funktion

1 Erscheinungsform

Als **Participium coniunctum** drückt das Partizip einen näheren Umstand zum Prädikatsvorgang aus.

Scīpiō in Āfricam **missus**   Carthāginem oppūgnāvit.   Als Scipio nach Afrika geschickt worden war, belagerte er Karthago.

Dieser Umstand könnte auch mit einem Gliedsatz formuliert werden:

Scīpiō	in Āfricam missus ,cum in Āfricam missus esset,	Carthāginem oppūgnāvit.

Die Konstruktion des Participium coniunctum ist demnach **satzwertig** und lässt sich deshalb im Deutschen stets mit einem konjunktionalen Gliedsatz wiedergeben.

2 Beziehung

Als Participium coniunctum bezieht sich das Partizip in der Regel auf das Subjekt des Satzes, auf ein Objekt oder ein Attribut (im Genitiv) und ist mit diesem Satzglied oder Satzgliedteil durch Kasus-, Numerus- und Genuskongruenz (↗ 24.1; 40.5) ‚verbunden‘[1].

2.1 Nominativ

Scīpiō	Scipio belagerte,
ā senātū	als er vom Senat
in Āfricam **missus**	nach Afrika geschickt worden war,
Carthāginem oppūgnāvit.	Karthago.

2.2 Genitiv

Scīpiōnis	
in Āfricam **missī**	Als Scipio nach Afrika geschickt worden war,
cīvēs domī semper meminerant.	dachten die Bürger zu Hause ständig an ihn.

2.3 Dativ

Carthāginiēnsēs	Die Karthager waren dem Scipio,
Scīpiōnī	als er vom Senat nach Afrika
ā senātū in Āfricam **missō**	geschickt worden war,
pūgnā pares nōn erant.	im Kampf nicht gewachsen.

2.4 Akkusativ

Carthāginiēnsēs	Die Karthager konnten
Scīpiōnem ā senātū	Scipio, als er vom Senat
in Āfricam **missum**	nach Afrika geschickt worden war,
ab urbe arcēre nōn potuērunt.	nicht von der Stadt abhalten.

2.5 Ablativ

Scīpiōne	Als Scipio
ā senātū in Āfricam **missō**	vom Senat nach Afrika geschickt worden war,
Rōmae omnēs contentī erant.	waren in Rom alle mit ihm zufrieden.

---

[1] < con-iungere (verbinden)

3 Syntaktische Funktion

3.1 Das Participium coniunctum erfüllt als satzwertige Konstruktion die **syntaktische Funktion des Adverbiales** (↗ 40.3.1).

Carthāginiēnsēs	Die Karthager versuchten
Scīpiōnī in Āfricam missō	Scipio, als er nach Afrika geschickt worden war,
resistēbant.	Widerstand zu leisten.

Im Satzmodell:

3.2 In Verbindung mit einigen Verben **ergänzt** das Partizip den Inhalt des **Prädikatsvorgangs**. Es erfüllt die Funktion des Adverbiales in Form des **Praedicativums** (↗ 40.5).

a) In Verbindung mit Verben der Wahrnehmung (bes. audīre, vidēre) betont das Partizip Präsens, dass die Wahrnehmung unmittelbar sinnlich stattfindet. Diese Konstruktion wird auch *Akkusativ mit Partizip (Accusativus cum Participio: AcP)* genannt.

Dīc, hospes, Spartae	Sage, Fremder, in Sparta,
nōs tē hīc *vidisse* **iacentēs**!	du habest uns hier liegen sehen!

b) In Verbindung mit dem Verb facere (in der Bedeutung ‚lassen') erfasst das Partizip Präsens eine Handlung, die ein Autor eine Person (z.B. in einem Dialog oder einem Bühnenstück) ausführen lässt.

Xenophōn *facit*	Xenophon lässt Sokrates
Sōcratem dē rēbus hūmānīs	über die Probleme der Menschen
disputantem.	diskutieren.

c) In Verbindung mit den Verben habēre, tenēre, iacēre, haerēre verstärkt das Partizip den Prädikatsinhalt oder gibt einen dauerhaften Zustand an.

Hanc **rem**	Diese Sache
compertam/cognitam *habeō*.	habe ich erfahren/voll erkannt.
Post illud bellum atrōx	Nach jenem schrecklichen Krieg
multa **oppida vāstāta** *iacēbant*.	lagen viele Städte zerstört da.

84   Participium coniunctum: Zeitverhältnisse

1 Beim Participium coniunctum wird ein **dreifaches Zeitverhältnis** (↗ 80.2) unterschieden:

1.1 Das Partizip **Perfekt** drückt die **Vorzeitigkeit** aus:

Servus	fūgit.	Weil der Sklave vom Herrn geschlagen worden war, lief er weg.
ā dominō caesus	fugit.	Weil der Sklave vom Herrn geschlagen worden ist, läuft er weg.
	fugiet.	Wenn der Sklave vom Herrn geschlagen (worden sein) wird, wird er weglaufen.

1.2 Das Partizip **Präsens** drückt die **Gleichzeitigkeit** aus:

Valdē dolēns	adhibuī.	Als ich starke Schmerzen hatte, ließ ich den Arzt kommen.
	adhibeō.	Weil ich starke Schmerzen habe, lasse ich den Arzt kommen.
medicum	adhibēbō.	Wenn/Falls ich starke Schmerzen habe, lasse ich den Arzt kommen. (werde ich den Arzt kommen lassen.)

1.3 Das Partizip **Futur** drückt die **Nachzeitigkeit** aus:

Vēnit		Er kam, da er mir helfen wollte/	
Venit	mē adiūtūrus.	Er kommt, da er mir helfen will/	um mir zu helfen.
Veniet		Er wird kommen, da er mir helfen will/	

Das Partizip **Futur** bezeichnet demnach etwas,
– was man im Begriff ist zu tun,
– was man beabsichtigt/wozu man entschlossen ist/was man tun will.

2 Das **Partizip Perfekt** einiger Deponentien und Semideponentien drückt oft die **Gleichzeitigkeit** aus. Häufig treten auf:

arbitrātus, ratus	‚glaubend‘; in der Meinung
veritus	‚fürchtend‘; aus Angst
ūsus	‚gebrauchend‘; mit Hilfe von
confīsus	‚vertrauend‘; im Vertrauen auf

| Dolum veritus Lāocoōn Trōiānōs monuit, nē equum līgneum in urbem traherent. | Aus Angst vor einer List warnte Laokoon die Trojaner davor, das hölzerne Pferd in die Stadt zu ziehen. |

3 Wie das Participium coniunctum kann auch eine **nominale Wendung** (Substantiv oder Adjektiv) die syntaktische Funktion des Adverbiales, und zwar in der Form des **Praedicativums** (↗ 40.5), übernehmen.
Der in der nominalen Wendung ausgedrückte Vorgang ist zum Vorgang des Satzes immer **gleichzeitig**.

| Hamilcar Hannibalem **iam puerum** | Hamilcar nahm Hannibal schon als Jungen/ schon in dessen Kindheit/ als dieser noch ein Junge war, |
| sēcum in Hispāniam dūxit. | nach Spanien mit. |

85   Participium coniunctum: Sinnrichtungen und Wiedergabe

1 Die Sinnrichtungen des Participium coniunctum

Das Partizip in der Funktion des Adverbiales kann unterschiedliche Umstandsbestimmungen zum Prädikatsvorgang angeben.
Die Sinnrichtung **(semantische Funktion)** dieser Umstandsbestimmung durch ein Partizip kann nur aus dem Textzusammenhang erfasst werden.

1.1 temporal

Rōmānī	**Nachdem** die Römer
ad Cannās **victī**	bei Cannae **besiegt worden waren**,
Hannibalem Rōmam petītūrum	glaubten sie, dass Hannibal Rom angreifen werde.
putābant.	

1.2 kausal

Hannibal	Hannibal verließ Italien,
ā suīs in patriam **revocātus**	**weil** er von den Seinen in die Heimat
Italiam relīquit.	**zurückgerufen worden war**.

1.3 modal

Scīpiō	Scipio segelte nach Afrika,
iuvenēs fortēs sēcum **dūcēns**	**wobei** er tapfere junge Leute mit sich **führte**.
in Āfricam nāvigāvit.	

1.4 konzessiv

Rōmānī	Die Römer hörten nicht auf Hannibal zu fürchten,
Hannibalem ā Scīpiōne **superātum**	**obwohl** er von Scipio **besiegt worden war**.
(tamen) timēre nōn dēsiērunt.	

1.5 kondizional

Senātōrēs:	*Die Senatoren erklärten:*
„**Hannibal**	„**Wenn/Falls Hannibal** mit neuen Truppen
cum novīs cōpiīs in Italiam **rediēns**	nach Italien **zurückkehrt**, wird er uns in höchste
nōs in summum perīculum vocābit.“	Gefahr bringen.“

1.6 final (nur beim Partizip Futur)

| Carthāginiēnsium **lēgātī** Rōmam | Gesandte der Karthager kamen nach Rom |
| vēnērunt pācem **petītūrī**. | **um** Frieden **zu erbitten**. |

2 Möglichkeiten der Wiedergabe des Participium coniunctum

2.1 Das Participium coniunctum lässt sich im Deutschen wiedergeben:

> ① mit einem **satzwertigen Partizip**,
> ② mit einem **konjunktionalen Gliedsatz**,
> ③ durch **Beiordnung**,
> ④ durch eine **präpositionale Verbindung**.

Rōmānī ad Cannās **victī** Hannibalem Rōmam petītūrum (esse) putābant.

① Bei Cannae **besiegt**, glaubten die Römer, dass Hannibal Rom angreifen werde.
② **Nachdem** die Römer bei Cannae **besiegt worden waren**, glaubten sie, Hannibal werde Rom angreifen.
③ Die Römer **waren** bei Cannae **besiegt worden**; **daher/daraufhin** glaubten sie, dass Hannibal Rom angreifen werde.
④ **Nach ihrer Niederlage** bei Cannae glaubten die Römer, dass Hannibal Rom angreifen werde.

2.2 Die im Participium coniunctum enthaltene Sinnrichtung wird bei den Übersetzungs-möglichkeiten ②, ③ und ④ wiedergegeben

② durch eine **unterordnende Konjunktion**,
③ durch eine **beiordnende Konjunktion** (und, aber) **zusammen mit einem Adverb** oder nur **durch ein Adverb** (ohne beiordnende Konjunktion),
④ durch eine **Präposition**.

Die Möglichkeiten der Wiedergabe ②, ③ und ④ sind in der folgenden Tabelle zusammengestellt:

Sinnrichtung	Übersetzungsmöglichkeiten		
	mit konjunktionalem Gliedsatz	durch Beiordnung	durch präpositionale Verbindung
temporal gleichzeitig	während, wenn, als, wobei	(und) dabei, währenddessen	während, bei
vorzeitig	nachdem, als; sobald	(und) danach, daraufhin	nach
kausal	weil, da	(und) deshalb, (und) daher	wegen, infolge, aufgrund
modal	wobei, indem, dadurch dass, ohne dass *(negiert)*[1]	(und) dabei, (und) dadurch	bei, durch, ohne
konzessiv	obwohl, auch wenn	(und) trotzdem, (und) dennoch	trotz
kondizional	wenn, falls	–	im Falle
final	damit weil (… wollen)[2]	–	um … willen

86 Ablativus absolutus: Erscheinungsform, syntaktische Funktion, Übersetzung

1 Erscheinungsform

Beim **Ablativus absolutus**[3] handelt es sich um eine für die lateinische Sprache charakteristische Konstruktion.

---

[1] Bei negierter Aussage kann die modale Sinnrichtung auch durch erweiterten Infinitiv (‚ohne … zu‘) wiedergegeben werden.
[2] Bei gleichem Subjekt kann das Partizip Futur mit finaler Sinnrichtung auch durch erweiterten Infinitiv (‚um … zu‘) wiedergegeben werden.
[3] Der Ablativus absolutus wird auch ‚Ablativ mit Partizip‘ (AmP) genannt.

1.1 Der Ablativus absolutus besteht aus einem **Nomen im Ablativ** und einem **Partizip im Ablativ**; er gibt einen näheren Umstand zum Prädikatsvorgang an.

Nerōne imperante ①	**Als** Nero **herrschte,**
multĭ Chrĭstiānĭ	wurden viele Christen,
urbe ĭgne **dēlētā** ②	**weil** die Stadt durch einen Brand **zerstört worden war,**
necātĭ sunt.	getötet.

Dieser Umstand könnte jeweils auch in einem Gliedsatz formuliert werden:

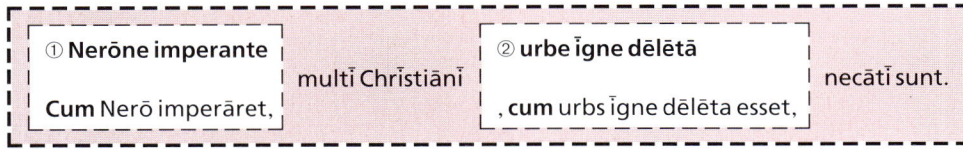

Die **Konstruktion des Ablativus absolutus** ist demnach **satzwertig** und lässt sich im Deutschen stets mit einem konjunktionalen Gliedsatz wiedergeben.

1.2 Ähnlich wie ein Ablativus absolutus wird auch eine **nominale Wendung**, die aus zwei Nomina (Pronomen/Substantiv und Substantiv/Adjektiv) im Ablativ besteht, verwendet (häufig auftretende nominale Wendungen ➚ 88.2.3).

Nerōne imperātōre	**Als Nero Kaiser war,**
multĭ Chrĭstiānĭ necātĭ sunt.	wurden viele Christen getötet.

2 Syntaktische Funktion

Das Partizip Präsens Aktiv *imperante* ① bezieht sich auf den Ablativ *Nerōne* und das Partizip Perfekt Passiv *dēlētā* ② auf den Ablativ *urbe*. Beide Partizipien stimmen mit ihrem Bezugswort in Kasus, Numerus und Genus überein (Kongruenz). Die Nomina im Ablativ haben für sich keine syntaktische Funktion; sie scheinen vom Satz ‚losgelöst‘ zu sein (absolūtus: losgelöst). Erst in der Verbindung mit dem Partizip im Ablativ erhält die Einheit ‚**Nomen und Partizip**‘ eine **syntaktische Funktion**, und zwar die **des Adverbiales**. Ebenso erfüllt die nominale Wendung die syntaktische Funktion des Adverbiales.

Im Satzmodell:

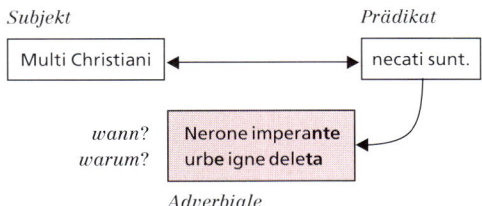

3 Übersetzung

3.1 Der Ablativus absolutus kann mit einem konjunktionalen Gliedsatz wiedergegeben werden (weitere Möglichkeiten der Wiedergabe ↗ 88.2).
Dabei gilt folgende Umbauregel:

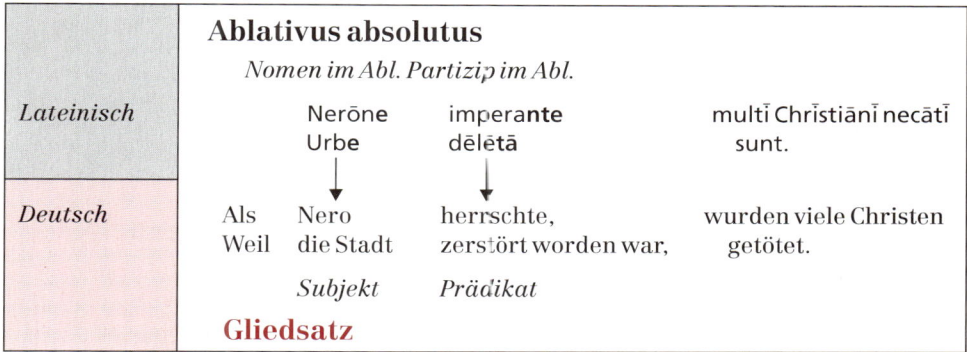

	Ablativus absolutus		
	Nomen im Abl.	*Partizip im Abl.*	
Lateinisch	Nerōne Urbe	imperante dēlētā	multī Chrīstiānī necātī sunt.
Deutsch	Als Weil · Nero die Stadt	herrschte, zerstört worden war,	wurden viele Christen getötet.
	Subjekt	*Prädikat*	
	Gliedsatz		

3.2 Bei der Übersetzung ist zu beachten, dass die Partizipien unterschiedliche Zeitverhältnisse ausdrücken (↗ 80.2/3; 87) und das Partizip Präsens aktivische Bedeutung, das Partizip Perfekt (außer bei Deponentien) passivische Bedeutung hat.
Häufig bezeichnet das Partizip Perfekt jedoch einen Vorgang, der nur der äußeren Form nach im Passiv steht, dem Sinn nach aber vom Subjekt des Satzes ausgeführt wird. Diese Erscheinung wird deshalb als **kryptoaktiv**[1] bezeichnet.

Augustus
clausīs templī Iānī portīs
rem pūblicam pāce
augēre studuit.

Augustus wollte,
nachdem er die Tore des Janustempels **hatte schließen lassen**,
den Staat im Frieden
fördern.

87 Ablativus absolutus: Zeitverhältnisse

1 Das **Partizip Präsens** drückt eine **Gleichzeitigkeit** im Aktiv aus:

Tarquiniō Superbō rēgnante
Pȳthagorās in Italiam vēnit.

Als Tarquinius Superbus herrschte,
kam Pythagoras nach Italien.

2 Das **Partizip Perfekt** drückt eine **Vorzeitigkeit** im Passiv (bei einem Deponens im Aktiv) aus.

Rōmā īgne dēlētā
Chrīstiānī crūdēliter vexātī sunt.

Als Rom durch einen Brand **zerstört worden war**,
wurden die Christen grausam verfolgt.

3 Das Partizip Futur zur Bezeichnung einer Nachzeitigkeit im Aktiv tritt im Ablativus absolutus sehr selten auf:

Nerōne in Chrīstiānōs
crūdēliter **cōnsultūrō**
multī urbem relīquērunt.

Als Nero sich anschickte gegen die Christen grausam vorzugehen/**Als zu erwarten war, dass Nero** gegen die Christen grausam vorgehen werde, verließen viele die Hauptstadt.

---

[1] griech. krýptein (verbergen): Der Vorgang ist sozusagen im Verborgenen aktiv; im Deutschen sollte die Wiedergabe im Aktiv gewählt werden.

4 Der in einer nominalen Wendung im Ablativ ausgedrückte Vorgang kann gleichzeitig oder – seltener – vorzeitig sein.

Cicerōne auctōre	**Auf Veranlassung Ciceros**
senātus Antōnium hostem iūdicāvit.	erklärte der Senat Antonius zum Staatsfeind.
Caesare mortuō	**Nach dem Tod Cäsars**
Cicerō līberam rem pūblicam cōnstituere cupiēbat.	wollte Cicero die Republik wiederherstellen.

88   Ablativus absolutus: Sinnrichtungen und Wiedergabe

1 Die Sinnrichtungen beim Ablativus absolutus

Im Ablativus absolutus können dieselben Sinnrichtungen ausgedrückt sein wie beim Participium coniunctum, mit Ausnahme der finalen Sinnrichtung (↗ 85.1.6).

1.1 temporal

Caesare interfectō	**Nachdem Cäsar ermordet worden war,**
Antōnius imperium occupāre cōnstituit.	beschloss Antonius die Herrschaft an sich zu reißen.

1.2 kausal

Senātū nihil **agente**	**Weil der Senat** nichts **unternahm,**
Octāviānus exercitum contrā Antōnium dūxit.	führte Oktavian ein Heer gegen Antonius.

1.3 modal

Cicerōne iterum atque iterum **hortante**	**Dadurch, dass Cicero** immer wieder **dazu aufforderte,**
factum est, ut Octāviānō māgnī honōrēs tribuerentur.	kam es dazu, dass Oktavian große Ehren erwiesen wurden.

1.4 konzessiv

Omnibus, quī Antōnium relīquerant, māximīs laudibus **ōrnātīs**	**Obwohl alle,** die Antonius verlassen hatten, mit größten Ehren **ausgezeichnet worden waren,**
senātus cōnsulem hostem iūdicāre dubitāvit.	zögerte der Senat den Konsul zum Staatsfeind zu erklären.

1.5 kondizional

Senātōrēs Antōnium hostem nōn iūdicāre **nisī condiciōnibus repudiātīs** dēcrēvērunt.	Die Senatoren beschlossen Antonius nur dann zum Staatsfeind zu erklären, **wenn er ihre Bedingungen ablehne.**

2 Möglichkeiten der Wiedergabe

2.1 Der Ablativus absolutus lässt sich – ähnlich wie das Participium coniunctum (↗ 85.2) – im Deutschen wiedergeben:

> ① mit konjunktionalem Gliedsatz,
> ② durch Beiordnung,
> ③ durch eine präpositionale Verbindung.

Caesare interfectō Antōnius imperium occupāre cōnstituit.

① Nachdem Cäsar getötet worden war, beschloss Antonius	}	die Herrschaft
② Cäsar war getötet worden; daraufhin beschloss Antonius	}	an sich
③ Nach der Ermordung Cäsars beschloss Antonius		zu reißen.

2.2 Die im Ablativus absolutus enthaltene Sinnrichtung wird – ähnlich wie beim Participium coniunctum (↗ 85.2.2) – wiedergegeben:
① durch eine unterordnende Konjunktion,
② durch ein Adverb,
③ durch eine Präposition.

2.3 Für die **nominale Wendung** als Ablativus absolutus bietet sich meist die Übersetzung durch eine präpositionale Verbindung an. Häufig auftretende nominale Wendungen sind:

(Hannibale) duce	unter der Führung (Hannibals)
(Cicerōne) auctōre	auf Veranlassung (Ciceros)
(Sullā) cōnsule	unter dem Konsulat (Sullas)
(Catōne) vīvō	zu Lebzeiten (Catos)
(parentibus) invītīs	gegen den Willen (der Eltern)
(Caesare) mortuō	nach dem Tod (Cäsars)

89 Gerundium und Gerundivum (-nd-Formen)

Wo findet man was?

SUBJEKT	OBJEKT	ATTRIBUT	

1. AENEAS	REGNANDI
	OCCUPANDI REGNUM
	REGNI OCCUPANDI
	hier im Genitiv:
	– Gerundium ↗ 90.2.1
	– Gerundium mit
	  Objekt ↗ 90.1.2
	– Nomen und attributives
	  Gerundivum ↗ 92.2.1		

2. AENEAS	CONSILIUM	FUGIENDI
		PATRIAM RELINQUENDI
		PATRIAE RELINQUENDAE
		hier im Genitiv:
		– Gerundium ↗ 90.2.1
		– Gerundium mit
		  Objekt ↗ 90.1.2
		– Nomen und attributives
		  Gerundivum ↗ 92.2.1	

3. AENEAS	REGNUM		
4. MULTI LABORES		MISERANDO Gerundivum als adjektivisches Attribut ↗ 91.3	
5.			
6. AENEAS	ANCHISEM PATREM		

Übersetzung:
1. Äneas war darauf aus zu herrschen –, die Herrschaft an sich zu reißen.
2. Äneas fasste den Entschluss zu fliehen – das Vaterland zu verlassen.
3. Äneas versuchte die Herrschaft zu erlangen, indem er Kriege führte.
4. Der bedauernswerte Mann musste viele Schwierigkeiten auf sich nehmen.
5. Äneas musste tapfer kämpfen.
6. Äneas sorgte dafür, dass sein Vater Anchises auf höchste Weise geehrt wurde.

ADVERBIALE	ADVERBIALE	PRÄDIKAT PRÄDIKATSNOMEN COPULA
		CUPIDUS ERAT.
		CEPIT.
	GERENDO BELLA BELLIS GERENDIS – Gerundium ↗ 90.2.1 – Nomen und attributives Gerundivum ↗ 92.2.1	APPETIVIT.
VIRO Dativus auctoris ↗ 93.1.4		TOLERANDI ERANT. Gerundivum als Prädikatsnomen ↗ 93
AENEAE Dativus auctoris ↗ 93.1.4	FORTITER	PUGNANDUM ERAT. Gerundivum als Prädikatsnomen (unpersönlich) ↗ 93.1.3
SUMMIS HONORIBUS	COLENDUM Gerundivum als Adverbiale in Form des Praedicativums ↗ 92.1	CURAVIT.

Vom Verb sind im Lateinischen auch Formen gebildet, die im Deutschen keine unmittelbare Entsprechung haben:
1. das Gerundium (↗ 90)
2. das Gerundivum (↗ 91–93)

Da diese Formen mit dem **Suffix -nd-** gebildet werden, nennt man sie auch zusammenfassend **-nd-Formen**.
Die -nd-Formen stellen charakteristische lateinische Strukturen dar; sie übernehmen im Satz verschiedene Funktionen.

90   Gerundium

1 Erscheinungsform

Als Gerundium bezeichnet man die deklinierten Formen des Infinitiv Präsens (↗ 70.2). Es ist demnach ein Verbalsubstantiv; von ihm treten nur Singularformen auf. Es ersetzt die fehlenden vier Kasus des substantivierten Infinitivs (den Akkusativ aber nur in Verbindung mit der Präposition ad).

1.1 Das Gerundium ist gebildet aus Wortstamm, -nd-Infix (ggf. in Verbindung mit einem Bindevokal) und den Singular-Ausgängen der o-Deklination.

Beispiele für die Deklination des Gerundiums:

	docēre	audīre	īre
Genitiv	docendī	audiendī	eundī
Dativ	docendō	audiendō	eundō
Akkusativ	ad docend**um**	ad audiend**um**	ad eund**um**
Ablativ	docend**ō**	audiend**ō**	eund**ō**

Docendō discimus.   Durch Lehren lernen wir.

1.2 Als **Verbal**substantiv kann das Gerundium durch Objekte und/oder Adverbialia erweitert sein.

Augustus   Augustus hat sich
   rem pūblicam bene gerendō   **durch gute Verwaltung des Staates**
                           (, indem er den Staat gut verwaltete,)
summam sibī parāvit glōriam.   größten Ruhm erworben.

2 Funktion

2.1 Das Gerundium kann folgende syntaktische Funktionen erfüllen:

a) **Objekt** (im Genitiv, selten im Dativ oder Ablativ)

Homō nātūrā   Der Mensch will von Natur aus **lernen**/
discendī cupidus est.   ist … **lern**begierig.

b) **Attribut** (im Genitiv)

| Prĭncipibus Germānōrum nōn tam **imperandĭ** quam **suādendĭ** iūs erat. | Die Fürsten der Germanen hatten nicht so sehr das Recht **zu befehlen** (,des Befehlens') als vielmehr das **zu raten** (,des Ratens'). |

c) **Adverbiale**
   – im Ablativ (ohne Präposition) ①
   – als präpositionale Verbindung
     mit den Postpositionen causā, grātiā (mit Genitiv) ②
     (seltener mit den Präpositionen ā/ab, ē/ex, dē mit Ablativ) und
     mit der Präposition ad (mit Akkusativ) ③

① Germānĭ ĭus suum
contrā adversāriōs
plūs **pūgnandō**
quam **agendō**
obtinēbant.

Die Germanen behaupteten ihr Recht
gegenüber Gegnern
mehr **durch Kämpfen**
als **durch Verhandeln/**
mehr **dadurch, dass sie kämpften**, als **dass sie verhandelten**.

② Germānĭ
cōnsulendĭ causā
conveniēbant.

Die Germanen kamen
zur Beratung/um sich zu beraten
zusammen.

③ Germānōs semper
ad pūgnandum parātōs
fuisse trāditum est.

Es ist überliefert, dass die Germanen immer
zum Kämpfen bereit gewesen seien/bereit
gewesen seien **zu kämpfen**.

Im Satzmodell:

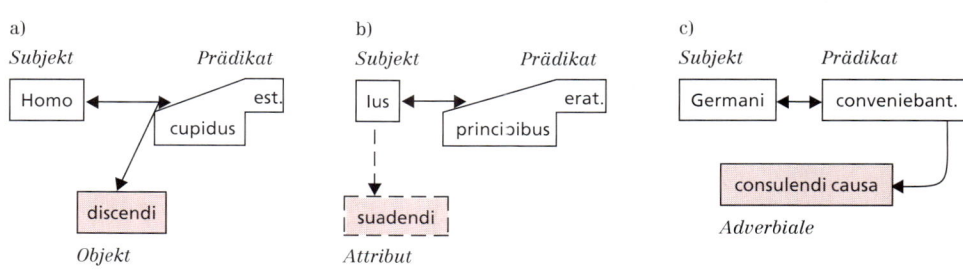

2.2 In der **syntaktischen Funktion** des **Adverbiales** gibt das Gerundium einen **näheren Umstand zum Prädikatsvorgang** an. Dieser Umstand könnte auch mit einem Gliedsatz ausgedrückt werden:

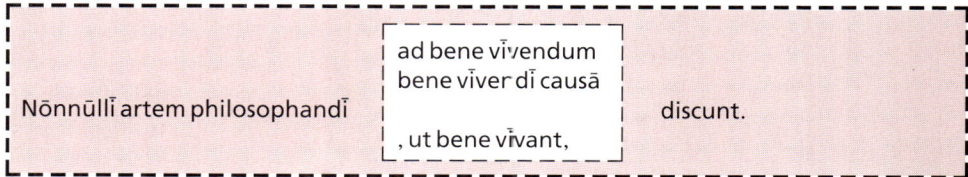

In dieser Funktion stellt das Gerundium eine **satzwertige Konstruktion** dar.

3 Möglichkeiten der Wiedergabe

3.1 Das Gerundium kann auf verschiedene Weise übersetzt werden, insbesondere

> ① mit einem Vorgangssubstantiv,
> ② mit einem Infinitiv,
> ③ mit einer präpositionalen Verbindung,
> ④ mit einem konjunktionalen Gliedsatz (Modalsatz, Finalsatz).

① Cicerō
    arte **dīcendī**
flōrēbat.

Cicero war
    wegen seiner (Kunst **des Redens**) **Rede**kunst
angesehen.

② Tempus est **agendī**.

Es ist Zeit **zu handeln**.

③ Amīcī interdum
tacendō perduntur.

Freunde verliert man bisweilen
durch Schweigen.

④ Cicerō
    Graecōrum philosophiam
      docendō
cīvēs suōs ērudīvit.

Cicero hat
    dadurch, **dass er** die Philosophie der Griechen
      lehrte,
seine Mitbürger gebildet.

Häufig begegnen z.B.

doce**ndī causā**	**um zu** lehren
ad cōgita**ndum**	**zum** Denken
in scrī**bendō**	**beim** Schreiben

3.2 Zusammenfassung der Übersetzungsmöglichkeiten

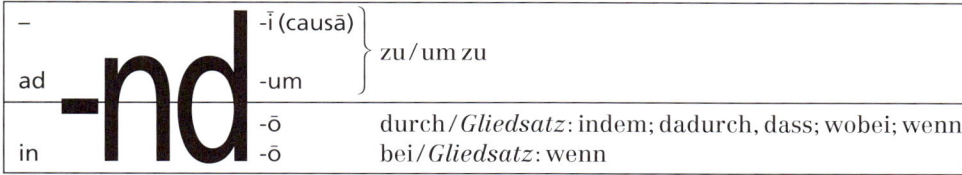

3.3 Wenn das Gerundium durch Objekt und/oder Adverbiale erweitert ist, erfordert die Übersetzung ins Deutsche einen Umbau der Struktur.
Dabei gelten folgende Umbauregeln:

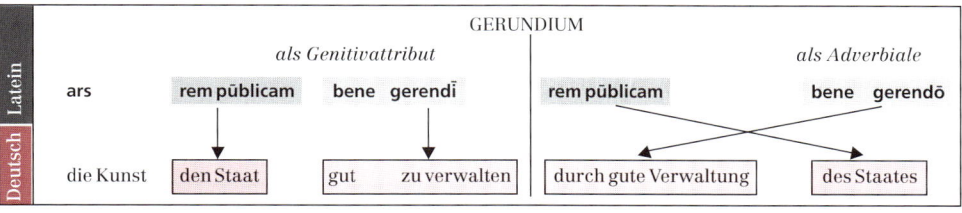

91 Gerundivum

1 Erscheinungsform

Das Gerundivum ist ein **passivisches Verbaladjektiv** (↗ 7.3.2).
Es ist gebildet aus Wortstamm, **-nd-** Infix (ggf. in Verbindung mit einem Bindevokal) und den **Ausgängen der o-/ā-Deklination**.
Es richtet sich in Kasus, Numerus und Genus nach einem Bezugswort und kommt demnach in allen Genera in Singular und Plural vor.

Beispiele für die Deklination des Gerundivums:

	Singular		
	Maskulinum	Femininum	Neutrum
Nominativ	laudandus	mittenda	audiendum
Genitiv	laudandī	mittendae	audiendī
Dativ	laudandō	mittendae	audiendō
Akkusativ	laudandum	mittendam	audiendum
Ablativ	laudandō	mittendā	audiendō
	Plural		
	Maskulinum	Femininum	Neutrum
Nominativ	laudandī	mittendae	audienda
Genitiv	laudandōrum	mittendārum	audiendōrum
Dativ	laudandīs	mittendīs	audiendīs
Akkusativ	laudandōs	mittendās	audienda
Ablativ	laudandīs	mittendīs	audiendīs

2 Das Gerundivum bezeichnet
   – einen **sich vollziehenden Vorgang** (↗ 92),
   – in Verbindung mit der Copula ESSE die **Notwendigkeit eines Vorgangs** (↗ 93).

3 Das Gerundivum einiger Verben hat **adjektivischen Charakter** angenommen.

virtūs laudanda	eine lobenswerte Tugend
superbia nōn toleranda	unerträglicher Hochmut
fābula horrenda	eine schauderhafte Geschichte, ein Schauermärchen

92 Gerundivum zur Bezeichnung eines Vorgangs

Das Gerundivum zur Bezeichnung eines sich vollziehenden Vorgangs ist – wegen seines passivischen Charakters – nur bei transitiven Verben (↗ 7.3.2) möglich.
Es hat im Satz stets ein Bezugswort und erfüllt die **syntaktische Funktion** des **Adverbiales** (in Form des Praedicativums) oder die des **Attributs**.

1 Gerundivum als Adverbiale (in Form des Praedicativums)

1.1 Syntaktische Funktion

Philippus	Philipp übergab
Aristotelī fīlium **ēducandum**	seinen Sohn dem Aristoteles **zur Erziehung**.
trādidit.	

Im Satzmodell:

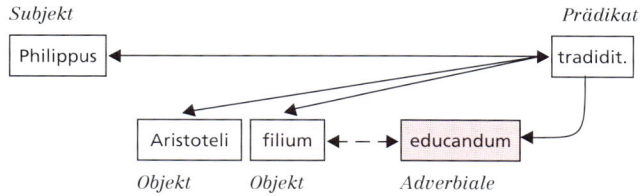

Das Gerundivum als Adverbiale steht nur nach bestimmten Verben wie dare, trādere, cūrāre und bezeichnet einen Vorgang, der sich – nach der Absicht des Subjekts – mit Hilfe eines anderen vollziehen soll (finale Sinnrichtung).

1.2 Möglichkeiten der Wiedergabe
Das Gerundivum als Adverbiale kann wiedergegeben werden

> ① durch einen **finalen Gliedsatz** (‚damit‘),
> ② durch eine **präpositionale Verbindung**:
>   zu …, für … mit substantiviertem Infinitiv oder Vorgangssubstantiv,
> ③ bei cūrāre (‚lassen‘) mit Infinitiv.

Philippus	Philipp übergab seinen Sohn Alexander dem Aristoteles
Alexandrum fīlium	①, **damit er ihn erziehe**.
Aristotelī **ēducandum**	② **zur Erziehung**.
trādidit.	

Nerō	③ Nero
Rōmam renovandam	ließ **Rom wieder aufbauen**.
cūrāvit.	

2 Das Gerundivum als Attribut

2.1 Syntaktische Funktion
Das Gerundivum zur Bezeichnung eines sich vollziehenden Vorgangs tritt oft als Attribut zu einem Nomen, das **für sich allein** im Satz noch keine syntaktische Funktion erfüllt; erst **die Verbindung von Bezugswort und attributivem Gerundivum** als Einheit erfüllt eine syntaktische Funktion, und zwar:

① die **des Attributs** (im Genitiv),
② die **des Adverbiales**,
③ gelegentlich die **des Objekts**.

① Nerō cōnsilium	Nero fasste den Entschluss
Rōmae renovandae	**zum Wiederaufbau Roms/**
cēpit.	**Rom wieder aufzubauen**.

② Nerō glōriam   Nero wollte
   Rōmā renovandā   **, indem er Rom neu aufbaute,/**
   appetīvit.   **durch den Wiederaufbau Roms**
                                     Ruhm erwerben.

   Incenditne Nerō Rōmam   Hat Nero Rom angezündet
   urbis renovandae causā?   **um die Stadt wieder aufzubauen?**

③ Nerō   Nero war darauf aus,
   urbis renovandae   **die Stadt wieder aufzubauen.**
   cupidus erat.

Im Satzmodell:

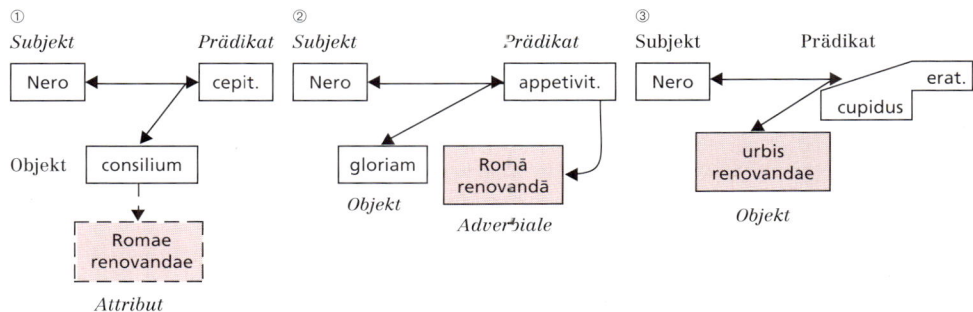

Beachte:
a) Als transitiv gelten, wenn das Gerundivum als Attribut verwendet wird, auch die Deponentien ūtī, fruī, fungī, die sonst ein Ablativobjekt bei sich haben (↗ 56.1.3).

   Hannibal occāsiōnem   Hannibal ließ die Gelegenheit,
   victōriae ūtendae   seinen Sieg zu nützen,
   praetermīsit.   verstreichen.

b) Beim Genitiv des Personal-Pronomens (meī, tuī, suī, nostrī, vestrī, suī) steht ohne Rücksicht auf Genus und Numerus die Gerundivumform immer im Singular Maskulinum: -ī.

   Antōnius ⎫   ⎧ fūgit.   Antonius floh   ⎫
   Cleopatra ⎬ suī servandī causā ⎨ fūgit.   Kleopatra floh   ⎬ um sich zu retten.
   Mīlitēs ⎭   ⎩ fūgērunt. Die Soldaten flohen ⎭

2.2 Satzwertigkeit des Gerundivums

Das Gerundivum zur Bezeichnung eines sich vollziehenden Vorgangs geht als Attribut häufig mit einem Nomen eine Verbindung ein, die die **syntaktische Funktion** des **Adverbiales** erfüllt. In solchen Fällen könnte der sich vollziehende Vorgang auch in einem Gliedsatz formuliert werden:

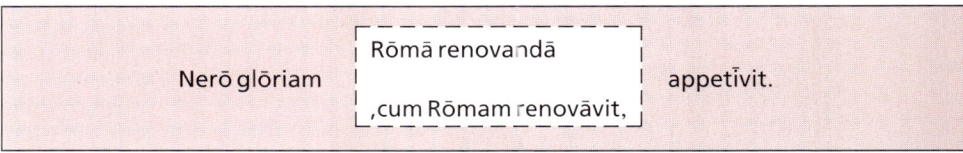

Diese **Verbindung eines Nomens mit einem Gerundivum**, die die Funktion des Adverbiales erfüllt, ist demnach **satzwertig.**

2.3 Möglichkeiten der Wiedergabe

a) Das Gerundivum zur Bezeichnung eines sich vollziehenden Vorgangs in der **syntaktischen Funktion** des **Attributs** wird zumeist im Wechsel mit dem Gerundium gebraucht.

Deshalb kann es grundsätzlich wie das Gerundium übersetzt werden und es gelten dieselben Umbauregeln (↗ 90.3.3):

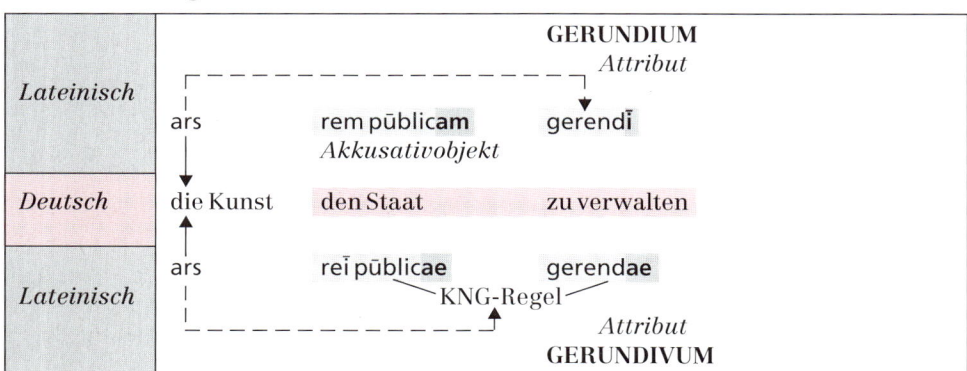

b) Das attributive Gerundivum, das in der Einheit mit seinem Bezugswort die **syntaktische Funktion** des **Attributs** (im Genitiv) oder des **Adverbiales** erfüllt, kann auf verschiedene Weise wiedergegeben werden:

> ① mit einem bloßen Infinitiv,
> ② mit einem Vorgangssubstantiv,
> ③ mit einer präpositionalen Verbindung,
> ④ mit einem konjunktionalen Gliedsatz:
>   – Modalsatz (bei bloßem Ablativ),
>   – Finalsatz (bei ad/causā).

Rōmulus et Remus cōnsilium **urbis condendae** cēpērunt.	Romulus und Remus fassten den Entschluss ① **eine Stadt zu gründen.** ② **zu einer Stadtgründung.**
Urbe condendā	③ **Durch die Stadtgründung** ④ **Indem sie eine Stadt gründeten,**
deīs grātiās agere cupiēbant.	wollten sie den Göttern danken.
Rōmulus **certāminis vītandī causā**	Romulus wollte, dass ②③ **zur Vermeidung eines Streits** ④ **um einen Streit zu vermeiden**
avēs cōnsulī voluit.	die Vögel befragt werden.

93 Gerundivum zur Bezeichnung der Notwendigkeit

1 Erscheinungsform

1.1 In Verbindung mit der Copula ESSE bezeichnet das Gerundivum entweder etwas, was (aus Notwendigkeit oder Zwang) **getan werden muss oder soll** bzw. – bei Verneinung – etwas, was **nicht getan werden darf oder nicht getan zu werden braucht**. Es liegt hier also eine passivische Konstruktion vor.

1.2 Die **Person oder Sache**, auf die die Handlung gerichtet ist, steht

a) im **Nominativ**, wenn das Verb transitiv ist.
Hier liegt eine **persönliche Konstruktion** vor, d.h.:
Das Gerundivum richtet sich in Kasus, Numerus und Genus nach dem Subjekt, die Form der Copula ESSE richtet sich nach dem Numerus des Subjekts.

Pāx serv**anda est.**	Der Friede muss bewahrt werden.
Cīv**ēs** dēfend**endī erant.**	Die Bürger mussten geschützt werden.

Beachte im AcI:

Cēterum cēnseō	Im Übrigen stelle ich den Antrag,
Carthāgin**em esse** dēl**endam.**	dass Karthago **zerstört werden soll.**
Cicerō	Cicero meinte,
cīv**ēs** dēfend**endōs (esse)**[1]	dass die Bürger **geschützt werden müssen.**
cēnsuit.	

b) in einem anderen **Kasus**, wenn das Verb **intransitiv** ist. Hier liegt eine **unpersönliche Konstruktion** vor, d.h.:
Das Gerundivum steht immer im Nom. Sing. Neutrum, die Copula ESSE steht immer in der 3. Pers. Sing.

Salūt**ī** re**ī** pūblicae	Für das Wohl des Staates
prōvid**endum est.**	**muss gesorgt werden.**
Tempore rēctē ūt**endum est.**	Die Zeit **muss** richtig **genützt werden.**

1.3 Wenn sich die Handlung **nicht auf eine Person oder Sache** bezieht, steht bei transitiven und intransitiven Verben immer die **unpersönliche Konstruktion**.

Ag**endum est.**	**Es muss gehandelt werden/Man muss handeln.**
Hīc clām**andum nōn est.**	**Es darf hier nicht geschrien werden/Man darf hier nicht schreien.**

1.4 Die Person, die etwas tun muss/soll bzw. nicht tun darf/nicht zu tun braucht, steht sowohl bei der persönlichen als auch bei der unpersönlichen Konstruktion im Dativ (**Dativ der handelnden Person: Dativus auctoris** (↗ 52.1)).

Pāx *omnibus*	(Für alle besteht die Notwendigkeit den Frieden zu
serv**anda est.**	erhalten.)
	Alle **müssen** den Frieden **erhalten.**

---

[1] Die Copula ESSE ist bei der Einbeziehung der Gerundivumkonstruktion in den AcI häufig weggelassen (Ellipse).

Nihil *tibī* time**ndum erat**.	(Für dich bestand keine Notwendigkeit etwas zu befürchten.) **Du brauchtest nichts zu befürchten.**
Mihī age**ndum erit**.	(Für mich wird die Notwendigkeit bestehen zu handeln.) **Ich werde handeln müssen.**

Cōnsulibus (Ā cōnsulibus)
     coniūrātīs resiste**ndum est**.
	Von Konsuln muss Verschwörern Widerstand
	     geleistet werden./
	Konsuln müssen Verschwörern Widerstand leisten.

Stehen in einem Satz, der eine Gerundivum-Konstruktion mit ESSE enthält, mehrere Dative, so ist darauf zu achten, ob Dativus auctoris vorliegt oder Objektsdativ.

2 Syntaktische Funktion

Das Gerundivum zur Bezeichnung der Notwendigkeit erfüllt im Satz als Prädikatsnomen zusammen mit einer Form von ESSE die **syntaktische Funktion** des **Prädikats**.

Im Satzmodell:

3 Möglichkeiten der Wiedergabe

3.1 Für die Wiedergabe des **Gerundivums als Prädikatsnomen + Copula ESSE** gibt es folgende Möglichkeiten:

> Wenn die handelnde Person im Dativ angegeben ist:
> ① mit den **Modalverben** *müssen, sollen* bzw. *nicht dürfen, nicht brauchen (zu)* mit **Aktiv** oder gelegentlich mit **Passiv.**
>
> Wenn keine handelnde Person im Dativ angegeben ist:
> ② mit dem **Hilfsverb** *sein* mit **Infinitiv** („zu"),
> ③ mit den **Modalverben** *müssen, sollen* bzw. *nicht dürfen, nicht brauchen* (zu)
>   mit **Passiv** (persönlich/unpersönlich mit „es")
>   oder (besser) mit **Aktiv** („Man …").

Omnibus **pāx** serva**nda est.**	① Alle **müssen den Frieden bewahren.**
Tibī age**ndum erit**, non dīce**ndum**.	① Du **wirst handeln müssen** (und) **nicht nur reden** (dürfen).
Pāx serva**nda est.**	Der Friede ② **ist zu bewahren.** ③ **muss bewahrt werden.**
Age**ndum est**, nōn dīce**ndum**.	③ **Es muss gehandelt werden,** **es darf nicht nur geredet werden.**/ Man muss handeln, man darf nicht nur reden.

3.2 Für das Gerundivum zur Bezeichnung der Notwendigkeit gilt – bei persönlicher Konstruktion und bei Angabe des Dativus auctoris – folgende Umbauregel:

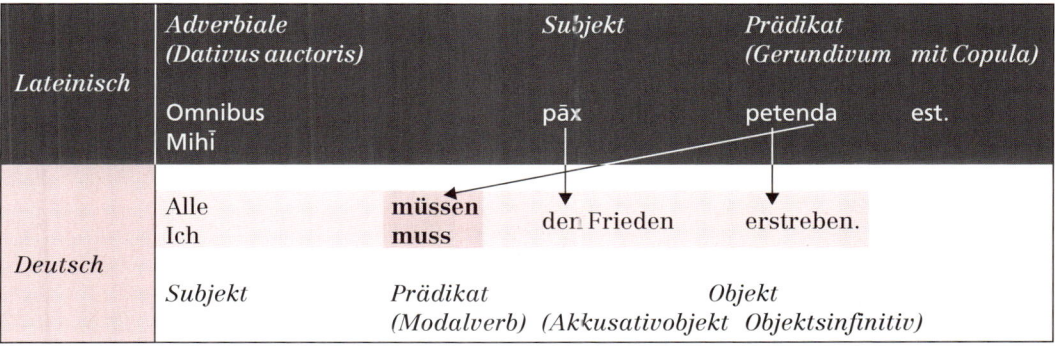

Lateinisch	Adverbiale (Dativus auctoris)		Subjekt	Prädikat (Gerundivum mit Copula)	
	Omnibus Mihi		pāx	petenda	est.
Deutsch	Alle Ich	**müssen** **muss**	den Frieden	erstreben.	
	Subjekt	Prädikat (Modalverb)	Objekt (Akkusativobjekt	Objektsinfinitiv)	

94 Supinum

1 Erscheinungsform

Das Supinum ist ein Verbalsubstantiv.
Es ist in der Regel durch Anfügen des Bildungselementes -tu- an den Präsens-Stamm, den Wortstock oder die Wortwurzel gebildet; das Anfügen des Bildungselements bewirkt häufig Veränderungen an der Nahtstelle (vgl. die Bildung des Partizips Perfekt Passiv ↗ 8.1.3).
Es gibt zwei Arten von Supinum:
– das Supinum auf -um (auch Supinum I genannt),
– das Supinum auf -ū (auch Supinum II genannt).

2 Supinum auf -um

Das Supinum auf -um (Akkusativ der Richtung ↗ 48 1) bezeichnet den Zweck bzw. die Absicht einer Handlung (finale Sinnrichtung).

2.1 Verwendung

a) Das Supinum auf -um steht insbesondere bei **Verben der Bewegung** (z.B. īre, venīre, mittere).

īre salūtā**tum**	gehen **um zu** begrüßen
venīre spectā**tum**	kommen **um zu**zuschauen
mittere rogā**tum**	schicken **um zu** erbitten
Spectā**tum** veniunt, veniunt, spectentur ut ipsae.	Sie kommen **um zu** sehen, sie kommen (aber auch) um selbst gesehen zu werden.

b) Es kann durch ein Objekt oder Adverbiale ergänzt sein.

mittere rogā**tum** auxilium	schicken **um** Hilfe **zu** erbitten
venīre ubīque spectā**tum**	kommen **um** sich überall um**zu**schauen

2.2 Syntaktische Funktion

Das Supinum auf -um erfüllt die **syntaktische Funktion** des **Adverbiales**.

Cīvēs spectā**tum** veniunt.   Die Bürger kommen **um** zu**zu**schauen.

Im Satzmodell:

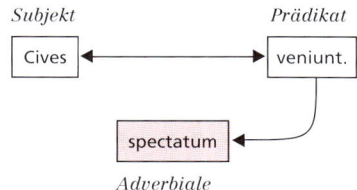

Der im Supinum auf -um ausgedrückte Zweck der Handlung kann auch durch einen Gliedsatz ausgedrückt werden:

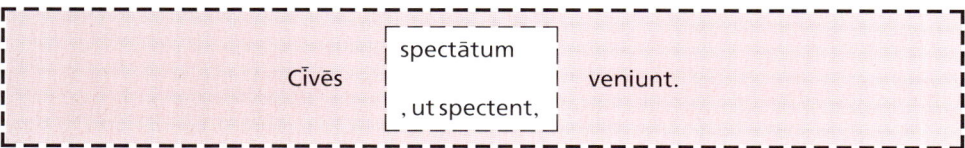

Das Supinum auf -um ist demnach satzwertig.

2.3 Übersetzung

Das Supinum auf -um kann wiedergegeben werden:

> ① mit einem erweiterten Infinitiv (‚um … zu‘),
> ② mit einer präpositionalen Verbindung.

Haeduī ad Caesarem vēnērunt   Die Häduer kamen zu Cäsar
rogā**tum** auxilium.   ① **um** (von ihm) Hilfe **zu** erbitten./
          ② **mit der Bitte** um Hilfe.

3 Supinum auf -ū

Das Supinum auf -ū (ein finaler Dativ ⭧ 51.2.1) bezeichnet den Bereich, dem eine Wertung zugeschrieben wird.

3.1 Verwendung

Das Supinum auf -ū steht nur bei bestimmten Adjektiven (z.B. facilis, difficilis, horribilis, mīrābilis, incrēdibilis, optimus) und bestimmt diese näher.
Das Supinum auf -ū gibt es nur von wenigen Verben (z.B. facere, dīcere, audīre, vidēre, cognōscere, intellegere).

Hoc est
{
facile factū.
horribile dictū.
incrēdibile audītū.
mīrābile vīsū.
facilius cognitū.
difficile intellēctū.
}

Dies ist
{
leicht **zu** tun.
schrecklich **zu** sagen.
unglaublich **zu** hören
wunderbar **zu** sehen.
leichter **zu** erkennen.
schwer **zu** begreifen.
}

3.2 Syntaktische Funktion

Das Supinum auf -ū erfüllt die **syntaktische Funktion** des **Adverbiales**, da es ursprünglich ein finaler Dativ ist.

3.3 Übersetzung

Das Supinum auf -ū kann insbesondere wiedergegeben werden:

> ① mit einem **Infinitiv** („zu‘),
> ② in **freierer Weise.**

Quod optimum **factū** vidēbitur, faciēs.	① Was dir am besten **zu tun** scheint, wirst du tun.
Plēraque faciliōra sunt **dictū** quam **factū**.	Sehr vieles ② ist leichter **gesagt** als **getan**. ② **lässt sich** leichter **sagen** als **tun**.
Quod Catilīna dīxit, incrēdibile est **audītū**.	Was Catilina gesagt hat, ② ist unglaublich, **wenn man es hört**. ② **hört sich** unglaublich **an/klingt** unglaublich.

DER UNABHÄNGIGE SATZ – HAUPTSATZ

95 Arten des unabhängigen Satzes

Je nach der Absicht des Sprechenden und seiner Stellungnahme zur Wirklichkeit (↗ 96.1) lassen sich **drei Arten von unabhängigen Sätzen unterscheiden:**

– Aussagesätze
– Fragesätze
– Wunsch- und Aufforderungssätze

1 Aussagesätze

> Aussagesätze enthalten eine **Mitteilung** des Sprechenden über einen Sachverhalt, den er als **tatsächlich** oder **nicht-wirklich** darstellt oder den er sich als **möglich** oder **nicht möglich** vorstellt.

1.1 **Vorherrschender Modus** im Aussagesatz ist der **Indikativ** (↗ 96.1; 97–98). Wenn Aussagesätze im Konjunktiv stehen, bezeichnen sie den Potentialis (↗ 99.1; 100.5) oder den Irrealis (↗ 99.1; 100.6).

1.2 Aussagesätze sind in der Regel in allen **drei Zeitstufen** (↗ 102.1) formuliert.

1.3 Aussagesätze sind in der Regel durch die **Negation nōn** oder durch die folgenden Wörter bzw. Wortverbindungen verneint:

Konjunktionen	neque/nec	und nicht, auch nicht, aber nicht	neque … neque	weder … noch
Pronomina	nēmō nihil	niemand nichts	nūllus, -a, -um	keiner
Adverbien	nihil	keineswegs	numquam nusquam	niemals nirgends

2 Fragesätze

> In Fragesätzen formuliert der Sprecher sein Bedürfnis Auskunft zu erhalten oder sich zu vergewissern.
> Fragesätze sind gekennzeichnet durch einleitende Interrogativ-Adverbien, Interrogativ-Pronomina oder Interrogativ-Partikeln.
> In manchen Fällen kann eine solche Kennzeichnung entfallen (↗ 98.4.1).

2.1 Der Sprechende formuliert die Frage nach seinem jeweiligen Bedürfnis einer **Beantwortung**. Die Frage kann zielen:

179   **95**

a) auf eine **konkrete Antwort** zu dem erfragten Sachverhalt:
Diese Fragen werden mit **Interrogativ-Adverbien**, z.B.: cūr, quōmodo, quandō
(➚ 33.2.2c) oder **Interrogativ-Pronomina**, z.B.: quis, quid, ā quō (➚ 30.2) eingeleitet.
Diese Art von Fragen wird auch **Wort-** oder **Ergänzungsfrage** genannt (➚ 98.3).

b) auf eine **Entscheidung** in der von ihm angesprochenen Situation:
Diese Fragen werden mit **Interrogativ-Partikeln**, z.B.: num, nōnne, -ne; utrum … an
(➚ 34.1) eingeleitet.
Die mit num, nōnne, -ne eingeleiteten Fragen werden auch **Satz-** oder **Entscheidungs-
fragen** genannt (➚ 98.4), die mit utrum … ar gekennzeichneten Fragen auch **Wahl-** oder
Doppelfragen (➚ 98.5).

c) auf eine **Zustimmung** zu einer Aussage, die zwar als Frage formuliert, aber als Behaup-
tung gedacht ist:
Diese Art der Frage wird **rhetorische Frage** genannt (➚ 98.6).

2.2 **Vorherrschender Modus** in Fragesätzen ist der **Indikativ** (➚ 98).
Wenn der Fragesatz im Konjunktiv steht, bezeichnet er den Deliberativ (➚ 99.1; 100.7)
oder den Potentialis (➚ 100.5.1).

2.3 Fragesätze können in allen **drei Zeitstufen (**➚ 102.1) formuliert sein.

3 Wunsch- und Aufforderungssätze

> Wunsch- und Aufforderungssätze enthalten eine **Erwartung** des Sprechenden, die
> nach seinem Willen **Wirklichkeit werden** oder **Nichtwirklichkeit bleiben soll**.

3.1 **Vorherrschende Modi** in Wunsch- und Aufforderungssätzen sind der **Imperativ** (➚ 101)
und der **Konjunktiv** (➚ 99–100).

3.2 Wunsch- und Aufforderungssätze beziehen sich auf eine (unvollendete) Gegenwart oder
auf die Zukunft; sie sind demnach im **Imperativ I oder II** bzw. im **Konjunktiv Präsens**
formuliert; Imperfekt oder Plusquamperfekt treten nur in besonderen Fällen auf
(➚ 100.1.2).

3.3 Wunsch- und Aufforderungssätze werden in der Regel durch die **Negation** nē oder
durch die folgenden Wörter bzw. Wortverbindungen verneint:

Konjunktionen	neque/nec neque/nec … neque/nec	und/auch/aber nicht weder … noch	nē … nēve/neu nē quid/quis … !	nicht … und nicht nichts/niemand … !
Pronomina	nēmō nihil	niemand nichts	nūllus, -a, -um	keiner
Adverbien	nihil	keineswegs	numquam nusquam	niemals nirgends
Verb	nōlle	nicht wollen		

96 Modi im unabhängigen Satz

1 Der **Modus** (die Aussageweise) des Prädikats zeigt an, in welchem Verhältnis zur Wirklichkeit der Sprechende den Inhalt seines Satzes sieht.
Im Lateinischen gibt es – wie im Deutschen – **drei Modi**:

Indikativ	als Modus der Wirklichkeit
Konjunktiv	als Modus der Möglichkeit, der Vorstellung, des Wunsches, der Nichtwirklichkeit
Imperativ	als Modus des Befehls

2 Die Modusform des Verbs kann (mit Ausnahme des Imperativs, der als Modus des Befehls auf den Aufforderungssatz beschränkt ist) je nach Satzart unterschiedliche Funktionen übernehmen; vor allem der Konjunktiv tritt in allen drei Arten unabhängiger Sätze in verschiedener Funktion auf.

97 Indikativ im Hauptsatz

Mit dem Indikativ als dem Modus der Wirklichkeit (↗ 96.1) können im Hauptsatz **verschiedene Sinnrichtungen** (semantische Funktionen) gekennzeichnet werden:

1 In **Aussagesätzen** zeigt der **Indikativ** an, dass der Sprechende den Inhalt seiner Aussage als **wirklich** und **tatsächlich** auffasst (Realis) oder zu einem Sachverhalt Stellung nimmt. Die Negation ist nōn (↗ 95.1.3).

2 In **Fragesätzen** zeigt der **Indikativ** das Bedürfnis des Fragenden nach einer Antwort, einer Auskunft über einen Sachverhalt, einer Vergewisserung oder einer Entscheidung an. Die Negation ist wie bei den Aussagesätzen nōn (↗ 95.1.3).
Die verschiedenen Sinnrichtungen des Indikativs im Hauptsatz sind in der folgenden Übersicht zusammengestellt.

Der Indikativ im Hauptsatz bezeichnet:

1. eine Tatsache	REALIS	in Aussagesätzen
2. eine Stellungnahme		
3. eine Frage nach einem Sachverhalt	Wort- oder Ergänzungsfrage	in Fragesätzen
4. eine Frage nach einer Entscheidung	Satz- oder Entscheidungsfrage	
5. eine Frage nach einer Entscheidung zwischen zwei oder mehr Möglichkeiten	Wahl- oder Doppelfrage	
6. eine vorweggenommene Behauptung	Rhetorische Frage	

98   Sinnrichtungen des Indikativs im Hauptsatz

1 Der Indikativ bezeichnet als **Realis**, dass der Sprecher den Inhalt seiner Aussage als **wirklich** und **tatsächlich** auffasst.

Sapiēns omnia sua sēcum portat.	Der Weise trägt all das Seine bei sich.
Nōn omnia possumus omnēs.	Wir können nicht alle alles.
Rēctē fēcistī.	Du hast richtig gehandelt.

2 Der Indikativ bei bestimmten Ausdrücken kann eine **Stellungnahme des Sprechenden zur Wirklichkeit** bezeichnen; es sind dies Ausdrücke für ein **Können, Müssen, Sollen**, für die **Beurteilung** eines Sachverhalts oder für ein **Beinahe-Geschehen** (,... paene ...').
Im Deutschen steht in diesen Fällen der Konjunktiv: Während im Deutschen durch den Konjunktiv die Auffassung betont wird, dass der Inhalt der Aussage nicht ausgeführt ist, wird im Lateinischen durch den Indikativ hervorgehoben, dass der Inhalt der Aussage als wirklich aufzufassen ist.

2.1 Der Indikativ Präsens bezeichnet dabei die Zeitstufe der Gegenwart, der Indikativ Imperfekt oder Perfekt die Zeitstufe der Vergangenheit.

Accidere potest.	Es könnte geschehen.
Accidere poterat/potuit.	Es hätte geschehen können.
Paene vīcī.	Beinahe hätte ich gesiegt.

2.2 Beispiele für Ausdrücke, die eine **Stellungnahme des Sprechenden zur Wirklichkeit** bezeichnen können:

oportet	es würde sich gehören, gehörte sich
oportēbat/oportuit	es hätte sich gehört
iūstum est	es wäre gerecht
iūstum erat/fuit	es wäre gerecht gewesen
meum est	es wäre meine Aufgabe, es wäre meine Pflicht
longum est	es würde zu weit führen, führte zu weit
discere dēbeō/mihī discendum est	ich müsste lernen, ich sollte lernen
discere poteram/potuī	ich hätte lernen können

3 In **Fragesätzen**, die mit Interrogativ-Adverbien (↗ 33.2.2c) oder -Pronomina (↗ 30.2) eingeleitet sind (Wort- oder Ergänzungsfragen), zeigt der Indikativ an, dass der Fragende eine **konkrete Antwort** erhalten will zu einem Sachverhalt, der von ihm als **wirklich** angesehen wird.

Ubī fuistī?	Wo bist du gewesen?
Quis Rōmam condidit?	Wer hat Rom gegründet?
Quid cōnsiliī mihī datis?	Welchen Rat gebt ihr mir?

4 In **Fragesätzen**, die mit den Interrogativ-Partikeln nōnne, num, -ne eingeleitet sind (Satz- oder Entscheidungsfragen), zeigt der **Indikativ** an, dass der Fragende eine Entscheidung (,ja' oder ,nein') erwartet zu einer **Situation**, die von ihm als **wirklich** angesehen wird. Die Art der Entscheidung und die Antwort, die der Fragende erwartet, wird durch die einleitenden Interrogativ-Partikel angezeigt.

Interrogativ-Partikel	Wiedergabe im Deutschen	erwartete Antwort
nōnne (< nōn-ne)	(etwa) / (denn) nicht …?	ja
num	etwa …?	nein
-ne	(unübersetzt) … ?	ja oder nein

Nōnne interdum melius est tacēre?	Ist es nicht zuweilen besser zu schweigen?
Num quis resistit?	Widersetzt sich etwa jemand?
Possumúsne vītam in summīs bonīs pōnere?	Können wir das Leben zu den höchsten Gütern rechnen?

▶ -ne hebt das Wort hervor, an das es angehängt ist.

4.1 In Fragen, die Überraschung oder Unwillen ausdrücken, kann -ne fehlen.

Servus: Tū modo mē līberum dīmīsistī.	Ein Sklave: Du hast mich gerade freigelassen.
Dominus: Ego tē dīmīsī?	Der Herr: Ich habe dich freigelassen?

4.2 Kurze Entscheidungsfragen können auch durch an eingeleitet sein; sie erhalten dadurch einen Unterton der Verärgerung:

An īgnōrātis?	Wisst ihr etwa nicht? / Oder wisst ihr nicht?

4.3 Beantwortet werden diese Fragen:
  – durch die Wiederholung des erfragten Wortes,
  – durch folgende Ausdrücke:

certē, immō, etiam, sīc; ita est, ita vērō est nōn ita, minimē (vērō); nōn ita est	gewiss/**ja**/in der Tat keineswegs/**nein**/durchaus nicht

Possumúsne vītam in summīs bonīs pōnere?	Können wir das Leben zu den höchsten Gütern rechnen?
– Possumus./Certē.	– Ja.
– Nōn possumus./Minimē.	– Nein.

5 In **Fragesätzen**, die mit Interrogativ-Partikeln wie utrum … an gekennzeichnet sind (Wahl- oder Doppelfragen), zeigt der Indikativ an, dass der Fragende in einer als **wirklich angenommenen Situation** zwei oder mehr Möglichkeiten zur Wahl stellt, zwischen denen der Gefragte zu entscheiden hat.

Die verschiedenen Möglichkeiten werden durch folgende gliedernde Partikeln aneinander gereiht:

utrum … an … (an)
-ne … an … (an)
… an … (an)

In der deutschen Übersetzung bleiben die einleitenden Partikeln utrum und -ne unberücksichtigt.

Utrum amīcī **an** inimīcī estis?	
Amīcī**ne an** inimīcī estis?	Seid ihr Freunde **oder** Feinde?
Amīcī **an** inimīcī estis?	

▶ Partikel an zur Einleitung kurzer Entscheidungsfragen ↗ 98.4.2

6 Durch den Indikativ können auch **rhetorische Fragen** ausgedrückt werden:
Sie sind zwar als Fragen formuliert, zielen aber nicht auf eine Beantwortung, sondern nehmen die Antwort vorweg.
Im Deutschen kann in rhetorischen Fragen statt des Indikativs auch der Konjunktiv stehen.

Quis māior ōrātor fuit Cicerōne?	Wer war ein größerer Redner als Cicero? (gemeinte Behauptung: Es gab keinen größeren Redner als Cicero.)
Quid avāritiā pēius dīcī potest?	Was könnte Schlimmeres als Habsucht genannt werden? (gemeinte Behauptung: Es kann nichts Schlimmeres genannt werden.)

99   Konjunktiv im Hauptsatz

Mit dem Konjunktiv als dem Modus des Wunsches, der Vorstellung, der Möglichkeit und der Nichtwirklichkeit (↗ 96.1) können im Hauptsatz **verschiedene Sinnrichtungen** ausgedrückt werden:
In **Wunsch- und Aufforderungssätzen** zeigt der Konjunktiv an, dass ein Geschehen oder Sein als erwünscht, als möglich oder als gefordert erscheint. Die Negation ist in der Regel nē (↗ 95.3.3).
In **Aussagesätzen** zeigt der Konjunktiv an, dass der Sprechende ein Geschehen als möglich, als nur vorgestellt oder als nicht wirklich auffasst. Die Negation ist nōn (↗ 95.1.3).
In **Fragesätzen** bezeichnet der Konjunktiv eine Überlegung des Sprechers.

1 Die **verschiedenen Sinnrichtungen des Konjunktivs** im Hauptsatz sind in der folgenden **Übersicht** zusammengestellt.

Der Konjunktiv im Hauptsatz bezeichnet:

① eine **Wunschvorstellung**: Der Sprecher kann den Wunsch als erfüllbar (möglich) oder als unerfüllbar (unmöglich) formulieren. Es gibt erfüllbar und unerfüllbar gedachte Wünsche der Gegenwart und der Vergangenheit.	OPTATIV[1]	in Wunsch- und Aufforderungssätzen
② ein **Zugeständnis**: Etwas wird als wünschbar oder möglich angesehen, die Folgen daraus werden aber vom Sprecher nicht berücksichtigt. Es gibt den Konzessiv der Gegenwart und der Vergangenheit.	KONZESSIV[2]	
③ eine **Aufforderung**: Sie richtet sich an die 1. Person Plural oder an die 3. Person Singular oder Plural.	HORTATIV[3] JUSSIV[4]	
④ ein **Verbot**: Es richtet sich an die 2. Person Singular oder Plural.	PROHIBITIV[5]	
⑤ die **Annahme einer Möglichkeit**: Der Inhalt einer Aussage erscheint als bloße Annahme oder eine Behauptung wird abgeschwächt. Es gibt den Potentialis der Gegenwart und der Vergangenheit.	POTENTIALIS[6]	in Aussagesätzen
⑥ **Unwirklichkeit**: Der Sprecher stellt den Inhalt einer Aussage als nicht wirklich, nur in Gedanken vorgestellt dar. Es gibt den Irrealis der Gegenwart und der Vergangenheit.	IRREALIS[7]	
⑦ eine **überlegende Frage**: Sie ist an die 1. Person Singular oder Plural gerichtet; dabei überlegt sich der Fragende, für welche Möglichkeit des Handelns er sich in einer Situation entscheiden soll oder hätte entscheiden sollen. Es gibt den Deliberativ der Gegenwart und der Vergangenheit.	DELIBERATIV[8]	in Fragesätzen

---

[1]) < optāre (wünschen) [2]) < concēdere (zugestehen, einräumen) [3]) < hortārī (auffordern) [4]) < iubēre (befehlen) [5]) < prohibēre (verbieten, hindern) [6]) < posse (können). Da die angenommene Möglichkeit sich in der Regel auf die Zukunft bezieht, kommt dem Konjunktiv hier auch eine prospektive Bedeutung zu. [7]) < ir-reālis (nicht wirklich) [8]) < dēlīberāre (überlegen)

2 Die **verschiedenen Sinnrichtungen** des Konjunktivs sind durch die Konjunktivformen in verschiedenen Zeiten verdeutlicht:

Sinn-richtung		Zeit-stufe	Konjunktiv			
			Präsens	**Imperfekt**	**Perfekt**	**Plusquamperf.**
Optativ	erfüllbar	Ggw.	↗ 100.1.1			
		Verg.			↗ 100.1.1	
	unerfüllbar	Ggw.		↗ 100.1.2		
		Verg.				↗ 100.1.2
Konzessiv		Ggw.	↗ 100.2.1			
		Verg.			↗ 100.2.2	
Hortativ			↗ 100.3.1			
Jussiv			↗ 100.3.2			
fac…			↗ 100.3.3			
Prohibitiv					↗ 100.4	
cavē…			↗ 100.4			
Potentialis		Ggw.	↗ 100.5.1		↗ 100.5.1	
		Verg.		↗ 100.5.2		
Irrealis		Ggw.		↗ 100.6.1		
		Verg.				↗ 100.6.2
Deliberativ		Ggw.	↗ 100.7.1			
		Verg.		↗ 100.7.2		

100   Sinnrichtungen des Konjunktivs im Hauptsatz

OPTATIV: WUNSCH

1 Der Konjunktiv bezeichnet als **Optativ** eine **Wunschvorstellung**.
Ob sich der Sprechende seinen Wunsch als erfüllbar (möglich) oder unerfüllbar (unmöglich) vorstellt, wird durch den Konjunktiv verschiedener Tempora angezeigt.

1.1 Der als **erfüllbar gedachte Wunsch** der **Gegenwart** bzw. der **Vergangenheit** ist durch **Konjunktiv Präsens** bzw. **Perfekt** ausgedrückt.

Die als erfüllbar gedachten Wünsche werden häufig durch utinam (‚hoffentlich‘, ‚wenn doch‘) oder die Konjunktiv-Präsens-Formen velim, mālim, bei Verneinung nōlim gekennzeichnet.

Mihī īgnōscātis!   Hoffentlich verzeiht ihr mir!
                           Verzeiht mir doch!
                           Verzeiht mir bitte!

(Utinam/Velim) redeat salvus amīcus!	Hoffentlich kehrt der Freund wohlbehalten heim! Wenn nur der Freund wohlbehalten heimkehrte!
(Utinam/Velim) amīcus salvus redierit!	Hoffentlich ist der Freund wohlbehalten heimgekehrt! Wenn nur der Freund wohlbehalten heimgekehrt ist!

1.2 Der **unerfüllbar gedachte Wunsch** der **Gegenwart** bzw. der **Vergangenheit** ist durch **Konjunktiv Imperfekt** bzw. **Plusquamperfekt** ausgedrückt.
Die unerfüllbaren Wünsche werden stets durch utinam (wenn doch (bloß), … doch …) oder die Konjunktiv-Imperfekt-Formen vellem, māllem, bei Verneinung nōllem gekennzeichnet.

Utinam/Vellem amīcus vīveret!	Wenn doch der Freund noch lebte/am Leben wäre!
Utinam nē/Nōllem amīcus perīsset!	Wäre der Freund doch nicht umgekommen!

1.3 Der Sprecher kann auch einen Wunsch an sich selbst richten, den er jedoch als nicht ernst zu nehmend betrachtet. In der Regel handelt es sich dabei um formelhafte Wendungen, die als **Beteuerungen** dienen. Eine solche Beteuerung wird durch **Konjunktiv Präsens** ausgedrückt.

Peream!	Ich will tot umfallen!
Nē vīvam, sī vērum nōn dīcō!	(Ich will nicht leben) Ich will auf der Stelle tot umfallen, wenn ich nicht die Wahrheit sage!
Ita vīvam!	So wahr ich lebe!

KONZESSIV: ZUGESTÄNDNIS

2 Durch den Konjunktiv als **Konzessiv** wird ein Zugeständnis als wünschbar oder möglich eingeräumt, welches aber vom Sprecher in seinen Folgen nicht berücksichtigt wird.

2.1 Der **Konzessiv der Gegenwart** ist durch Konjunktiv Präsens ausgedrückt.

Dīcās vērum; tamen tibī fidem nōn habeō.	Magst du auch die Wahrheit sagen, ich schenke dir dennoch keinen Glauben.

2.2 Der **Konzessiv der Vergangenheit** ist durch **Konjunktiv Perfekt** ausgedrückt.

Dīxeris vērum; tamen tibī fidem nōn habeō.	Magst du auch die Wahrheit gesagt haben, ich schenke dir dennoch keinen Glauben.
Fuerit cupidus, fuerit īrācundus: improbus nōn fuit.	Mag er habgierig, mag er jähzornig gewesen sein: schlecht war er nicht.

HORTATIV, IUSSIV: AUFFORDERUNG

3 Der **Hortativ**, eine Aufforderung an die 1. Person Plural, und der **Jussiv**, eine Aufforderung an die 3. Person Singular oder Plural, sind (wegen ihrer Nähe zum erfüllbar gedachten Wunsch der Gegenwart) durch **Konjunktiv Präsens** ausgedrückt.

3.1 Hortativ

Taceāmus!	Lasst uns schweigen! Wir wollen schweigen! Schweigen wir!

3.2 Jussiv

Taceat!	Er/Sie soll schweigen!
Nē taceant!	Sie sollen nicht schweigen!
Videant cōnsulēs,	Die Konsuln sollen dafür sorgen,
nē quid rēs pūblica	dass der Staat keinen Schaden leidet!
dētrīmentī capiat!	

3.3 Eine Aufforderung kann durch age, agedum oder fac verstärkt sein.

Age (Agedum) rem expōnāmus!	Los, legen wir die Sache dar!
Fac abeās!	Mach, dass du wegkommst!

PROHIBITIV: VERBOT

4 Mit dem **Prohibitiv** wird ein Verbot ausgedrückt, das sich an die 2. Person Singular oder Plural richtet (verneinter Befehl ↗ 101.1). Der Prohibitiv ist durch **Konjunktiv Perfekt** ausgedrückt.

Nē tacueris!	Schweige nicht!
Nē cunctāti sitis!	Zögert nicht!

Einem Verbot kann ein größerer Nachdruck verliehen sein durch Konjunktiv Präsens in Verbindung mit dem Imperativ cavē.

Cavē dīcās!	Sprich ja nicht! (Hüte dich zu sprechen!)

POTENTIALIS: ANNAHME EINER MÖGLICHKEIT

5 Als **Potentialis** schränkt der Konjunktiv den Grad der Gültigkeit einer Aussage ein oder schwächt eine Behauptung ab.

5.1 Der **Potentialis der Gegenwart** ist durch **Konjunktiv Präsens** bzw. **Perfekt** ausgedrückt.

Crēdat ⎫ aliquis…	Jemand könnte/dürfte glauben, …
Crēdiderit ⎭	Jemand wird wohl glauben, …
Crēdās… ⎫	Man könnte/dürfte glauben, …
Putēs… ⎭	
Quis hoc nōn dubitet?	Wer wird daran nicht zweifeln?

5.2 Der **Potentialis der Vergangenheit** ist durch **Konjunktiv Imperfekt** ausgedrückt.

Dīceret aliquis…	Jemand hätte sagen können, …
Numquam crēderēs/putārēs…	Man hätte niemals glauben können, …
Quis umquam exīstimāret…?	Wer hätte wohl je gemeint…?

5.3 Der Potentialis erscheint häufig in der kondizionalen Periode (↗ 129.3).

Si quis neget deōs esse,	Wenn jemand die Existenz der Götter leugnen sollte,
erret.	irrt er wohl.

IRREALIS: UNWIRKLICHKEIT

6   Als **Irrealis** lässt der Konjunktiv den Inhalt einer Aussage als **nicht-wirklich, nur in Gedanken vorgestellt** erscheinen.
Der Irrealis tritt in der **kondizionalen Periode** (↗ 129.3) auf oder, wenn eine solche sinngemäß vorliegt.

6.1   Der **Irrealis der Gegenwart** ist durch **Konjunktiv Imperfekt** ausgedrückt.

Nisī mors esset,	Wenn es den Tod nicht gäbe,
vīta hominum quiēta esset.	wäre das Leben der Menschen von Beunruhigung frei.

6.2   Der **Irrealis der Vergangenheit** ist durch **Konjunktiv Plusquamperfekt** ausgedrückt.

Sine īnsidiīs	Ohne Anschläge
vīta Caesaris tūtior fuisset.	(Wenn es keine Anschläge gegeben hätte,) wäre Cäsars Leben sicherer gewesen.
Sī tacuissēs,	Wenn du geschwiegen hättest,
philosophus mānsissēs.	wärst du ein Philosoph geblieben.

DELIBERATIV: ÜBERLEGENDE FRAGE

7   Als **Deliberativ** kennzeichnet der Konjunktiv eine Frage, die an die 1. Person Singular oder Plural gerichtet ist. Der Fragende überlegt sich, für welche Möglichkeit des Handelns er sich in einer bestimmten Situation entscheiden soll oder hätte entscheiden sollen.

7.1   Der **Deliberativ der Gegenwart** ist durch **Konjunktiv Präsens** ausgedrückt.

Quid agam? An maneam?	Was soll ich tun? Soll ich bleiben?

7.2   Der **Deliberativ der Vergangenheit** ist durch **Konjunktiv Imperfekt** ausgedrückt.

Quid agerem? An manērem?	Was hätte ich tun sollen? Hätte ich etwa bleiben sollen?

101   Imperativ in Aufforderungssätzen

IMPERATIV: BEFEHL

Der Imperativ ist der Modus des Befehls[1].
Es gibt einen **Imperativ I** und einen **Imperativ II**.

1   Imperativ I

Der Imperativ I (↗ 10.2) drückt **Befehle** oder **Gebote** aus, die in einer **bestimmten Situation** unmittelbar an die 2. Person Singular oder Plural gerichtet sind.

Tacē!	Schweig!
Tacēte!	Schweigt!

---

[1] Futur I zur Bezeichnung eines allgemeinen Gebots ↗ 107.1

Der Imperativ I wird in der Regel nicht durch eine Negation verneint.
Zum Ausdruck eines verneinten Befehls dienen
der Prohibitiv (↗ 100.4)   oder   die Verbindung nōlī/nōlīte (Imperativ I von nōlle)
                                     mit dem Infinitiv Präsens Aktiv.

Nē tacueris!   Schweige nicht!   Nōlī tacēre!
Nē tacueritis!   Schweigt nicht!   Nōlīte tacēre!

2 Imperativ II

Der Imperativ II (↗ 10.2) bezeichnet **Befehle oder Gebote allgemeiner Art**, wie sie sich
in Erlassen, Gesetzen, Verträgen finden; sie sind an die 2. oder 3. Person Singular oder
Plural gerichtet.

Salūs pūblica suprēma lēx estō!   Das Wohl des Volkes soll das höchste Gebot sein!

Virginēs Vestālēs   Die Vestalinnen
custōdiuntō īgnem!   sollen das Feuer bewachen!

Der Imperativ II wird durch die Negation nē verneint.

Nē occīditō! { Du sollst nicht töten!   Nē occīditōte!   Ihr sollt nicht töten!
              Er soll nicht töten!   Nē occīduntō!   Sie sollen nicht töten!

---

102   Tempora im unabhängigen Satz

1 Zeitstufen

1.1 Alle Handlungen, Vorgänge oder Zustände, die im Prädikat eines Satzes ausgedrückt
werden, sind an die Zeit gebunden. Die Zeit ist aber keine feste Größe, sondern in **fort-
während er Bewegung**. Eine Orientierung in ihr gelingt nur, indem der Sprechende von
der Zeitstufe seiner Gegenwart auf die Vergangenheit zurückblickt oder in die Zukunft
vorausschaut.

Standort des Sprechenden

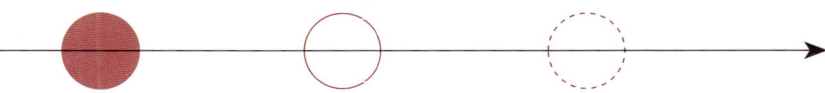

Vergangenheit   Gegenwart   Zukunft
ich habe studiert *ich studiere*   *ich werde studieren*

1.2 Da diese Zeitangaben in den drei Zeitstufen **unabhängig** vom zeitlichen Ablauf anderer
Vorgänge erfolgen, werden sie als **absolute** (‚losgelöste‘) Zeitangaben bezeichnet.

1.3 Vorgänge können innerhalb einer Zeitstufe in ihrem zeitlichen Ablauf auch miteinander
in Beziehung gebracht werden:
Im letzten Spiel war ich in Form; vorher hatte ich mir noch keine Kondition erworben.
Bald haben wir das Ziel erreicht (werden wir … haben); vorher aber werden wir uns noch
tüchtig anstrengen.
Hier liegen **relative Zeitangaben** vor.
Es gibt deshalb in den meisten Sprachen mehr Tempora (Zeiten) als Zeitstufen.

1.4 Den drei **Zeitstufen** entsprechen im lateinischen **sechs Tempora (Zeiten)**.

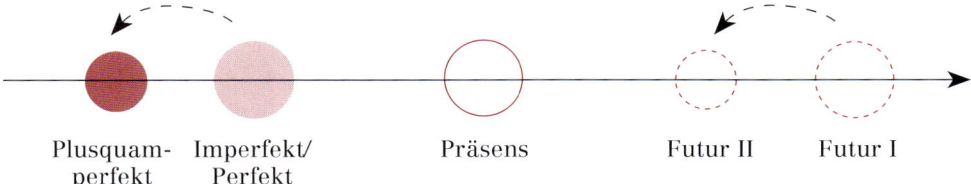

Plusquam-perfekt	Imperfekt/Perfekt	Präsens	Futur II	Futur I

Die sechs Tempora verteilen sich folgendermaßen auf die Zeitstufen:

Zeitstufe	Tempora
Vergangenheit	Imperfekt (↗ 105) Perfekt (↗ 104) Plusquamperfekt (↗ 106)
Gegenwart	Präsens (↗ 103)
Zukunft	Futur I (↗ 107.1) Futur II (↗ 107.2)

Das Perfekt findet als **präsentisches Perfekt** (↗ 104.4) auch Verwendung auf der Zeit-stufe der Gegenwart.
Das Präsens findet als **historisches/dramatisches Präsens** (↗ 103.3) auch Verwendung auf der Zeitstufe der Vergangenheit.
Die Zukunft kann auch durch eine Umschreibung (↗ 107.1.2) ausgedrückt werden.

2 Vollzugsstufe

2.1 Im Prädikat eines Satzes ist nicht bloß die Zeitstufe, sondern auch **die Vollzugsstufe eines Vorgangs** ausgedrückt.
An der **Vollzugsstufe** ist zu erkennen:

a) wie **ein Vorgang** oder eine Handlung **an sich** abläuft, z.B.
   dauerhaft   *(Ich suche das Buch schon seit Stunden.)*
   einmalig   *(Ich habe das Buch gefunden.)*

b) wie sich ein Vorgang oder eine Handlung **im Verhältnis zu anderen Vorgängen** oder Handlungen vollzieht, z.B.
   im Ablauf befindlich   *(Ich suchte das Buch noch,*
   den Ablauf unterbrechend/   *als meine Mutter kam.)*
        abschließend

c) wie ein Vorgang **vom Sprechenden aus betrachtet** wird, z.B.
   als zusammenfassende Feststellung   *(Ich habe das Buch gesucht.)*
   als zeitlos gültiges Urteil   *(Wer sucht, der findet.)*

Alle Tempora haben demnach neben der Zeitangabe immer auch eine **semantische Funktion**.

2.2 Die folgende Übersicht zeigt das Verhältnis zwischen Zeitstufe und Vollzugsstufe.
(Dabei sind Plusquamperfekt und Futur II als Tempora zur relativen Zeitangabe nicht berücksichtigt.)

	ZEIT-STUFE	Gegenwart	Vergangenheit		Zukunft
TEMPUS		Präsens	Perfekt	Imperfekt	Futur I
	VOLL-ZUGS-STUFE	aktuell gnomisch[1] historisch	narrativ[2] konstatierend[3] gnomisch[1] präsentisch	durativ[4] konativ[5] iterativ[6]	prospektiv[7] gnomisch[1]

# 103	Präsens

Durch das Präsens sind gekennzeichnet:

① Handlungen oder Vorgänge, die **in der Gegenwart eintreten**, ablaufen oder zum Abschluss kommen (**aktuelles Präsens**).
Wiedergabe im Deutschen durch Präsens.
② Feststellungen und Aussagen, die **für die Gegenwart gelten** oder **zeitlos** und allgemein **gültig** sind (**generelles/gnomisches Präsens**).
Wiedergabe im Deutschen durch Präsens.
③ vergangene Ereignisse und Handlungen, denen ein größeres Maß an **Anschaulichkeit**, **Lebhaftigkeit und Spannung** verliehen wird, indem man sie als gegenwärtig erscheinen lässt (**historisches/dramatisches Präsens**).
Statt einer finiten Verbform im Präsens kann in derselben Funktion auch ein Infinitiv Präsens stehen (**historischer Infinitiv** (↗ 37.1.2).
Wiedergabe im Deutschen: durch Präsens oder durch Präteritum.

① Ōrātor **venit**. — Der Redner kommt.
Ōrātiōnem **habet**. — Er hält eine Rede.
Fīnit. — Er beendet sie.

② Labiēnus Lūtētiam oppūgnābat. — Labienus belagerte Lutetia.
Id **est** oppidum Parīsiōrum. — Dies ist eine Stadt des Stammes der Parisier.

Semper aliquid **haeret**. — Es bleibt immer etwas hängen.

③ Helvētiī iam in Haeduōrum fīnēs pervēnerant eōrumque agrōs populābantur. Haeduī lēgātōs ad Caesarem **mittunt** rogātum auxilium. Eōdem tempore Ambarrī Caesarem certiōrem **faciunt** sē nōn facile ab oppidīs vim hostium prohibēre. Item Allobrogēs fugā sē ad Caesarem **recipere**. — Die Helvetier waren schon im Gebiet der Häduer angekommen und (waren) dabei, deren Land zu verwüsten. Die Häduer schick(t)en Gesandte zu Cäsar um ihn um Hilfe zu bitten. Gleichzeitig setz(t)en die Ambarrer Cäsar davon in Kenntnis, dass sie den gewaltigen Ansturm der Feinde nur mit Mühe von ihren Städten abwehrten (abwehren könnten). Ebenso flüchte(te)n die Allobroger sich zu Cäsar.

---

[1] < griech. gnómē (Spruch, gültige Meinung) [2] < nārrāre (erzählen) [3] < cōnstāre (feststehen) [4] < dūrāre (andauern) [5] < cōnārī (versuchen) [6] < iterāre (wiederholen) [7] < prōspicere (vorausschauen)

104 Perfekt

Durch das Perfekt sind gekennzeichnet:

---

① Handlungen und Vorgänge in der Vergangenheit, die zusammenhängend erzählt werden. Diese Handlungen und Vorgänge sind die **Hauptereignisse der Erzählung**, die aufeinander folgend und das Geschehen vorantreibend den **Handlungsvordergrund** darstellen (**narratives Perfekt**).
Wiedergabe im Deutschen: durch Präteritum.

② Handlungen und Vorgänge, die der Sprechende als **geschichtlich abgeschlossene Tatbestände** rückblickend oder beurteilend feststellt (**resultatives/ konstatierendes Perfekt**).
Wiedergabe im Deutschen: durch Perfekt.

③ Erfahrungen aus der Vergangenheit, die sich jederzeit bestätigen können (**gnomisches Perfekt**).
Wiedergabe im Deutschen: durch Perfekt oder auch durch Präsens.

④ ein **Zustand**, der sich **aus dem Abschluss** einer Handlung oder eines Vorgangs **ergibt** und deshalb auf der Zeitstufe der Gegenwart erscheint (**präsentisches Perfekt**).
Wiedergabe im Deutschen: durch Perfekt oder Präsens.

---

① Hostēs impetum nostrōrum mīlitum sustinēre nōn **potuērunt** ac terga **vertērunt**. Quōs mīlitēs nostrī **secūtī sunt**, complūrēs ex iīs **occīdērunt**, deinde sē in castra **recēpērunt**.

Die Feinde konnten dem Ansturm unserer Soldaten nicht standhalten und flohen. Unsere Soldaten verfolgten sie und töteten ziemlich viele von ihnen; daraufhin zogen sie sich ins Lager zurück.

② Caesar decem ferē annōs bellum contrā Gallōs **gessit**.

Cäsar hat beinahe zehn Jahre lang Krieg gegen die Gallier geführt.

Caesar Galliā occupātā Germānōs ā Rhēnō trānseundō **prohibuit**.

Cäsar hat durch die Eroberung Galliens die Germanen am Überschreiten des Rheins gehindert.

③ Dulcia nōn **meruit**, quī nōn **gūstāvit** amāra.

Süßes hat nicht verdient/verdient nicht, wer nicht das Bittere gekostet hat.

④ Illum **nōvī**.
Quis **meminit**?
Ōdī.
Illud sibī **persuāsit**.
Illud eī **persuāsum est**.
Accēpimus.

Ihn habe ich kennen gelernt/Ihn kenne ich.
Wer erinnert sich?
Ich hasse.
Davon hat er/sie sich überzeugt.
Davon ist er/sie überzeugt (worden).
Wir haben erfahren./Wir wissen.

▶ Zum Verhältnis von Imperfekt und Perfekt ↗ 105.2.

105   Imperfekt

1 Durch das Imperfekt sind gekennzeichnet:

---

① Umstände und Vorgänge in der Vergangenheit, die zu Beginn des Geschehens
bereits bestanden oder **das Geschehen begleiteten** und somit den
Geschehenshintergrund abgaben (**duratives Imperfekt**).
Wiedergabe im Deutschen: durch Präteritum (zuweilen mit verdeutlichenden
Ausdrücken wie ‚*dabei sein*, etwas zu tun‘, ‚*noch/gerade* etwas tun‘).
② Handlungen der Vergangenheit, die **versucht wurden**, aber unvollendet blieben
(**konatives Imperfekt**).
Wiedergabe im Deutschen: Umschreibung durch „versuchen“.
③ Handlungen und Vorgänge der Vergangenheit, die sich der Sprechende als
sich wiederholende vorstellt, also auch Gewohnheiten, Sitten und Bräuche
(**iteratives Imperfekt**).
Wiedergabe im Deutschen: durch Präteritum in Verbindung mit entsprechenden
Ausdrücken (z.B. ‚immer wieder‘); durch Wendungen wie ‚gewohnt sein‘,
‚wie es Sitte/Brauch ist‘ im Präteritum.

---

① Gallī proeliō dēcertāre
parābant.

Die Gallier *waren dabei* sich auf die
Entscheidungsschlacht vorzubereiten.

Nostrī in summā difficultāte
erant; auxilia nōn **veniēbant**;
nam māximum flūmen eōs
ā castrīs **arcēbat**. Tum Caesar
labōrantēs adiuvāre *cōnstituit*.

Die Unseren waren in einer höchst schwierigen Lage;
Hilfstruppen kamen nicht;
denn ein gewaltiger Strom hielt sie
vom Lager fern. Da beschloss Cäsar
den Bedrängten zu helfen.

② Rōmānī flūmen
nāvibus **trānsībant**
suīsque opem **ferēbant**.

Die Römer *versuchten*
den Fluss mit Schiffen zu überqueren
und den Ihren Hilfe zu bringen.

③ Gallī diē nocteque
legiōnem nostram **invādēbant**.
Nam proelium diū
sustinēbant.

Die Gallier griffen unsere Legion
Tag und Nacht *immer wieder* an.
Denn sie *waren es gewohnt*, einen Kampf lange
durchzuhalten.

Omnēs Gallī bellō **intererant**.

Alle Gallier beteiligten sich – *wie es Brauch war* –
am Krieg.

2 Verhältnis von Imperfekt zu Perfekt

> **In Erzählungen kommen dem lateinischen Imperfekt** und dem **Perfekt** verschiedene Aufgaben zu:
> Der **Geschehenshintergrund** (begleitende Umstände, längere Vorgänge, Beschreibungen) wird durch das **Imperfekt** gekennzeichnet; der **Geschehensvordergrund** (Hauptereignisse, die aufeinander folgen und die Handlung vorantreiben) werden durch das **(narrative) Perfekt** gekennzeichnet. Das Perfekt ist demnach das Leittempus für Erzählungen (↗ 139,3).
> Wiedergabe im Deutschen: sowohl Imperfekt als auch (narratives) Perfekt durch Präteritum (das Leittempus für Erzählungen im Deutschen).

Plānitiēs **erat** māgna et in eā tumulus terrēnus satis grandis.	Es war da eine weite Ebene und auf ihr ein ziemlich großer Erdhügel.
Hic locus aequum ferē spatium ā castrīs utrīusque **aberat**.	Diese Stelle war ungefähr gleich weit vom Lager der beiden entfernt.
Eō, ut erat dictum, ad colloquium **vēnērunt**. Caesar legiōnem passibus ducentīs ab eō tumulō **cōnstituit**.	Dorthin kamen sie, wie verabredet worden war, zur Unterredung. Cäsar ließ seine Legion 300 m von diesem Hügel entfernt Halt machen.
Equitēs Ariovistī parī intervallō **cōnstitērunt**.	Die Reiter des Ariovist postierten sich in der gleichen Entfernung.

106 Plusquamperfekt

Durch das Plusquamperfekt sind gekennzeichnet:

> ① Vorgänge, die auf der Zeitstufe der Vergangenheit, aber schon **vor einem anderen Vorgang** (gleichsam in einer Vorvergangenheit) abgelaufen sind (Plusquamperfekt als **relatives Tempus**).
> Wiedergabe im Deutschen: durch Plusquamperfekt.
> ② ein **Zustand in der Vergangenheit** (vgl. präsentisches Perfekt ↗ 104.4) (Plusquamperfekt als **absolutes Tempus**).
> Wiedergabe im Deutschen: durch Plusquamperfekt oder Präteritum.

① Caesar Rhēnum trānsīre **dēcrēverat**; sed nāvibus trānsīre nōn satis tūtum esse *arbitrābātur*.	Cäsar hatte beschlossen den Rhein zu überschreiten; aber ihn mit Schiffen zu überqueren hielt er nicht für hinreichend sicher.
② Illum **nōveram**.	Ihn hatte ich kennen gelernt./Ihn kannte ich.
Quis **meminerat**?	Wer erinnerte sich?
Ōderam.	Ich hasste.
Illud sibī **persuāserat**.	Davon hatte er/sie sich überzeugt.
Illud eī **persuāsum erat**.	Davon war er/sie überzeugt (worden).
Accēperāmus.	Wir hatten erfahren./Wir wussten.

107 Futur

1 Futur I

1.1 Durch das Futur I sind gekennzeichnet:

> ① Handlungen und Vorgänge, die der Sprechende als **in der Zukunft eintretend oder fortdauernd** darstellt (**prospektives Futur**).
> Wiedergabe im Deutschen: durch Futur I, häufig aber durch Präsens (vor allem, wenn Adverbien der Zeit auf die Zeitstufe der Zukunft verweisen); auch mit den Modalverben ‚wollen' oder ‚können' im Präsens.
> ② **Urteile**, die sich als zeitlos, also **auch für die Zukunft gültig erweisen** (**gnomisches Futur**).
> Wiedergabe im Deutschen: durch Futur I oder durch Präsens.
> ③ **allgemeine Gebote**, denen ein besonderes Gewicht verliehen werden soll (vgl. Imperativ ↗ 101).
> Wiedergabe im Deutschen: durch das Modalverb ‚sollen' im Präsens.

① **Vidēbimus**.   Wir werden sehen.
Tacēbimus.   Wir werden schweigen.
Crās **aderimus**.   Morgen sind wir da.
Nōn **dubitābō** officia praestāre.   Ich will nicht zögern meine Pflichten zu erfüllen.
Quis **dubitābit**?   Wer will noch zweifeln?

② Omnēs hominēs **morientur**.   Alle Menschen werden sterben.

③ **Dīligēs** proximum tuum!   Du sollst deinen Nächsten lieben!
Nōn **occīdēs**!   Du sollst nicht töten!

1.2 Umschreibendes Futur
Durch das **umschreibende Futur** (Partizip Futur Aktiv in Verbindung mit der Copula ESSE ↗ 38.2) sind gekennzeichnet:

> Handlungen, die **unmittelbar bevorstehen** oder in naher Zukunft **beabsichtigt** werden.
> Wiedergabe im Deutschen: mit dem Modalverb ‚wollen' oder mit Ausdrücken wie ‚beabsichtigen', ‚die Absicht haben', ‚vorhaben'.

Līberē **dictūrus est/erat**.   Er will/wollte freimütig sprechen./
Er hat/hatte die Absicht frei zu sprechen.

2 Futur II

Durch das Futur II sind gekennzeichnet:

> ① Handlungen und Geschehnisse, die **vor Eintritt eines weiteren Geschehens in der Zukunft abgeschlossen** sind (Futur II als **relatives Tempus**).
> Wiedergabe im Deutschen: in der Regel durch Präsens oder Perfekt.
> ② ein **Zustand in der Zukunft** (vgl. präsentisches Perfekt ↗ 104.4) (Futur II als **absolutes Tempus**).
> Wiedergabe im Deutschen: durch Futur I; auch mit den Modalverben ‚wollen' oder ‚können' im Präsens.

① Si domum ad tempus **redierō**, epistulam scrībam.	Falls ich rechtzeitig nach Hause *komme*, schreibe ich den Brief.
Mox epistulam **scrīpserō**; tum ad tē veniam.	Bald *habe* ich den Brief *geschrieben*; dann komme ich zu dir.
② Illud **nōverō**.	Das werde ich wissen/kennen. (Das werde ich kennen gelernt haben.)
Quis **meminerit**?	Wer wird/kann sich erinnern?
Ōderō.	Ich werde hassen.
Accēperō.	Ich werde wissen. (Ich werde erfahren haben.)

108   Satzreihe

Hauptsätze können zu **Satzreihen** verbunden sein.

▶ Die Verbindung stellen in der Regel sprachliche Elemente her: (beiordnende) Konjunktionen, Pronomina, Adverbien, Wortgruppen.

▶ Sind Hauptsätze nicht miteinander verbunden (asyndetisch[1]), so ist damit eine bestimmte Sinngebung beabsichtigt.

1 Additive[2]) Reihung wird hergestellt

1.1 durch **beiordnende Konjunktionen**:

a) anreihende (kopulative) Konjunktionen

et	und, auch	*einfach verbindend*
-que atque/ac	und und, und dazu	*eng verbindend*
etiam	auch, sogar	*steigernd*
quoque *(nachgestellt)*	auch	*gleichstellend*
neque/nec nē … quidem	und nicht, auch nicht, aber nicht nicht einmal	*verneinend*
et … et	sowohl … als auch	
modo … modo	bald … bald	*gleich gewichtend*
neque … neque nec … nec	weder … noch	
cum … tum	sowohl … als (ganz) besonders, zwar … besonders aber	*den zweiten Teil des Satzes hervorhebend*
nōn sōlum … sed etiam	nicht nur … sondern auch	

---

[1]) griech. a-sýndeton (un-verbunden)
[2]) addere (hinzufügen)

b) ausschließende (disjunktive) Konjunktionen

aut	oder	*stark trennend*
vel -ve	oder	*schwach trennend*
an	oder	*Wahl-/Doppelfrage*
aut … aut vel … vel	entweder … oder	*gleich gewichtend*
sĭve … sĭve/seu … seu	sei es, dass … oder dass	

1.2 durch **Asyndeton**[1](↗ 143.2.1):
Häufig werden vom Sprecher in der Aufzählung reihende Konjunktionen ausgelassen. Die dadurch entstehende Kürze zielt auf rhetorische Wirkung.

Vēnī, vīdī, vīcī.   Ich kam, sah **und** siegte.

1.3 durch **Pronomina**:

a) **Demonstrativer Satzanschluss**
Demonstrativ-**Pronomina** oder demonstrative Pronominaladverbien können anstelle einer anreihenden Konjunktion die **Beiordnung** herstellen:

is, ea, id	(und) dieser, diese, dieses
ibĭ	(und) dort

Rem novam expōnam;   Ich will die neue Sachlage darlegen
eam statim intellegēs.   (und) **die** wirst du sofort begreifen.

b) Sind anreihende Konjunktionen und Demonstrativ-Pronomina kombiniert, so hat der angereihte Satz **erklärende** (appositionelle) Funktion:

et is, ea, id isque, eaque, idque atque is, ea, id	(und) zwar

Ūnam rem expōnam   Eine einzige Sache werde ich darlegen,
eamque māximam.   **und zwar** die wichtigste.

c) **Relativischer Satzanschluss** (↗ 135)
Relativ-**Pronomina** oder relative **Pronominaladverbien** können die **Beiordnung** herstellen. Anstelle des Relativ-Pronomens wird im Deutschen ein Demonstrativ-Pronomen gesetzt; die Anreihung wird häufig durch die Konjunktion ‚und‘ geleistet.

quĭ, quae, quod	(und) dieser, diese, dieses
ubĭ	(und) dort

Rem novam expōnam;   Ich will die neue Sachlage darlegen
quam statim intellegēs.   (und) **die** wirst du sofort begreifen.

---

[1]) griech. a-sýndeton (un-verbunden)

2 Logische Satzverknüpfung wird geleistet

2.1 durch **beiordnende Konjunktionen**:

a) entgegensetzende (adversative) Konjunktionen

autem *(nachgestellt)*	aber, und ferner	*schwach entgegensetzend, weiterführend*
vērō *(nachgestellt)*	aber, wirklich, vollends	*steigernd*
sed vērum at	aber, sondern aber, vielmehr aber, jedoch, hingegen	*stark entgegensetzend*
atquī	aber doch	*berichtigend, einschränkend*
tamen	doch, dennoch, trotzdem	

b) begründende (kausale) Konjunktionen

nam enim *(nachgestellt)*	denn, nämlich	*begründend, erklärend*
neque enim	denn nicht	

c) folgernde (konklusive) Konjunktionen

ergō igitur itaque ideō	also, folglich also, daher, nun daher, infolgedessen daher, deshalb	
proïnde	daher, demnach	*vor Aufforderungen und Ermahnungen*

2.2 durch **relativischen Satzanschluss** (↗ 135):
Relativ-**Pronomina** oder relative Pronominal**adverbien** können auch logische Satzverknüpfungen leisten. In solchen Fällen wird im Deutschen das Demonstrativ-Pronomen mit einer logischen Konjunktion zusammengesetzt.

quī ubī	dieser jedoch, der aber dort aber	*entgegensetzend*
quī ubī	denn dieser, der nämlich denn dort	*begründend*
quī ubī	dieser also, der nun dort also	*folgernd*

Legāmus poētās!   Wollen wir die Dichter lesen!
Quī amīcissimī sunt nōbīs.   Denn diese sind für uns sehr liebe Freunde.

2.3 durch **Asyndeton**:

a) entgegensetzend
Helvētiī:
Vincere solēmus, nōn vincī.

Die Helvetier betonen:
Wir sind gewohnt zu siegen, nicht **aber** besiegt zu werden.

b) begründend
Grāta in illum virum cīvitās fuit: statua in forō posita est.

Gegen jenen Mann zeigte sich die Bürgerschaft dankbar: es wurde ihm **nämlich** ein Standbild auf dem Forum errichtet.

c) folgernd
Nox est: Iam domum discēdite!

Es ist Nacht: Geht **also** nun nach Hause!

DER ABHÄNGIGE SATZ – GLIEDSATZ

109   Beziehungen zwischen Gliedsatz und Hauptsatz

Zwischen Gliedsatz und Hauptsatz bestehen mehrfache Beziehungen; diese sind durch jeweils verschiedene sprachliche Elemente geregelt.

Aus der Art der Beziehungen ergeben sich verschiedene Kriterien, nach denen die Gliedsätze eingeteilt werden können.

1 Abhängigkeit

Die Gliedsätze sind anderen Sätzen **untergeordnet**. Die Abhängigkeit eines Gliedsatzes wird durch ein **einleitendes Wort** angezeigt. Diese Einleitung kann sein:
– eine unterordnende Konjunktion (Subjunktion),
– ein Interrogativ-Pronomen oder Interrogativ-Adverb oder eine Interrogativ-Partikel,
– ein Relativ-Pronomen.
Nach diesem formalen Kriterium lassen sich die Gliedsätze einteilen in:
– **Konjunktionale** (Subjunktionale) **Gliedsätze** (↗ 116–117, 119–130),
– **Abhängige** (Indirekte) **Fragesätze** (↗ 118),
– **Relativsätze** (131–134).

▶ Zu Gliedsätzen ohne einleitendes Wort ↗ 116,2.1a; 117.2.

2 Zeitverhältnis

Das **zeitliche Verhältnis**, das zwischen dem Vorgang des Gliedsatzes und dem des Hauptsatzes herrscht, ist in der **Tempusangabe** des Gliedsatz-Prädikats ausgedrückt (↗ 112–113).

3 Modus

Die Art der Wirklichkeitserfassung, die in den aufeinander bezogenen Vorgängen des Hauptsatzes und Gliedsatzes vorliegt, ist in der Regel durch die **Modusangabe** im Gliedsatz gekennzeichnet (↗ 114).
Man unterscheidet **indikativische** und **konjunktivische** Gliedsätze.

4 Syntaktische Funktion

Die syntaktische Funktion, die ein Gliedsatz innerhalb des Satzgefüges erfüllt, wird vielfach durch die einleitenden Wörter (Konjunktionen, Pronomina) angezeigt; sie ist zuweilen aber erst aus dem größeren Satzzusammenhang erschließbar.
Der Gliedsatz erfüllt die syntaktische Funktion von Satzgliedern bzw. Satzgliedteilen, und zwar des Subjekts oder Objekts, des Adverbiales oder des Attributs.
Nach der syntaktischen Funktion, die ein Gliedsatz erfüllt, unterscheidet man:
– **Subjekt- bzw. Objektsätze** (↗ 115–118; 132.2),
– **Adverbialsätze** (↗ 119–130; 132.2),
– **Attributsätze** (↗ 132.1; 133).

Im Satzmodell:

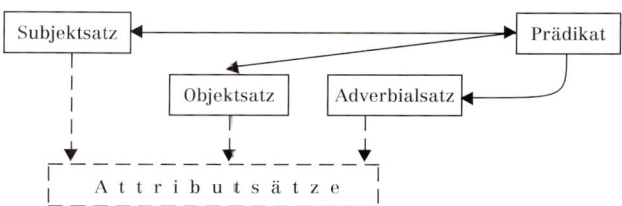

5 Semantische Funktion (Sinnrichtung)

Der Gliedsatz enthält für die Hauptaussage des Satzes, dem er untergeordnet ist, eine zusätzliche, oft notwendige Information, da er Sinn und Bedeutung der Hauptaussage präzisiert und erweitert. Dem Gliedsatz kommt deshalb auch eine **semantische Funktion** zu.

Die Sinnrichtung eines Gliedsatzes wird durch die einleitenden Wörter (Konjunktionen, Pronomina) festgelegt; bei mehrdeutigen Konjunktionen ist die Sinnrichtung in der Regel erst aus dem größeren Zusammenhang oder aus dem logischen Verhältnis von Glied- und Hauptsatz zu erschließen.

Nach der semantischen Funktion eines Gliedsatzes unterscheidet man:

Erläuterungssätze	↗ 116	**Kausalsätze**	↗ 124
Begehrsätze	↗ 117	**Finalsätze**	↗ 125
Fragesätze	↗ 118	**Konsekutivsätze**	↗ 126
Lokalsätze	↗ 121	**Konzessivsätze**	↗ 127
Modalsätze	↗ 121	**Adversativsätze**	↗ 128
Temporalsätze	↗ 122	**Kondizionalsätze**	↗ 129
		Komparativsätze	↗ 130

110 Satzgefüge – Periode

1 Hauptsatz und Gliedsatz bzw. Gliedsätze bilden zusammen ein Satzgefüge. Ein Gliedsatz kann dabei wieder einem anderen Gliedsatz untergeordnet sein. Somit können Gliedsätze gegenüber dem Hauptsatz auf der 1., 2., 3. ... Stufe der Unterordnung stehen. Folglich kann man verschiedene Stufen oder **Grade der Unterordnung** von Gliedsätzen unterscheiden: GS$_1$, GS$_2$, GS$_3$ ... .

Eine Folge von Hauptsatz und Gliedsätzen wird auch als **Periode** bezeichnet.

2 Je nach der Reihenfolge, in der Hauptsatz und Gliedsätze erscheinen, unterscheidet man verschiedene **Typen von Perioden**, deren häufigste nachfolgend gezeigt werden:

2.1 ,Fallende' Periode

Auf den Hauptsatz folgt der Gliedsatz.

Caesar Rhodum īnsulam adiit, **cum** ibī clārissimī ēloquentiae magistrī essent.

Cäsar besuchte die Insel Rhodos, **weil** es dort hochberühmte Redelehrer gab.

Im Schema:

HS ▭

GS$_1$ ▭ cum

2.2 ‚Steigende' Periode

Der Gliedsatz steht vor dem Hauptsatz.

Cum Rhodus īnsula fāmā litterārum praestāret, multī iuvenēs Rōmānī eam adībant.

Da die Insel Rhodos durch den Ruhm ihrer Wissenschaften glänzte, besuchten sie viele junge Römer.

Im Schema:

HS	
GS₁	Cum

2.3 ‚Brückenperiode'

Vor und nach dem Hauptsatz steht ein Gliedsatz.

    Cum nōbilēs Rōmānī in Graeciā studiīs sē darent,
etiam Cicerō Rhodum nāvigāvit,
    ut ibī clārissimōs ēloquentiae magistrōs audīret.

    Da vornehme Römer in Griechenland studierten,
reiste auch Cicero nach Rhodos
    um dort die hochberühmten Redelehrer **zu** hören.

Im Schema:

HS		
GS₁	Cum	ut

2.4 ‚Flügelperiode'

Der Hauptsatz ist durch einen eingeschobenen Gliedsatz getrennt.

Multī Rōmānī fīliōs,
    ut Graecīs litterīs īnstituerentur,
aut Athēnās aut Rhodum mīsērunt.

Viele Römer schickten ihre Söhne,
    damit sie in den griechischen Wissenschaften ausgebildet würden,
nach Athen oder Rhodos.

Im Schema:

HS		
GS₁	ut	

2.5 ‚Stufenperiode'

Auf den Hauptsatz folgen mehrere Gliedsätze auf einer jeweils niedrigeren Stufe:

    Catō Māior Rōmānōs monuit,
      nē fīliōs in Graeciam mitterent,
        ut eōrum mōrēs integrī servārentur,
          sī Graecā scientiā abstinērent.
    Cato der Ältere mahnte die Römer,
      dass sie ihre Söhne nicht nach Griechenland gehen ließen,
        damit ihr Charakter unverdorben bliebe,
          wenn sie sich von griechischer Wissenschaft fern hielten.

Im Schema:

HS			
GS₁	ne		
GS₂		ut	
GS₃			si

2.6 ‚Janus-Periode‘

In den Hauptsatz sind zwei auf gleicher Stufe stehende Gliedsätze eingeschoben, von denen der erste nach vorne, der zweite nach hinten ‚schaut‘.

Catō Māior veritus,
nē iuvenēs Rōmānī ā Graecīs corrumperentur,
ut eōrum philosophī quam celerrimē Rōmā discēderent,
omnem operam dedit.

Cato setzte sich aus Angst,
dass die römische Jugend von den Griechen verdorben würde,
entschieden dafür ein,
dass ihre Philosophen möglichst schnell Rom verließen.

Im Schema:

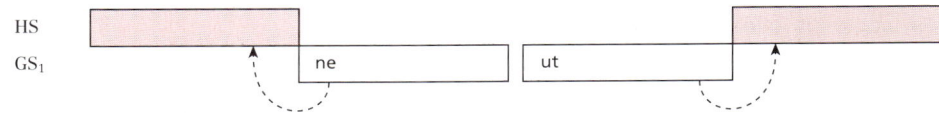

2.7 ‚Sprung-Periode‘

Die zunächst ‚fallende‘ Periode (GS$_1$ → GS$_2$) überspringt eine Gliedsatzstufe (hier GS$_1$) um die Hauptsatzebene zu erreichen.

Cum Rōmānī timēre dēsiissent,
nē Graeca studia mōribus suīs nocērent,
etiam Rōmam multī ē Graeciā philosophī vēnērunt,
ut adulēscentēs Graecīs doctrīnīs īnstituerent.

Als die Römer nicht mehr befürchteten
dass die Beschäftigung mit griechischen Wissenschaften ihrem Charakter schade,
kamen auch nach Rom viele Philosophen aus Griechenland
um die jungen Leute in den griechischen Wissenschaften zu unterrichten.

Im Schema:

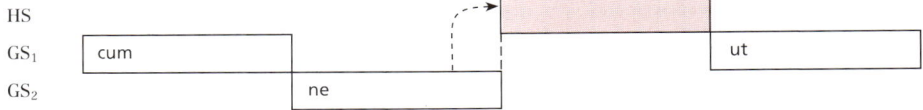

Übersicht über die Einleitungen der Gliedsätze

1 Alphabetisch geordnete Liste

Einleitung	Modus	Gliedsatzart/ semantische Funktion	deutsche Bedeutung	↗
(utrum ...) an	Konj.	Fragesatz (Wahlfrage)	ob nicht; (ob) ... oder	118.2; 3
antequam	Ind./Konj.	Temporalsatz (m. final. Nebensinn)	ehe; bevor/ bevor; damit nicht später ...	122.1
atque/ac	Ind.	Komparativsatz	wie	130.1.2

Einleitung	Modus	Gliedsatzart/ semantische Funktion	deutsche Bedeutung	↗
cum	Ind.	Modalsatz	indem; dadurch, dass	121.2
	Ind.	Temporalsatz	(damals) als; (dann) wenn	122.3
	Ind. (Perf.)	Temporalsatz	als (plötzlich); da	122.4
	Ind. (Impf./ Plqpf.)	Temporalsatz	jedes Mal, wenn; sooft	122.5
	Konj.	Modalsatz	wobei	121.2
	Konj.	Temporalsatz	als; nachdem	122.1
	Konj.	Kausalsatz	da; weil	124
	Konj.	Konzessivsatz	obwohl; wenn auch	127.1
	Konj.	Adversativsatz	während; während dagegen	128
cūr	Konj.	Fragesatz	warum	118.1
dōnec	Ind.	Temporalsatz	solange	122.2
dum	Ind. (Präs.)	Temporalsatz	während	122.2
	Ind./Konj.	Temporalsatz (m. final. Nebensinn)	solange; (solange) bis	122.6
etiamsī/etsī	Ind./Konj.	Konzessivsatz	auch wenn; selbst wenn	127.1
licet	Konj.	Konzessivsatz	mag auch; wenn auch	127.1
nē	Konj.	Begehrsatz	dass nicht; … zu	117.1
	Konj.	Begehrsatz (nach Verben des Fürchtens)	dass; … zu	117.2
	Konj.	Begehrsatz (nach Verben des Hinderns)	dass; … zu	117.3
	Konj.	Finalsatz	damit nicht; um nicht … zu	125
nē … nēve	Konj.	Finalsatz	damit nicht … und (damit) nicht	125.1
-ne	Konj.	Fragesatz	ob	118.2
-ne … an	Konj.	Fragesatz (Wahlfrage)	ob … oder (ob)	118.3
nisī	Ind./Konj.	Kondizionalsatz	wenn nicht; falls nicht	129
nōnne	Konj.	Fragesatz	ob nicht/ob	118.2
num	Konj.	Fragesatz	ob	118.2
postquam	Ind. (Perf.)	Temporalsatz	nachdem	122.1
praesertim cum	Konj.	Kausalsatz	zumal da	124
priusquam	Ind./Konj.	Temporalsatz (m. final. Nebensinn)	ehe; bevor/ bevor nicht	122.1
proptereā quod	Ind.	Kausalsatz	deshalb, weil	124
quā	Ind.	Lokalsatz	wo	121.1
	Konj.	Fragesatz	wie	118.1

Einleitung	Modus	Gliedsatzart/ semantische Funktion	deutsche Bedeutung	↗
quācumque	Ind.	Lokalsatz	wo auch immer	121.1
quālis (tālis … -)	Ind.	Komparativsatz	wie (so *beschaffen* …)	130.1.1
quam (-…tam)	Ind.	Komparativsatz	wie (- …so)	130.2
	Konj.	Fragesatz	wie	118.1
quamdiū	Ind.	Temporalsatz	solange	122.2
quam ut	Konj.	Konsekutivsatz	als dass	126
quamquam	Ind.	Konzessivsatz	obwohl; wenn auch	127
quamvīs	Konj.	Konzessivsatz	wenn auch (noch so sehr)	127
quantus (tantus…-)	Ind.	Komparativsatz	wie (so groß …-)	130.1
	Konj.	Fragesatz	wie groß	118.1
quasi	Konj.	Komparativsatz	(so) als ob	130.2
quemadmodum (- …sīc/ita)	Ind.	Komparativsatz	wie (-…so)	130.2
	Konj.	Fragesatz	wie	118.1
quī, quae, quod	Ind.	Relativsatz	…, der	132
	Konj.	Relativsatz (m. adverb. Nebensinn)		133
	Konj.	Fragesatz	welcher …	118.1
quī (īdem… -)	Ind.	Komparativsatz	wie (derselbe…-)	130.1
quia	Ind./Konj.	Kausalsatz	da, weil	124
quid	Konj.	Fragesatz	was; wozu, warum	118.1
quīn	Konj.	Erläuterungssatz	dass	116
	Konj.	Relativsatz	der, die, das nicht	133.1.3b
quis	Konj.	Fragesatz	wer	118.1
quō	Ind.	Lokalsatz	wohin	121.1
(-…eō)	Ind.	Komparativsatz	je (- … desto)	130.1
	Konj.	Fragesatz	wohin	118.1
	Konj.	Finalsatz (mit Komparativ)	damit um so	125
quoad	Ind./Konj.	Temporalsatz (m. final. Nebensinn)	solange/ (solange) bis	122.6
quod	Ind./Konj.	Erläuterungssatz (faktisch)	dass	116.1
	Ind./Konj.	Kausalsatz	da; weil	124

Einleitung	Modus	Gliedsatzart/ semantische Funktion	deutsche Bedeutung	↗
quodsī	Konj.	Kondizionalsatz	wenn nun; wenn also	129.5
quōmodo	Konj.	Fragesatz	wie	118.1
quoniam	Ind.	Kausalsatz	da ja; weil ja	124
quot (tot…-)	Ind.	Komparativsatz	wie (so viele…-)	130.1
	Konj.	Fragesatz	wie viele	118.1
quotiēnscumque	Ind.	Temporalsatz	jedes Mal, wenn; sooft	122.5
sī	Ind./Konj.	Kondizionalsatz	wenn; falls	129
sīcut (-…ita/sīc)	Ind.	Komparativsatz	wie (-…so)	130.2
simul(atque/ac)	Ind. (Perf.)	Temporalsatz	sobald	122.6
sīn (autem/vērō)	Ind./Konj.	Kondizionalsatz	wenn aber	129.1; 5
sīve…sīve	Ind.	Kondizionalsatz	sei es, dass…oder dass	129.1; 5
tamquam	Konj.	Komparativsatz	wie wenn; als ob	130.2
ubī	Ind.	Lokalsatz	wo	121.1
(prīmum)	Ind. (Perf.)	Temporalsatz	sobald	122.6
	Konj.	Fragesatz	wo	118.1
ubicumque	Ind.	Lokalsatz	wo auch immer	121.1
unde	Ind.	Lokalsatz	woher	121.1
	Konj.	Fragesatz	woher	118.1
ut	Ind. Perf.	Temporalsatz	sobald	122.6
…(ita/sīc)	Ind.	Komparativsatz	wie…(so)	130.2
	Konj.	Erläuterungssatz	(nämlich) dass;…zu	116.2
	Konj.	Begehrsatz	dass;…zu	117.1
	Konj.	Begehrsatz (nach Verben des Fürchtens)	dass nicht; nicht…zu	117.2
	Konj.	Finalsatz	damit; um…zu	125
	Konj.	Konsekutivsatz	(so) dass	126
	Konj.	Konzessivsatz	angenommen, dass; selbst wenn	127
	Konj.	Fragesatz	wie	118.1
ut nōn	Konj.	Konsekutivsatz	(so) dass nicht	126
utrum…an	Konj.	Fragesatz (Wahlfrage)	ob…oder	118.3

2 Mehrdeutige Gliedsatzeinleitungen

Einleitung	Gliedsatzart/ semantische Funktion	Modus	deutsche Übersetzung	↗
quod	faktisch	Ind.	dass	116.1
	kausal	Ind.	da; weil	124
	relativisch	Ind.	das (der/die); welch …	132
		Konj.	*(Nebensinn)*	133
	interrogativ	Konj.	was; welch …	118.1
	(relativischer Satzanschluss)		dies(er/e)	135
ut	bei Erläuterungssatz	Konj.	dass	116.2
	bei Begehrsatz	Konj.	dass; zu …	117.1
	nach Verben des Fürchtens	Konj.	dass nicht; … zu …	117.2
	bei Konsekutivsatz	Konj.	(so) dass	126
	bei Finalsatz	Konj.	damit; um … zu …	125
	bei Konzessivsatz	Konj.	angenommen, dass; selbst wenn	127
	bei Temporalsatz	Ind. Perf.	sobald	122.6
	bei Komparativsatz	Ind.	wie	130.2
nē	bei Begehrsatz	Konj.	dass nicht; … zu …	117.1
	nach Verben des Fürchtens	Konj.	dass; … zu …	117.2
	nach Verben des Hinderns/Abhaltens	Konj.	dass; … zu …	117.3
	bei Finalsatz	Konj.	damit nicht; um nicht … zu …	125
cum	historicum	Konj.	als; nachdem	122.1
	causale	Konj.	da; weil	124
	modale	Konj.	wobei, indem	121.2
	concessivum	Konj.	obwohl; wenn auch	127.1
	adversativum	Konj.	während (dagegen)	128
	relativum	Ind.	(damals) als; (dann) wenn	122.3
	inversivum	Ind. (Perf.)	als (plötzlich); da	122.4
	iterativum	Ind.	jedes Mal, wenn; sooft	122.5
	coïncidens	Ind.	indem; dadurch, dass	121.2
dum	bei unverzüglicher Abfolge	Ind./Konj.	(solange) bis	122.6
	bei zeitlichem Zusammenfallen	Ind. (Präs.)	während; solange	122.2
quō	interrogativ	Konj.	wohin	118.1
	relativisch	Ind./Konj.	wodurch/wohin	121.1; 132f.
	final (mit Komparativ)	Konj.	damit (um so)	125
	korrelativ	(m. Ind.; … eō)	je … desto	130.1
	(relativischer Satzanschluss)		(dadurch)	135
ubī	lokal	Ind.	wo	121.1
	interrogativ	Konj.	wo	118.1
	temporal	Ind. Perf.	sobald	122.6

112 **Zeitverhältnis zwischen indikativischem Gliedsatz und Hauptsatz**

1 Die dem Lateinischen eigene genaue Zeitbeobachtung tritt **im Satzgefüge** noch stärker als in den absoluten Zeitangaben (↗ 102.1) hervor. Das Prädikat des Gliedsatzes wird in der Regel in seinem **zeitlichen Verhältnis** zum Prädikat des **übergeordneten Satzes** gesehen.[1]

Zum Vorgang des übergeordneten Satzes kann der Vorgang des Gliedsatzes in **drei Zeitverhältnissen** stehen:

Gleichzeitigkeit

Vorzeitigkeit

Nachzeitigkeit

2 Wenn das Geschehen des Gliedsatzes in der **gleichen Zeit** wie das des **übergeordneten** Satzes liegt (**Gleichzeitigkeit**), stimmen beide Sätze im Tempus überein.

Dum spīrō, spērō.	Solange ich atme, hoffe ich.
Dum cīvitās **erit**, iūdicia **fīent**.	Solange ein Staat besteht, werden Urteile gefällt werden.

3 Wenn das Geschehen des Gliedsatzes **vor der Zeit** liegt, in der das Geschehen des **übergeordneten Satzes** stattfindet (**Vorzeitigkeit**), wird dies im Gliedsatz gekennzeichnet:

– durch das **Perfekt**, wenn im übergeordneten Satz **Präsens** steht.

Quī glōriam sibī comparā**vit**, in invidiam venit.	Wer Ruhm erwirbt (erworben hat), gerät in Missgunst/wird beneidet.

– durch das **Plusquamperfekt**, wenn im übergeordneten Satz ein **Tempus der Vergangenheit** steht.

Pompēius quod glōriam sibī parā**verat**, in invidiam vēnit.	Weil Pompejus Ruhm erworben hatte, geriet er in Missgunst/wurde er beneidet.

– durch das **Futur II**, wenn im übergeordneten Satz **Futur I** steht.

Glōriam sī tibī comparā**veris**, in invidiam veniēs.	Wenn du Ruhm erwirbst/erworben hast, gerätst du/wirst du in Missgunst geraten/ wirst du beneidet (werden).

---

[1] Es gibt im Lateinischen aber auch Gliedsätze, in denen die strenge ‚Zeitenfolge' unbeachtet bleibt; in diesen Fällen steht im Gliedsatz das Tempus, das in unabhängigen Sätzen stehen würde (*absolutes Tempus*; ↗ 122.1 postquam, ↗ 122.6 ubī prīmum, ↗ 122.2 dum in der Bedeutung ‚während').

4	Übergeordneter Satz	Untergeordneter Satz als indikativischer Gliedsatz	
	Tempora	Zeitverhältnisse	
		gleichzeitig	vorzeitig
4.1	Präsens Respondeō, Ich antworte,	Präsens cum pos**sum**. wenn ich kann.	Perfekt cum interrogā**tus sum**. wenn ich gefragt werde (worden bin).
4.2	Vergangenheitstempus (Imperfekt, Perfekt, Plusquamperfekt) Respondēbam, Ich antwortete,	Vergangenheitstempus (Imperfekt, Perfekt, Plusquamperfekt) cum pot**eram**. wenn ich konnte.	Plusquamperfekt cum interrogā**tus eram**. wenn ich gefragt wurde (gefragt worden war).
4.3	Futur I (und Imperativ, Potentialis, Hortativ, Jussiv, Gerundivum) Respondēbō, Ich werde antworten,	Futur I cum pot**erō**. wenn ich kann.	Futur II cum interrogā**tus erō**. wenn ich gefragt werde (worden bin).

Beachte:

Die Vorzeitigkeit wird im Lateinischen in Sätzen mit iterativem[1] Sinn und in Sätzen mit futurischem Sinn viel genauer gekennzeichnet als im Deutschen.

Iterativer und futurischer Sinn begegnen vor allem in Temporalsätzen (↗ 122) und Kondizionalsätzen (↗ 129), ebenso in verallgemeinernden Relativsätzen (↗ 30.1; 132.2.4).

Quaecumque amīcus aut **audīverat** aut vīderat, in memoriā eius haerēbant. Tū quoque memoriae mandā, quaecumque aut audī**veris** aut vī**deris**!	Alles, was der Freund hörte oder sah (gehört oder gesehen hatte), haftete in seinem Gedächtnis. Präge auch du dir alles ein, was du hörst oder siehst (gehört oder gesehen hast)!

---

[1] < iterāre (wiederholen)

113 **Zeitverhältnis zwischen konjunktivischem Gliedsatz und Hauptsatz**

1 Die Zeitenfolge im konjunktivischen Gliedsatz (*Consecutio temporum*) ist im Lateinischen **streng geregelt**. Wie in indikativischen Gliedsätzen werden, auf das Tempus im übergeordneten Satz bezogen, **Gleichzeitigkeit**, **Vorzeitigkeit** und **Nachzeitigkeit** unterschieden.

Hinsichtlich der Zeitstufe im übergeordneten Satz wird zusammenfassend von den **Tempora der Gegenwart** (sog. Haupttempora) und den **Tempora der Vergangenheit** (sog. Nebentempora) gesprochen:

Tempora der Gegenwart	Tempora der Vergangenheit
Präsens (Indikativ[1], Imperativ, Konjunktiv) **Futur I** **Futur II**	**Imperfekt** (Indikativ und Konjunktiv) **Perfekt** (Indikativ[2] und Konjunktiv[3]) **Plusquamperfekt** (Indikativ und Konjunktiv) historischer Infinitiv

2 Das Zeitverhältnis des Gliedsatzes zum Hauptsatz wird durch die Form des Konjunktivs im Gliedsatz angezeigt.

2.1 **Gleichzeitigkeit** des Geschehens im Gliedsatz wird angezeigt:

bei **Tempora der Gegenwart** im Hauptsatz (sog. Haupttempora)	durch **Konjunktiv Präsens** im Gliedsatz (Beispiele ↗ 113.3)
bei **Tempora der Vergangenheit** im Hauptsatz (sog. Nebentempora)	durch **Konjunktiv Imperfekt** im Gliedsatz (Beispiele ↗ 113.3)

2.2 **Vorzeitigkeit** des Geschehens im Gliedsatz wird angezeigt:

bei **Tempora der Gegenwart** im Hauptsatz (sog. Haupttempora)	durch **Konjunktiv Perfekt** im Gliedsatz (Beispiele ↗ 113.3)
bei **Tempora der Vergangenheit** im Hauptsatz (sog. Nebentempora)	durch **Konjunktiv Plusquamperfekt** im Gliedsatz (Beispiele ↗ 113.3)

2.3 **Nachzeitigkeit** des Geschehens im Gliedsatz wird angezeigt[4]:

bei **Tempora der Gegenwart** im Hauptsatz (sog. Haupttempora)	durch eine Form mit **-ūrus, -a, -um sim** im Gliedsatz (Beispiele ↗ 113.3)
bei **Tempora der Vergangenheit** im Hauptsatz (sog. Nebentempora)	durch eine Form mit **-ūrus, -a, -um essem** im Gliedsatz (Beispiele ↗ 113.3)

---

[1] Das historische Präsens (↗ 103) kann aufgrund seiner Bedeutung auch als Tempus der Vergangenheit gelten.
[2] Das präsentische Perfekt (↗ 104.4) kann aufgrund seiner Bedeutung auch als Tempus der Gegenwart gelten.
[3] Der Konjunktiv Perfekt in seiner Verwendung als Potentialis und als Prohibitiv gilt als Tempus der Gegenwart.
[4] Die Nachzeitigkeit wird oft, z.B. in Finalsätzen, nicht angezeigt.

3 Übergeordneter Satz	Untergeordneter Satz als konjunktivischer Gliedsatz		
Tempora	**Zeitverhältnis**		
	gleichzeitig	**vorzeitig**	**nachzeitig**
der Gegenwart (Präsens, Futur)	**Konj. Präsens**	**Konj. Perfekt**	**(-ūrus, -a, -um sim)**
Ā tē quaerō, Ich frage dich,	quid dīcās. was du dazu sagst.	quid dīxeris. was du dazu gesagt hast.	quid **dictūrus sīs**. was du dazu sagen wirst/willst.
der Vergangenheit (Imperfekt, Perfekt, Plusquamperfekt)	**Konj. Imperfekt**	**Konj. Plusquamperfekt**	**(-ūrus, -a, -um essem)**
Ā tē quaesīvī, Ich habe dich gefragt,	quid dīcerēs. was du dazu sagst/sagtest.	quid dīxissēs. was du dazu gesagt hast/hattest.	quid dict**ūrus essēs**. was du dazu sagen willst/wolltest.

4 Die **Nachzeitigkeit** wird im Lateinischen nur in wenigen Fällen durch die Formen auf -ūrus, -a, -um sim/essem gekennzeichnet, und zwar in *abhängigen Fragesätzen* (➚ 118) und in *Erläuterungssätzen*, die mit quīn eingeleitet sind (➚ 116.2.3b).

4.1 Die Nachzeitigkeit ist aber auch in diesen Gliedsätzen **nicht** durch die Formen -ūrus, -a, -um sim/essem **ausgedrückt**, wenn deren Prädikat im Passiv steht oder das Partizip Futur Aktiv (**-ūrus, -a, -um**) nicht gebildet werden kann. Dann sind die Regeln der Gleichzeitigkeit angewendet und das Zeitverhältnis der Nachzeitigkeit ist durch ein *Adverb der Zeit* (z.B. mox, brevī, iam) gekennzeichnet.

Ā tē quaerō (quaerēbam), nōnne tē iam huius reī mox paeniteat (paenitēret).

Ich frage (fragte) dich, ob dich diese Tat nicht schon bald reuen wird/werde.

4.2 Die Nachzeitigkeit ist in *konjunktivischen Begehrsätzen*, deren Aussage immer als in der Zukunft erfüllbar bzw. nicht erfüllbar erscheint, nicht durch die Formen -ūrus, -a, -um sim/essem ausgedrückt: Hier drückt der Konjunktiv (in seiner prospektiven Bedeutung) das nachzeitige Zeitverhältnis aus.

Postulō, ut in tempore redeātis/ nē sērō veniātis.

Ich verlange, dass ihr rechtzeitig zurückkommt/ dass ihr nicht zu spät kommt.

5 Absolutes Tempus in konjunktivischen Gliedsätzen

5.1 **Konsekutivsätze** und **abhängige Fragesätze** folgen gewöhnlich den Regeln der *Consecutio temporum*. Ihr Zeitverhältnis **kann** aber auch **losgelöst** vom Prädikat des übergeordneten Satzes betrachtet werden. Nach einem sog. Nebentempus im übergeordneten Satz kann das Prädikat des Gliedsatzes auch im Konjunktiv Präsens bzw. im Konjunktiv Perfekt stehen. Dadurch wird angezeigt, dass

a) die **Folge bis in die Gegenwart nachwirkt** (➚ 103: *generelles/gnomisches Präsens*),

Aristīdēs tam iūstum sē praestitit, ut summā laude **sit** dīgnus.

Aristides zeigte sich so gerecht, dass er höchste Anerkennung verdient.

b) die **Folge als ein historischer Tatbestand festgestellt wird** (➚ 104: *resultatives/konstatierendes Perfekt*).

Aristīdēs in tantā inopiā dēce**ssit**, ut, unde efferrētur, vix relīquerit.

Aristides starb in so großer Armut, dass er kaum etwas hinterließ, wovon er hätte bestattet werden können.

5.2 Ihre *Selbstständigkeit als absolutes Tempus* in konjunktivischen Gliedsätzen bewahrt die Form des *Konjunktiv Imperfekt* als *Potentialis der Vergangenheit* (↗ 100.5.2), als *Irrealis der Gegenwart* (↗ 100.6.1) und als *Deliberativ der Vergangenheit* (↗ 100.7.2).

114   Modi in Gliedsätzen

Die Modi Indikativ und Konjunktiv bezeichnen in Gliedsätzen grundsätzlich dieselbe Aussageweise wie in unabhängigen Sätzen (↗ 96.1).

1 Der **Indikativ** steht demnach in der Regel in Gliedsätzen, welche eine **Aussage als objektives Faktum** hinstellen.

T. Mānlius Torquātus	T. Manlius Torquatus
fīlium suum necārī iussit,	ließ seinen eigenen Sohn töten,
quod is contrā eius imperium	weil er gegen seinen Befehl
in hostem pūgnā**verat**.	mit dem Feind gekämpft **hatte**.

2 Der **Konjunktiv** steht in der Regel in Gliedsätzen, deren Inhalt dem Bereich der Wirklichkeit entzogen wird, also

2.1 in solchen Gliedsätzen, die sich aus **unabhängigen Aussagesätzen im Konjunktiv** (↗ 100.5/6.1 Potentialis, Irrealis) herleiten,

Sī quis neg**et** deōs esse, err**et**.	Wenn jemand die Existenz von Göttern leugnen sollte, wird er wohl irren.
Sī quis tum terram movērī affirmā**visset**, nēmō eī crēd**idisset**.	Wenn einer damals behauptet hätte, die Erde bewege sich, hätte ihm niemand geglaubt.

2.2 in solchen Gliedsätzen, die sich aus **unabhängigen Wunsch- und Aufforderungssätzen im Konjunktiv** (↗ 99.1) oder Imperativ (↗ 101) herleiten,

Optāmus omnēs,	Wir wünschen alle,
ut amīcus rede**at** salvus.	dass der Freund wohlbehalten heimkehrt.
Quis imperāvit,	Wer hat befohlen,
ut tacē**rēmus**?	dass wir schweigen?

2.3 in solchen Gliedsätzen, deren Inhalt **in engster Beziehung zum Subjekt des Hauptsatzes** als dessen ,subjektive' Vorstellung oder Meinung hingestellt wird (obliquer Konjunktiv in innerlich abhängigen Gliedsätzen). Auch im Deutschen steht in ,**innerlich abhängigen' Gliedsätzen** der oblique Konjunktiv (↗ 136.2).

T. Mānlius Torquātus	T. Manlius Torquatus
fīlium suum necārī iussit,	ließ seinen eigenen Sohn hinrichten,
quod is contrā suum imperium	weil dieser gegen seinen Befehl
in hostem pūgnā**visset**.	mit dem Feind gekämpft **habe**.

a) Zu den innerlich abhängigen Gliedsätzen zählen **abhängige Begehr- und Fragesätze** (↗ 117; 118) sowie **Finalsätze** (↗ 125).

Mānlius statim custōdibus imperāvit,	Sofort befahl Manlius den Wachen
ut suīs patris rēbus neglēctīs	seinen Sohn ohne Rücksicht auf
fīlium necā**rent**.	seine Interessen als Vater zu töten.
Ē fīliō nōn quaesīverat,	Er hatte den Sohn nicht gefragt,
cūr sibī nōn pār**uisset**.	warum er ihm nicht gehorcht habe.

b) In innerlich abhängigen Gliedsätzen stehen wegen der engen ‚Rückbeziehung' auf das Subjekt des Hauptsatzes **Personal-** und **Possessiv-Pronomina der 3. Person** in **reflexiver** Form (suum imperium, suīs rēbus, sibī). Ein Reflexiv-Pronomen, das sich auf das Subjekt des übergeordneten Satzes bezieht, heißt **indirekt reflexiv**[1].

3 In einige Gliedsatzarten, z.B. in **Konsekutivsätze** oder manche **Temporal- und Kausalsätze**, ist der Konjunktiv erst im Laufe der Sprachentwicklung eingedrungen. In diesen Gliedsätzen lässt sich der Konjunktiv **nicht von seiner Grundfunktion** (↗ 99) herleiten.

4 In einigen Fällen steht in Gliedsätzen **statt des Indikativs**, der normalerweise zu erwarten wäre, der **Konjunktiv**:

4.1 Wenn Gliedsätze, die normalerweise im Indikativ stehen, im **obliquen Konjunktiv** (↗ 136.2) auftreten, so zeigt dies, dass sich ihre Aussage eng an einen **Gedanken** anschließt, der **im Infinitiv/AcI** ausgedrückt ist.

Bonī ducis est	Es ist die Pflicht eines guten Vorgesetzten,
eōrum, quibus prae**sit**,	sich für die Interessen der Menschen einzusetzen,
rēbus studēre.	die er führt.

4.2 Manchmal sind Gliedsätze (häufig Relativsätze ↗ 133.2), in denen normalerweise der Indikativ erwartet wird, von einem übergeordneten Satz abhängig, der im Konjunktiv steht. Wenn diese Gliedsätze im Konjunktiv auftreten, gleichen sie ihren Modus dem des übergeordneten Satzes an (*Modusangleichung*). Dadurch wird angezeigt, dass sie eine **wesentliche Ergänzung** des übergeordneten Satzes darstellen.

Nōbīs causa est,	Wir haben Grund
cūr eōs dīlig**āmus**,	diejenigen hoch zu schätzen (warum wir … hoch schätzen),
quibus virtūs inesse vide**ātur**.	bei denen Tüchtigkeit vorhanden zu sein scheint.

115 Gliedsätze als Subjekt- oder Objektsätze

1 Die **syntaktische Funktion** des **Subjekts** oder **Objekts** kann innerhalb eines Satzes auch von einem Gliedsatz erfüllt werden. Derartige Subjekt- bzw. Objektsätze sind jeweils von verschiedenen Verbgruppen abhängig und werden mit bestimmten Konjunktionen eingeleitet.

2 Man unterscheidet dabei zwischen abhängigen Erläuterungssätzen (↗ 116), abhängigen Begehrsätzen (↗ 117) und abhängigen Fragesätzen (↗ 118); in ihnen ist immer etwas ausgedrückt, was **ist**, was **sein kann** oder **sein soll**. Der Modus ist demgemäß der Indikativ oder Konjunktiv.

---

[1] ‚Direkt reflexiv' ist ein Personal- oder Possessiv-Pronomen der 3. Person, wenn es sich innerhalb desselben Haupt- oder Gliedsatzes auf das jeweilige Subjekt bezieht.

3 Ob der Gliedsatz ein **Subjektsatz** oder **Objektsatz** ist, hängt ab von der Art des Prädikats im übergeordneten Satz:

Prädikat im übergeordneten Satz	syntaktische Funktion des Gliedsatzes
Passiv	Subjekt ①
Aktiv (unpersönlich)	Subjekt ②
Aktiv (persönlich)	Objekt ③ ④

Subjektsatz

①   **Quid** { **fēcisset**, quaesītum est.   Was er getan { hatte, wurde gefragt.

②   **fēcerit**, incertum est.   hat, ist ungewiss.

Objektsatz

③ Iūdicēs, **quid fēcisset**, quaesīvērunt.   Die Richter fragten, was er getan habe.

④ Reus, **ut sibī venia darētur**, ōrābat.   Der Angeklagte bat darum, dass ihm Nachsicht geschenkt werde/ihm Nachsicht zu schenken.

Im Satzmodell:

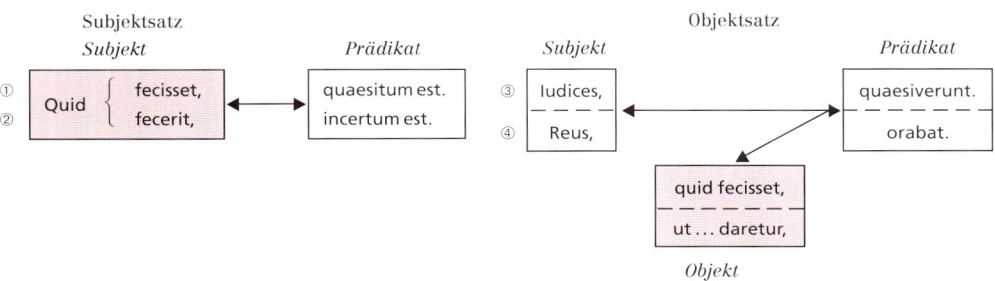

116   Abhängige Erläuterungssätze

Abhängige Erläuterungssätze (Explikativsätze[1]) stehen im Indikativ oder Konjunktiv.

Einleitende Konjunktionen:

quod	mit Ind./	dass;
(*faktisches quod*)	Konj.	die Tatsache, dass; der Umstand, dass
ut	mit Konj.	dass
quīn	mit Konj.	dass

---

[1]) < explicāre (erklären)

1 **Erläuterungssätze**, die mit der Konjunktion **quod** (‚dass'; ‚die Tatsache, dass'; ‚der Umstand, dass') eingeleitet sind, stehen im Indikativ oder Konjunktiv. Sie erfassen eine Tatsache oder einen Umstand. Man nennt sie deshalb auch Sätze mit **faktischem**[1] **quod**.

1.1 Sätze mit faktischem quod stehen am häufigsten

a) bei Verben der **Gemütsbewegung** und inhaltlich verwandten Verben:

accūsāre, quod	Klage erheben; anklagen, dass
crīminī dare, quod	zum Vorwurf machen; vorwerfen, dass
molestē ferre, quod	schwer daran tragen, dass
mīrārī, quod	sich wundern, dass
querī, quod	klagen, dass
gratiās agere, quod	Dank dafür sagen, dass

Quīdam Sōcratem accūsāvērunt, **quod** rēs in caelō appārentēs quaesīverat.	Einige klagten Sokrates an, **dass** er Himmelserscheinungen untersucht hatte/Himmelserscheinungen untersucht zu haben.

b) bei transitiven Verben, deren Inhalt durch ein beurteilendes Adverb näher bestimmt ist:

bene male prūdenter	} facere, quod	gut schlecht klug	} daran tun, dass/wenn

Bene facis, **quod** vērum dīcis.	Du tust gut daran, **dass/wenn** du die Wahrheit sagst.

1.2 Besonderheiten:

a) Zuweilen ist der quod-Satz die Erklärung für ein vorausgehendes Demonstrativ-Pronomen (*quod explicativum*).

illud/hoc/id, quod	jene/diese Tatsache, dass
ex eō, quod	daraus, dass

b) Faktisches quod an der Satzspitze wird gewöhnlich mit *wenn/was das betrifft, dass* übersetzt.

Quod mē tibī invidēre putās, falleris.	Wenn du meinst, ich würde dich beneiden, so täuschst du dich.

c) Wenn der quod-Satz im Konjunktiv steht, so zeigt dies in der Regel, dass zwischen dem quod-Satz und dem übergeordneten Satz innere Abhängigkeit (↗ 114.2.3) besteht.

Sōcratēs ab Athēniēnsibus accūsātus est, quod adulēscentēs corrūpisset.	Sokrates wurde von den Athenern angeklagt, dass er die jungen Leute verdorben habe.

---

[1]) < factum (das Getane, das Geschehene, die Tatsache). Das faktische quod ist eng mit dem kausalen quod (↗ 124.1) verwandt.

d) Die feste Verbindung nihil nisī quod bedeutet *nichts außer dass*.

Nihil hominī crīminī damus, nisī quod querī nōn dēsinit.	Nichts werfen wir dem Menschen vor, außer dass er nicht aufhört zu klagen.

e) Nach vorangehendem Komparativ wird quod mit *als (insofern)* übersetzt.

Haec inopia ā mē eō levius sustinētur, quod eā multī opprimuntur.	Diese Notlage wird von mir um so leichter ertragen, als davon viele hart betroffen sind.

Häufiger begegnen:

eō/hōc minus … quod	um so weniger … als
eō/hōc magis … quod	um so mehr … als

f) Wenn der quod-Satz nach folgenden Ausdrücken im Konjunktiv steht, so zeigt dies, dass das im quod-Satz Ausgedrückte nicht als etwas Tatsächliches, sondern als etwas Mögliches gedacht wird.

(nōn/nihil/nihil causae) est, quod	es besteht (kein) Grund, dass
(nōn/nihil) habeō, quod	ich habe (keinen) Grund, dass
quid est, quod	was ist der Grund dafür, dass
Nihil est, quod metuam.	Es besteht kein Grund, dass ich mich fürchte/fürchten müsste/mich zu fürchten.

2 **Erläuterungssätze**, die mit den Konjunktionen **ut (dass)** oder **quīn (dass)** eingeleitet sind, stehen im Konjunktiv.

2.1 Mit der Konjunktion ut (verneint: ut nōn) eingeleitete Erläuterungssätze hängen von unpersönlichen Ausdrücken bzw. Verben ab, die ein Geschehen oder die Folgeerscheinung aus einer Lage bzw. einer Handlung angeben.

Solche unpersönlichen Ausdrücke bzw. Verben sind:

accidit, ut	es ereignet sich, dass
ēvenit, ut	es ereignet sich/trifft sich, dass
contingit, ut	es gelingt zu …
fit, ut	es geschieht/ist der Fall, dass
perficere, ut	durchsetzen, dass
efficere, ut	erreichen/bewirken, dass

Sōlī hoc contingit sapientī, ut nihil agat invītus.	Allein dem Weisen gelingt es, nichts gegen seinen Willen zu tun.
Rōmānī Carthāginiēnsēs vīcērunt; quō ēvēnit, ut Carthāgō dēlērētur.	Die Römer haben die Karthager besiegt; dadurch/so ist es gekommen, dass Karthago zerstört wurde.

Besonderheiten:

a) Häufig ist ut weggelassen nach:

oportet	es gehört sich, dass; man soll
necesse est	es ist notwendig, dass
Beneficium colāmus oportet.	Es gehört sich, eine gute Tat zu schätzen.

b) Zuweilen stellt der ut-Satz die Erklärung eines Wortes oder einer Wortgruppe des übergeordneten Satzes dar (*ut explicativum*[1]). In diesem Fall erfüllt der Gliedsatz die syntaktische Funktion des Attributs.

Apud Epicūrum duo bona sunt, ut corpus dolōre, animus errōre careat.	Bei Epikur gibt es zwei Güter, (nämlich) dass der Körper vom Schmerz, die Seele von Irrtum frei sei.

---

[1]) explicare (erklären)

2.2 Mit der Konjunktion quīn eingeleitete Erläuterungssätze stehen in der Regel nach folgenden verneinten Verben und Ausdrücken:

nōn dubitāre, quīn	nicht zweifeln, dass
dubium nōn est, quīn	es besteht kein Zweifel, dass
nōn multum abest, quīn	es fehlt(e) nicht viel, dass
paulum abest, quīn	es fehlt(e) wenig, dass/und

Nēmō dubitat, ⎱ **quīn** Homērus   Niemand zweifelt, ⎱ **dass** Homer
Dubium nōn est, ⎰ caecus fuerit.   Es besteht kein Zweifel, ⎰ blind gewesen ist.

Paulum āfuit,   Es hätte wenig gefehlt,
quīn domus īgne dēlērētur.   (dass das Haus durch Feuer zerstört wurde.)
und das Haus wäre … zerstört worden.

2.3 Besonderheiten:

a) Als negiert gelten die Verben und Ausdrücke des Zweifelns auch in der rhetorischen Frage.

Cicerō: Quis dubitābit,   *Cicero sagt:* Wer wird daran zweifeln,
quīn in rē pūblicā nostrā   dass in unserem Staat
ēloquentia prīmam teneat partem?   die Redekunst die führende Rolle spielt?

b) Die Nachzeitigkeit ist im quīn-Satz durch eine Form mit -ūrus, -a, -um sim/essem gekennzeichnet (↗ 113.4).

Nōn erat dubium,   Es bestand für mich kein Zweifel,
quīn tē Tarentī vīsūrus essem.   dass ich dich in Tarent sehen würde.

2.4 Durch ut und quīn wird in den folgenden (festen) Wendungen Unterschiedliches ausgedrückt:

Facere nōn possum,   Ich bringe es ⎱ dich zu   Ich *kann*
Fierī nōn potest, ⎰ **ut** tē dēseram.   nicht fertig, ⎰ verlassen/   dich
Es kann nicht ⎱ dass ich dich   *unmöglich*
geschehen, verlasse.   verlassen.

Facere nōn possum,   Ich bringe es ⎱ dich *nicht* zu   Ich *muss*
Fierī nōn potest, ⎰ **quīn** tē dēseram.   nicht fertig, ⎰ verlassen/   dich
Es kann nicht ⎱ *dass* ich dich   *unbedingt*
geschehen, *nicht* verlasse.   verlassen.

Abhängige Begehrsätze

Abhängige Begehrsätze (↗ 115.3) stehen im Konjunktiv.

1 Abhängige Begehrsätze nach Verben des Bittens, Begehrens, Befehlens, Strebens und Sorgens

Einleitende Konjunktionen:

ut	dass
nē	dass nicht

ōrāre, rogāre	bitten
postulāre, petere	fordern
monēre	mahnen, auffordern
suādēre	raten, den Rat geben
persuādēre[1]	überreden
prōvidēre	dafür sorgen; sich vorsehen
cūrāre	sorgen, sich bemühen
contendere[2]	sich anstrengen, sich bemühen
id agere/id studēre[3]	darauf hinarbeiten, sich darum bemühen
pellere, movēre	veranlassen
imperāre	befehlen

Ubiī Caesarem ōrābant, **ut** sibī (↗ 114.2.3) adesset.	Die Ubier baten Cäsar, dass er ihnen beistehe/ ihnen beizustehen.
Id agāmus, **nē** iniūstī videāmur!	Wollen wir uns darum bemühen, **dass** wir **nicht** als ungerecht erscheinen/ nicht als ungerecht zu erscheinen!

1.1 Wenn der verneinte abhängige Begehrsatz durch **ut nē** eingeleitet ist, so erhält er dadurch einen finalen Sinn mit starkem Nachdruck; ut nē wird z.B. durch *dass nur ja nicht* wiedergegeben.

Parentēs prōvident, **ut nē** quā rē egeant līberī.	Eltern sorgen dafür, *dass* ihre Kinder *nur ja* an *nichts* Mangel leiden.

1.2 Die Negation nē geht folgende Verbindungen ein:

nē quis/nē quisquam	dass niemand	nē ... nēve	dass nicht ... und nicht
nē quid/nē quicquam	dass nichts	nē aut ... aut	dass weder ... noch
nē quandō/nē umquam	dass niemals		

Id studēbō, nē **aut** industriam meam **aut** dīligentiam dēsīderēs.	Ich will mich darum bemühen, **dass** du weder meinen Fleiß noch meine Umsicht vermisst.

2 Abhängige Begehrsätze nach Verben und Ausdrücken des Fürchtens

Einleitende Konjunktionen:

nē	dass
nē nōn	dass nicht
ut	

---

[1] *aber* persuādēre mit AcI: überzeugen (↗ 75.1.1)
[2] *aber* contendere mit AcI: behaupten (↗ 75.1.1)
[3] *aber* studēre mit Objektsinfinitiv (↗ 72.1)

timēre/metuere/verērī	fürchten
cavēre	sich hüten
perīculum est	es besteht Gefahr

Incolae timēbant,	Die Einwohner befürchteten,
nē brevī famēs in urbe esset.	**dass** in Kürze Hunger in der Stadt herrsche.

Diese Konstruktion erklärt sich aus einem ursprünglich beiordnenden Satzbau:

Nē animō dēficiās. Timeō.	Dass du nur nicht den Mut verlierst! Ich fürchte es (aber).
Timeō, nē animō dēficiās.	Ich fürchte, dass du den Mut verlierst.
Omnēs labōrēs tē subīre videō;	Ich sehe, dass du alle Mühen auf dich nimmst;
timeō, $\left\{ \begin{array}{l} \textbf{nē nōn} \\ \textbf{ut} \end{array} \right\}$ sustineās.	ich fürchte (aber), **dass** du sie **nicht** aushältst.

▶ Nach cavēre ‚sich hüten‘ ist nē in der Regel ausgelassen (↗ 100.4).

Cavē cadās!	Hüte dich hinzufallen! Falle ja nicht hin!

3 Abhängige Begehrsätze nach Verben des Hinderns und Abhaltens

Einleitende Konjunktion: | nē[1]   dass |

impedīre	hindern
prohibēre	abhalten, verbieten

Mē mala valētūdō impedīvit, **nē** ad lūdōs venīrem.	Mein schlechter Gesundheitszustand hat mich davon abgehalten, dass ich zu den Spielen kam/zu den Spielen zu kommen.

118   Abhängige Fragesätze

Abhängige Fragesätze (Interrogativsätze; auch indirekte Fragen genannt) stehen als innerlich abhängige Gliedsätze (↗ 114.2.3) im Konjunktiv.

Abhängige Fragesätze können – wie die unabhängigen Fragesätze (↗ 95.2; 98.3 – 5) – als Wort- oder Ergänzungsfragen eingeleitet sein durch

Interrogativ-Adverbien (↗ 33.2.2c) bzw. Interrogativ-Pronomina (↗ 30.2) oder als Satz- oder Entscheidungsfragen bzw. Wahl- oder Doppelfragen durch Interrogativ-Partikeln (↗ 34).

---

[1]) Statt nē steht zuweilen quōminus.

1 Wort- oder Ergänzungsfragen sind am häufigsten eingeleitet mit folgenden Interrogativ-Pronomina bzw. Interrogativ-Adverbien:

deklinierbar	quis	wer		quālis, -e	wie beschaffen
	quid	was		quantus, -a, -um	wie groß
	quī, quae, quod *(adjektivisch)*	welcher, welche, welches			
undeklinierbar	ubī	wo		quot	wie viele
	unde	woher		quam *(bei Adjektiv und Adverb)*	wie
	quō	wohin		ut	
	cūr	warum, weshalb		quā	wie
	quid *(Adverb)*	wozu, warum		quōmodo	
				quemadmodum	

Mē interrogat, **cūr** { redierim. / redeam. / reditūrus sim.   Er fragt mich, **warum** ich { zurückgekehrt sei. / zurückkehre. / zurückkehren werde.

Nescīs, **quid** proximus diēs vectūrus sit.   Du weißt nicht, **was** der nächste Tag bringen wird/ bringt.

1.1 Folgende feste Wendungen begegnen:

Nōn habeō, cūr ...   Ich habe keinen Grund, warum/dass/zu ...
Quid est, cūr ... ?   Was ist der Grund (dafür), warum/dass ... ?

Quid est, **cūr** virtūs ipsa per sē nōn efficiat hominēs beātōs?   Was ist der Grund dafür, **dass** Tugend allein schon/an und für sich die Menschen noch nicht glücklich macht?

1.2 Ein angehängtes -nam verstärkt das Fragepronomen (↗ 30.2).
quisnam?   wer denn?   ubinam?   wo denn?

Auch tandem dient zur Verstärkung:
Quid tandem?   Was eigentlich?   Quō usque tandem ... ?   Wie lange noch ... ?

1.3 Der Konjunktiv im abhängigen Fragesatz kann gelegentlich auch den *Deliberativ* (↗ 100.7) bezeichnen.

Dīc, quid illīs respondeam!   Sag, was ich jenen antworten soll!
Dīc, quid illīs respondērem!   Sag, was ich jenen hätte antworten sollen!

1.4 Zuweilen ist der abhängige Fragesatz mit einer anderen Konstruktion (zumeist AcI) ,verschränkt' (vgl. Relativsätze ↗134).

Interrogāvī eum,   Ich fragte ihn,
quid vellet fierī.   was nach seinem Wunsch geschehen solle.

1.5 Mit den Pronominal-Adverbien ubī, unde, quō kann auch ein Lokalsatz eingeleitet sein (↗ 121.1).

2 Satz- oder Entscheidungsfragen sind am häufigsten eingeleitet mit folgenden Interrogativ-Partikeln:

num	ob
-ne	
nōnne	ob nicht; ob *(nur nach* quaerere *)*
an	ob nicht *(nach Verben des Nichtwissens und Zweifelns)*

Dubitāmus, { **num** hoc vērum sit. / hoc**ne** vērum sit.   Wir haben Zweifel, **ob** dies wahr ist.

Croesus ex Solōne quaesīvit,   Krösus fragte Solon,
nōnne   **ob** er **nicht**
beātissimus omnium esset.   der Allerglücklichste sei.

2.1 Die Wendung haud sciō, an wird mit *vielleicht* wiedergegeben.
Bisweilen steht nach haud sciō an kein Prädikat.

Contigit nōbīs,	Uns ist gelungen,
quod haud sciō an nēminī.	was vielleicht keinem (gelungen ist).

2.2 Wird in einer rhetorischen Frage (↗ 98.6) ein Verb oder ein Ausdruck des Zweifelns verwendet, so steht danach quīn (↗ 116.2.2).

3 **Wahl- oder Doppelfragen** sind eingeleitet mit folgenden Interrogativ-Partikeln:

utrum…an		utrum…necne	
-ne…an	} ob…oder	-ne…necne	} ob…oder nicht
…an		…necne	

Quaerāmus,	Lasst uns untersuchen,
utrum hoc vērum sit/	
vērum**ne** hoc sit/ } **an** falsum!	**ob** dies wahr **oder** falsch ist!
hoc sit vērum/	

119 Gliedsätze als Adverbialsätze

1 Die **syntaktische Funktion** des **Adverbiales** kann innerhalb eines Satzes auch von einem Gliedsatz übernommen werden. Solche Gliedsätze, die jeweils von einer **Konjunktion** eingeleitet sind, werden **Adverbialsätze** genannt.
Adverbialsätze können je nach Betonung an verschiedenen Stellen eines Satzgefüges stehen.

① **Ubī fīnem ōrātiōnis Caesar fēcit,** | **Sobald Cäsar seine Rede beendet hatte,**
clāmor ortus est. | erhob sich ein Geschrei.

② Hamilcar, | Hamilkar hat,
postquam in Hispāniam vēnit, | **nachdem er in Spanien angekommen war,**
māgnās rēs gessit. | große Taten vollbracht.

③ Ager arātur, | Der Acker wird gepflügt,
ut meliōrēs frūgēs ferat. | **damit er bessere Früchte bringt.**

Im Satzmodell:

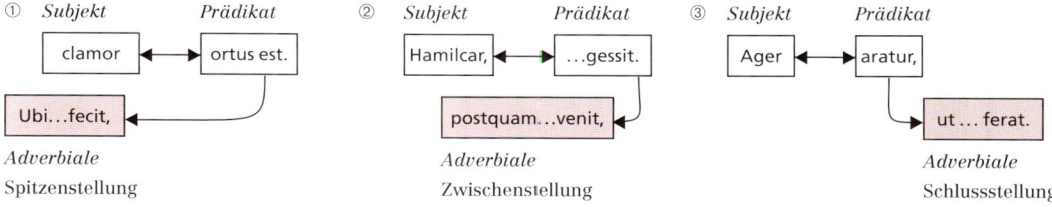

① Adverbiale
Spitzenstellung

② Adverbiale
Zwischenstellung

③ Adverbiale
Schlussstellung

2 Entsprechend den vier Angaben, die das Adverbiale im Satz enthalten kann, unterscheidet man **vier Arten von Adverbialsätzen**:

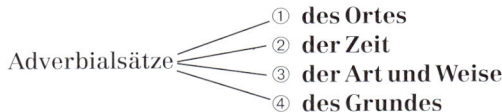

Adverbialsätze
① **des Ortes**
② **der Zeit**
③ **der Art und Weise**
④ **des Grundes**

Die **Adverbialsätze des Grundes** umfassen all jene Gliedsätze, die zum übergeordneten Satz (meist Hauptsatz) in einem **Begründungszusammenhang (kausallogischen Verhältnis)** stehen.

Das folgende Schema verdeutlicht den Zusammenhang aller adverbialen Gliedsätze (GS):

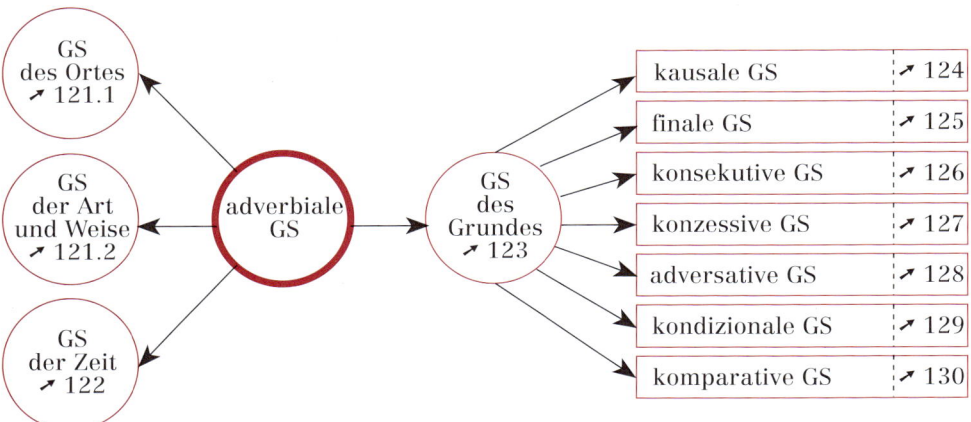

GS des Ortes ↗ 121.1

GS der Art und Weise ↗ 121.2

GS der Zeit ↗ 122

adverbiale GS

GS des Grundes ↗ 123

kausale GS ↗ 124
finale GS ↗ 125
konsekutive GS ↗ 126
konzessive GS ↗ 127
adversative GS ↗ 128
kondizionale GS ↗ 129
komparative GS ↗ 130

3 Adverbialsätze können sowohl im Indikativ als auch im Konjunktiv stehen (↗ 114).

120 Adverbialsätze des Ortes (Lokalsätze), der Art und Weise (Modalsätze), der Zeit (Temporalsätze)

Übersichtstabelle

Glied-satzart	Konjunktion	Bedeutung	Modus	Semantische Funktion
Lokalsatz	**ubĭ/quā** **unde** **quō (cumque)** ubicumque/ quācumque	**wo** **woher** **wohin (auch immer)** wo auch immer	Ind.	Ort und Richtung eines Vorgangs (↗ 121.1)
Modalsatz	cum (*coincidens*[1]/ *explicativum*[2])	indem; dadurch, dass	Ind.	Zusammenfallen zweier Vorgänge (↗ 121.2)
Modalsatz	cum (*modale*)	wobei; indem (dabei)	Konj.	Begleitumstand (↗ 121.2)
Temporalsatz 1.	cum (*historicum*) **postquam**	**als; nachdem** **nachdem**	Konj. Ind. Perf.	Bloßes Registrieren des Vorgangs (↗ 122.1)
Temporalsatz	antequam/ priusquam	ehe; bevor bevor nicht	Ind. und Konj.	
Temporalsatz 2.	**dum** dum dōnec quamdiū quoad	**während** solange	Ind. (Präs.) Ind.	Zeitliches Zusammenfallen der Vorgänge (↗ 122.2)
Temporalsatz 3.	(tum) cum (*relativum*[3])	(damals) als; (dann) wenn	Ind.	Zeitliche Fixierung von Vorgängen (↗ 122.3)
Temporalsatz 4.	cum (subitō) (*inversivum*[4])	als (plötzlich); da	Ind. (Perf.)/ hist. Präsens	Plötzlicher Eintritt eines Vorgangs (↗ 122.4)
Temporalsatz 5.	cum (*iterativum*) quotiēnscumque	sooft; jedes Mal/ immer, wenn	Ind.	Wiederholung der Vorgänge (↗ 122.5)
Temporalsatz 6.	ubĭ (prīmum) ut simul simulatque (simulac)	sobald	Ind. (Perf.)	Unverzügliche Abfolge der Vorgänge (↗ 122.6)
Temporalsatz 7.	dum dōnec quoad	(solange) bis	Ind./Konj.	Scharfe Abgrenzung der Vorgänge (↗ 122.7)

---

[1] < co-incidere (zusammenfallen) [2] < explicāre (erklären) [3] < referre (sich beziehen) [4] < invertere (umdrehen, umkehren; inversīvum bedeutet also: eine Umkehr, Vertauschung der Aussageschwerpunkte kennzeichnend)

121 Lokal- und Modalsätze

1 Die **Lokalsätze** geben eine **Ortsbestimmung** an; sie erfüllen die **syntaktische Funktion** des **Adverbiales** (↗119.2) und sind meist von Pronominal-Adverbien eingeleitet. Der Modus ist der Indikativ.

Einleitende Pronominal-Adverbien:

ubī/quā	wo
unde	woher
quō(cumque)	wohin (auch immer)
ubicumque/	wo auch immer/
quācumque	überall, wo

Patria est,	Meine Heimat ist
ubicumque est bene.	**überall, wo** es mir gut geht.

1.1 Der Lokalsatz lässt sich zumeist auch den Relativsätzen in der syntaktischen Funktion des Adverbiales (↗ 132.2.5) zuweisen; denn mit den Adverbien, die den Relativsatz einleiten, steht häufig ein demonstratives Wort in enger Beziehung, z.B.: ibī – ubī; eō(dem) – unde.

Legiōnēs in eum locum, **unde**	Die Legionen kehrten alle an den Ort zurück,
discesserant, omnēs rediērunt.	**von dem** sie ausgerückt waren.

1.2 Die Pronominal-Adverbien ubī, unde, quō können auch einen abhängigen Fragesatz einleiten (↗ 118.1)

2 Die **Modalsätze** geben die **Art und Weise** an, in der eine Tätigkeit ausgeführt wird oder ein Vorgang sich vollzieht.
Sie können im Indikativ oder im Konjunktiv stehen.
Der **Indikativ** drückt aus, dass der Gliedsatz- und der Hauptsatzvorgang zeitlich und sachlich zusammenfallen oder dass im Gliedsatz eine Erklärung des Hauptsatzvorganges erfolgt.
Der **Konjunktiv** zeigt an, dass im Gliedsatz begleitende Nebenumstände als wichtig herausgestellt werden.

Einleitende Konjunktionen:

cum (*coincidens/explicativum*)	mit Ind.	indem; dadurch, dass
cum (*modale*)	mit Konj.	wobei

Cum tacēs,	**Dadurch, dass/Indem** du schweigst,
cōnsentīre vidēris.	scheinst du zuzustimmen.
Intrāvit in cūriam, **cum** rīdēret.	Er betrat die Kurie, **wobei** er lachte/
	indem er dabei lachte.

122 Temporalsätze

Die Temporalsätze geben eine **Zeitbestimmung** an; sie erfüllen die **syntaktische Funktion** des **Adverbiales** (↗ 119.2). Sie drücken aber nicht nur aus, **wann** der von ihnen erfasste Vorgang im Verhältnis zum übergeordneten Satz abläuft, sondern auch, **wie** er abläuft. Diese besondere Sinnrichtung (semantische Funktion) wird durch die einleitenden Konjunktionen und den von ihnen bestimmten Modus verdeutlicht. Im Folgenden sind die einzelnen Temporalsätze nach diesen Sinnrichtungen aufgegliedert.

1 Bloßes Registrieren des Zeitvorgangs

Im Temporalsatz werden Vorgänge ausgedrückt, die den Hauptsatzvorgang zeitlich begleiten, ihm vorangehen oder ihm folgen.

Einleitende Konjunktionen:

cum (*historicum*)	mit Konj.	als; nachdem
postquam	mit Ind. Perf.	nachdem
antequam **priusquam**	mit Ind./Konj.	ehe; bevor/bevor nicht

Cum Caesar in Galliam vēn**isset**, undique lēgātī Gallōrum ad eum convēnērunt.	**Als** Cäsar nach Gallien **kam (gekommen war)**, trafen von überall her gallische Gesandte bei ihm ein.
Postquam Germānī agrōs Gallōrum adamā**vērunt**, plurēs Rhēnum nāvibus trānsiērunt.	**Nachdem** die Germanen die Gebiete der Gallier **schätzen gelernt hatten**, setzten noch mehr auf Schiffen über den Rhein.
Caesar, **priusquam** castra mō**vit**, lēgātōs ad Haeduōs mīsit.	**Ehe** Cäsar **aufbrach**, schickte er Gesandte zu den Häduern.

1.1 Die Konjunktionen antequam/priusquam können getrennt sein.

Hostēs terga vertērunt neque **prius** fugere dēstitērunt, **quam** ad flūmen Rhēnum pervēnērunt.	Die Feinde wandten sich zur Flucht und hörten nicht **eher** auf zu fliehen, **bis** sie am Rhein angelangt waren/ **bevor** sie **nicht** am Rhein angelangt waren.

1.2 Wenn ein mit postquam eingeleiteter Temporalsatz im **Indikativ Plusquamperfekt** steht, so zeigt dies an, dass der zeitliche Abstand des Gliedsatzvorgangs zum Hauptsatzvorgang durch eine genaue Zahlenangabe hervorgehoben wird. Die Konjunktion kann durch die Zahlenangabe getrennt sein.

Rōmānī **post** diēs decem, **quam** eō ventum erat, oppidum expūgnāvērunt.	Die Römer eroberten zehn Tage, nachdem man dorthin gekommen war, die Stadt.

1.3 Wenn ein mit antequam/priusquam eingeleiteter Temporalsatz im **Konjunktiv** steht, so wird damit ein **finaler Nebensinn** angezeigt.

Germānī, priusquam reliquī Menapiī id cognōscerent, Rhēnum trānsiērunt.	Die Germanen überquerten, bevor die übrigen Menapier dies bemerkten, den Rhein. (*Nebensinn*: damit die übrigen Menapier dies nicht erst bemerken sollten)

2 Zeitliches Zusammenfallen der Vorgänge

Das Geschehen oder die Vorgänge im übergeordneten Satz und im Temporalsatz laufen zeitlich parallel ab.

Einleitende Konjunktionen:

dum	mit Ind. Präs.	während
dum **dōnec** **quoad** **quamdiū**	mit Ind.	solange

Archimēdēs **dum** fōrmās geōmetricās in pulvere dēscrī**bit**, patriam expūgnātam esse nōn sēnsit.	**Während** Archimedes geometrische Figuren in den Staub zeichnete, bemerkte er die Einnahme seiner Heimatstadt nicht.
Lacedaemoniōrum gēns fortis erat, **dum/dōnec/quoad** Lycūrgī lēgēs valē**bant**.	**solange** die Gesetze des Lykurg Gültigkeit hatten. Das Volk der Lakedämonier war stark,

▶ Wenn ein mit dum (auch: dummodo) eingeleiteter Temporalsatz im **Konjunktiv** steht, hat er einen finalen Nebensinn. Dum (dummodo) kann mit ‚wenn nur, wenn bloß‘ wiedergegeben werden.

Nōnnūllī omnia honesta neglegunt, **dum**(**modo**) potentiam suam obtineant.	Manche missachten alles Anständige, wenn sie nur ihre Macht behaupten.

3 Zeitliche Fixierung von Vorgängen

Der Temporalsatz ‚bezieht‘ sich auf ein vorausgehendes Zeitadverb (z.B. tum) oder ein Zeitsubstantiv (z.B. diēs, tempus) und bestimmt sie genauer.

Einleitende Konjunktion:

(tum)...**cum** (*relativum*[1])	mit Ind.	(damals...) als; (dann...) wenn

Sex librōs dē rē pūblicā **tum** scrīpsī, **cum** rem pūblicam administrābam.	Die sechs Bücher über den Staat habe ich **damals** verfasst, **als** ich politisch tätig war.

▶ Die zeitliche Fixierung von Vorgängen kann auch durch einen Relativsatz ausgedrückt sein (↗ 132.2.5).

4 Plötzlicher Eintritt eines Vorgangs

Das Verhältnis zwischen Hauptsatz und Gliedsatz ist ‚umgekehrt‘: Im Hauptsatz wird nur das Nebenereignis, die bestehende Situation dargestellt; der Gliedsatz bringt das oft überraschend eintretende, für den Fortgang der Erzählung wichtige Hauptereignis. Im Deutschen lässt sich der Gliedsatz deshalb auch durch einen mit ‚da‘ eingeleiteten Hauptsatz wiedergeben.

Einleitende Konjunktion:

cum (subitō) (*inversivum*[2])	mit Ind. Perf.	als (plötzlich); da

Modo Vārus silvam intrāverat, **cum** undique Germānī in Rōmānōs invāsērunt.	Eben war Varus in den Wald eingedrungen, **als** die Germanen von allen Seiten die Römer angriffen./... eingedrungen; **da** griffen ... an.

---

[1]) < referre (sich beziehen).
[2]) < invertere (umdrehen, umkehren; inversīvum bedeutet also: eine Umstellung bewirkend, kennzeichnend)

5 Wiederholung der Vorgänge

Im Temporalsatz werden Vorgänge oder Ereignisse, die häufig auftreten oder sich wiederholen, ausgedrückt.

Einleitende Konjunktionen:

cum (*iterativum*[1])	mit Ind.	jedes Mal/immer, wenn;
quotiēnscumque	mit Ind.	sooft

Cum/Quotiēnscumque rem pūblicam prāvī hominēs gerēbant, cīvēs in malīs erant. | **Sooft** schlechte Leute den Staat lenkten, waren die Bürger im Unglück.

6 Unverzügliche Abfolge der Vorgänge

Im Temporalsatz wird ein Vorgang genannt, dem der Vorgang im Hauptsatz zeitlich unmittelbar folgt.

Einleitende Konjunktionen:

ubī (prīmum) **ut** (prīmum) **simul** **simulatque** **(simulac)**	Ind. Perf.	sobald

Ubī/Simul ōrātor fīnem ōrātiōnī imposuit, clāmor māgnus ortus est. | **Sobald** der Redner seine Rede beendet hatte, erhob sich großes Geschrei.

6.1 Wenn in Temporalsätzen, die mit ut/ubī (quisque)/simul/simulatque eingeleitet sind, Indikativ Plusquamperfekt steht, wird die unverzügliche Abfolge **wiederholter** Handlungen ausgedrückt. Indikativ Plusquamperfekt bezeichnet dann die Vorzeitigkeit.

Ut quisque Verris animum offenderat, in carcerem statim coniciēbātur. | **Sobald/Sowie** einer Verres beleidigte, wurde er sofort ins Gefängnis geworfen.

7 Scharfe Abgrenzung der Vorgänge

dum **dōnec** **quoad**	Ind./Konj.	(solange) bis

Pūgnā abstinuit Achillēs, **dum** Hector Patroclum necāvit. | Achilles hielt sich (solange) vom Kampf fern, bis Hektor Patroklus tötete.

7.1 Wenn ein mit dum/quoad eingeleiteter Temporalsatz im Konjunktiv steht, so zeigt dies einen finalen Nebensinn an. Dies ist besonders nach den Verben des Wartens der Fall.

Exspectā, **dum/quoad** ipse tē conveniam.   Warte, **bis** ich dich persönlich aufsuche!

---

[1]) < iterāre (wiederholen)

123 Adverbialsätze des Grundes (kausallogische Sätze)

Übersichtstabelle

Glied-satzart	einleitende Konjunktion	Bedeutung	Modus	Semantische Funktion
Kausalsatz	**cum** (*causale*) **quod/quia** praesertim cum proptereā quod quoniam	**da; weil** zumal da deshalb, weil da ja; weil ja	Konj. Ind. Konj. Ind. Ind.	eine Begründung angebend (↗ 124): tatsächlicher Grund
Finalsatz	**ut** **nē** nē...nēve quō (*mit Komparativ*)	**damit** **damit nicht** damit nicht...und nicht damit um so	Konj.	eine Absicht angebend (↗ 125): beabsichtigter Grund
Kon-sekutiv-satz	**ut** **ut nōn** quam ut (*nach Komparativ*)	**(so) dass** **(so) dass nicht** als dass	Konj.	eine Folge angebend (↗ 126): Folge eines Grundes
Kondizional-satz	**sī** **nisī** sīn sīve...sīve	**wenn** **wenn nicht** wenn aber sei es dass...oder dass	Ind.: Realis/ Konj.: Potentialis; Irrealis	eine Bedingung angebend (↗ 129): vorausgesetzter Grund
Komparativ-satz	tantus...quantus quō...eō (*mit Komparativ*) **ut**...(ita/sīc) **quasi/** **tamquam/velut (sī)**	so groß...wie je...desto **wie**...(so) **so als ob**/wie wenn	Ind. Ind. Konj.	einen Vergleich angebend (↗ 130): im Vergleich wirksamer Grund
Konzessiv-satz	**cum** (*concessivum*[1]) **quamquam** etsī quamvīs	**obwohl** wenn auch wie sehr auch	Konj. Ind. Ind. Konj.	ein Zugeständnis angebend (↗ 127): Missachtung eines Gegengrundes
Adver-sativ-satz	cum (*adversativum*[2])	während; während dagegen	Konj.	einen Gegensatz angebend (↗ 128): in einem Gegen-satzverhältnis wirksamer Grund

[1] < concēdere (einräumen, zugestehen)
[2] < adversārī (im Gegensatz stehen zu; vgl. adversus)

124   Kausalsätze

1 Die Kausalsätze (**syntaktische Funktion** des **Adverbiales** ↗119.2) geben die Begrün-
dung für eine Tätigkeit oder einen Vorgang an; sie stehen im **Indikativ** oder im **Konjunk-
tiv**, je nach der inneren Darstellungsabsicht. Durch die Art der einleitenden Konjunktion
oder durch hinzugefügte Partikeln kann der Kausalsatz eine besondere Sinn-Schattie-
rung erhalten.

Einleitende Konjunktionen:

cum (*causale*)	mit Konj.	da; weil
quod/quia	mit Ind.	
praesertim cum	mit Konj.	zumal da
proptereā quod	mit Ind.	deshalb, weil
quoniam	mit Ind.	da ja; weil ja

Hannibal dolō pūgnābat,	Hannibal kämpfte mit List,
cum Rōmānīs nōn esset	**weil** er den Römern mit seinen Streitkräften
aequus vīribus.	nicht gewachsen war.
Sapiēns lēgibus pāret,	Der Weise gehorcht den Gesetzen,
quod id māximē ūtile iūdicat.	**weil** er dies für besonders nützlich hält.
Quoniam nox est,	**Da ja** bereits Nacht ist,
in vestra tēcta discēdite!	geht in eure Häuser!

2 Besonderheiten

2.1 Wenn in Kausalsätzen, die mit quod/quia eingeleitet sind, der Konjunktiv steht, so zeigt dies eine
innere Abhängigkeit des Gliedsatzes an: Die Begründung ist nicht tatsächlich gegeben, sondern
stellt die Meinung einer gewissen Person, zumeist die des Subjekts des übergeordneten Satzes, dar.
In der Übersetzung kann dies durch einen Zusatz wie ‚ihrer Meinung nach‘, ‚wie sie meinten‘ u.ä.
ausgedrückt werden.

Cīvēs Aristīdem ob eam causam	Die Bürger verbannten Aristides deshalb
patriā expulērunt,	aus der Heimatstadt,
quod ultrā modum iūstus **esset**.	weil er – nach ihrer Meinung – über die Maßen gerecht war.

2.2 Nach den festen Verbindungen nōn quod (‚nicht als ob‘) und nōn quod nōn (‚nicht … als ob nicht‘)
zeigt der Konjunktiv an, dass ein fälschlich angenommener Grund zurückgenommen wird:

Facta Caesaris servanda cēnseō,	Cäsars Maßnahmen müssen, meine ich,
nōn quod prob**em**,	beibehalten werden, nicht als ob ich sie billigte,
sed quod ratiōnem pācis	sondern weil man nach meiner Überzeugung
habendam exīstimō.	auf den inneren Frieden Rücksicht nehmen muss.

125   Finalsätze

1 Die Finalsätze (**syntaktische Funktion** des **Adverbiales** ↗119.2) geben eine **Absicht**
oder einen **Zweck** an; sie stehen immer im **Konjunktiv**. Die Negation ist nē.

Einleitende Konjunktionen:

ut		damit
nē		damit nicht
nē … nēve	Konj.	damit nicht … und nicht
quō		damit dadurch
quō (*mit Komparativ*)		damit um so

Bei gleichem Subjekt im Gliedsatz und im übergeordneten Satz wird in der deutschen Wiedergabe der Infinitiv mit ‚um ... zu' bevorzugt.

Multī ad lūdōs veniunt, **ut** spectentur.	Viele kommen zu Spielen, **damit** sie gesehen werden/**um** gesehen **zu** werden.
Caesar Rōmā in Galliam properāvit, **nē** Helvētiī in prōvinciam invāderent.	Cäsar eilte von Rom nach Gallien, **damit** die Helvetier **nicht** in die Provinz eindrangen.
Caesar legiōnēs in Ariovistum coēgit, **nē** quam multitūdinem hominum amplius trāns Rhēnum in Galliam trādūceret **nēve** Haeduīs bellum īnferret.	Cäsar sammelte seine Legionen gegen Ariovist, **damit** er **nicht** noch mehr Menschen über den Rhein nach Gallien führe **und** die Häduer **nicht** bekriege/bekriegen könne.
Lēx brevis estō, **quō** facilius teneātur!	Ein Gesetz soll kurz sein, **damit** es **dadurch/um so** leichter (im Gedächtnis) behalten wird!

2 Besonderheiten

2.1 Im übergeordneten Satz weist gelegentlich ein Demonstrativum auf den Finalsatz hin:

ob hanc causam, ut	darum, dass
eō cōnsiliō, ut	in der Absicht, dass
eā condiciōne, ut	unter der Bedingung, dass

2.2 Häufig begegnen als finale Einschübe folgende feste Wendungen:

nē dīcam	um nicht zu sagen
ut ita dīcam	sozusagen
ut taceam dē aliīs	um von Anderem zu schweigen/ von Anderem ganz zu schweigen
ut alia omittam	um Anderes zu übergehen

126 Konsekutivsätze

1 Die Konsekutivsätze (**syntaktische Funktion** des **Adverbiales** ↗119.2) geben eine **Folge** oder einen **Folgezustand** an. Sie stehen immer im **Konjunktiv**. Die Negation ist nōn.

Einleitende Konjunktionen:

ut		(so) dass
ut nōn	mit Konj.	(so) dass nicht
quam ut (*nach Komparativ*)		als dass

2 Demonstrative Hinweise

2.1 In der Regel weist ein Demonstrativum im übergeordneten Satz auf den Konsekutivsatz hin. Dies können sein

a) **demonstrative Adverbien**, z.B.

sīc, ita (bei Verben) tam, adeō (bei Adjektiven)	so; so sehr

Atticus *sīc* Graecē loquēbātur, **ut** Athēnīs nātus vidērētur.	Atticus sprach *so* (*gut*) Griechisch, **dass** er in Athen geboren zu sein schien.

b) **demonstrative Adjektive und Pronomina**, z.B.

tālis	so beschaffen	eiusmodī	von solcher Art
tantus	so groß	is; hic	solcher

Alcibiadēs eā erat prūdentiā,
ut nēmō eum fallere posset.

Alkibiades war von *solcher* Klugheit,
dass niemand ihn täuschen konnte.

2.2 Zuweilen fehlt im übergeordneten Satz ein demonstrativer Hinweis; ut ist dann mit ‚so dass' wiederzugeben.

Hominēs dissimilēs sunt,
ut aliōs dulcia,
aliōs acerba dēlectent.

Die Menschen sind verschieden,
so dass die einen Süßes erfreut,
die anderen Bitteres.

3 Besonderheiten

3.1 Gelegentlich ist ut nōn mit ‚ohne dass' / ‚ohne … zu' zu übersetzen.

Nōn possunt in cīvitāte
multī fortūnās āmittere,
ut nōn plūrēs sēcum
in eandem trahant calamitātem.

Es können im Staat nicht
viele ihren Besitz verlieren,
ohne dass sie noch mehr mit sich
in dasselbe Unglück reißen (**ohne … zu** reißen).

3.2 Ein mit quam ut eingeleiteter Konsekutivsatz kann die Folge eines Vergleichs im übergeordneten Satz darstellen. Im Deutschen wird hier gewöhnlich der irreale Konjunktiv verwendet.

Hannibalī haec victōria māior est vīsa,
quam ut eam statim animō capere
posset.

Hannibal schien dieser Sieg zu bedeutend,
als dass er ihn sogleich innerlich hätte
bewältigen können.

3.3 Im Konsekutivsatz folgt die Tempussetzung häufig nicht den Regeln der Consecutio temporum (↗ 113), der im Gliedsatz erfasste Folgezustand ist vielmehr vom Standpunkt des Sprechenden aus betrachtet und festgelegt (↗ 113.5.1: absolutes Tempus).

Ita vīxī,
ut nōn frūstrā mē nātum exīstimem.

Ich habe so gelebt,
dass ich nicht vergeblich geboren zu sein glaube.

127   Konzessivsätze

1 Die **Konzessivsätze** (**syntaktische Funktion** des **Adverbiales** ↗119.2) geben einen als **wirklich** oder **möglich** angenommenen Gedanken an, der ein **Zugeständnis** bzw. eine **Einräumung** zum Ausdruck bringt. Sie erfassen gewissermaßen einen Gegengrund, der zwar bekannt ist, aber nicht beachtet wird.

Einleitende Konjunktionen:

cum (*concessivum*[1])	mit Konj.	obwohl; wenn auch; obgleich
(...tamen)		(...dennoch)
quamquam	mit Ind.	obwohl
etsī, tametsī	mit Ind.	auch wenn; selbst wenn
etiamsī	mit Ind./Konj.	auch wenn; selbst wenn
quamvīs	mit Konj.	wenn auch (noch so sehr);
		wie sehr auch
licet	mit Konj.	mag auch; wenn auch
ut (*concessivum*[1])	mit Konj.	angenommen, dass; selbst wenn

Sōcratēs, **cum** facile posset ēvādere ē vinculīs, nōluit.	**Obwohl** Sokrates leicht aus dem Gefängnis hätte entkommen können, wollte er dies nicht.
Caesar, **etsī** cōnsilium Britannōrum nōn cognōverat, tamen mīlitēs castrīs discēdere vetuit.	Cäsar verbot, **wenn** er **auch** den Plan der Britannier nicht kannte, dennoch den Soldaten das Lager zu verlassen.
Licet omnēs clāment: dīcam, quod sentiō.	**Mögen auch** alle schreien: ich werde sagen, was ich denke.

2   **Besonderheiten**

2.1 Wenn quamquam am Anfang eines Hauptsatzes steht, schränkt es den vorausgehenden Gedanken ein oder berichtigt ihn; quamquam ist dann mit ‚indes'/‚jedoch' wiederzugeben.

Quamquam quid agō?   Jedoch, was tue ich?

2.2 Gelegentlich steht quamvīs bei einem Adjektiv (seltener bei einem Adverb). Bei der Übersetzung empfiehlt es sich häufig, ein Gliedsatzprädikat zu ergänzen.

Germānī ad omnēs equitēs quamvīs paucī adīre audēbant.	Die Germanen wagten es, alle Reiter, auch wenn sie selbst noch so wenige waren, anzugreifen.

128   Adversativsätze

Die Adversativsätze (**syntaktische Funktion** des **Adverbiales** ↗119.2) geben einen **Gegensatz** zum Vorgang des übergeordneten Satzes an.

Einleitende Konjunktion:

cum (*adversativum*[2])	mit Konj.	während; während dagegen

Hominī sōlī inest ratiō, **cum** cētera animālia eā careant.	Einzig im Menschen wohnt Vernunft, **während** (dagegen) die übrigen Lebewesen sie nicht haben.

---

[1] < concēdere (einräumen)
[2] < adversārī (im Gegensatz stehen zu; vgl. adversus)

129   Kondizionalsätze

1 Die **Kondizionalsätze (syntaktische Funktion des Adverbiales** ↗119.2) geben die **Bedingung** an, unter der sich der Vorgang des übergeordneten Satzes vollzieht. Der Hauptsatz enthält die Folgerung, die sich aus der im Gliedsatz stehenden Bedingung ergibt. Bedingungssatz und Folgerungssatz ergeben die **kondizionale Periode**.

Einleitende Konjunktionen:

sī	wenn; falls
nisī	wenn nicht; falls nicht
sīn	wenn aber
sīve … sīve	sei es dass … oder dass

2 Modi in Kondizionalsätzen

Der **Modus** in der kondizionalen Periode wird bestimmt vom Verhältnis, in dem die Aussagen des Haupt- und Gliedsatzes zur Wirklichkeit stehen.

2.1 Der **Indikativ aller Tempora** zeigt an, dass der Sprechende die Aussage der kondizionalen Periode als wirklich, tatsächlich auffasst.
Deshalb spricht man hier von einem **Realis** (↗ 98.1).

2.2 Der **Konjunktiv Präsens/Perfekt** zeigt an, dass der Sprechende die Aussage der kondizionalen Periode als nur möglich, in Gedanken vorgestellt auffasst oder dass eine Behauptung abgeschwächt wird.
Deshalb spricht man hier von einem **Potentialis** (↗ 100.5).

2.3 Der **Konjunktiv Imperfekt/Plusquamperfekt** zeigt an, dass der Sprechende die Aussage der kondizionalen Periode als unwirklich auffasst.
Deshalb spricht man hier von einem **Irrealis** (↗ 100.6).

3 Kondizionale Perioden

	Bedingungssatz: mit **sī** eingeleitet	Folgerungssatz	deutsche Wiedergabe
Realis	**Indikativ** Sī manēs/manēbis,	**Indikativ** gaudeō/gaudēbō.	Wenn du bleibst (bleiben willst), freue ich mich (werde ich mich freuen).
	Sī vēneris,	gaudēbō.	Wenn du kommst (gekommen bist), freue ich mich (werde ich mich freuen).
Potentialis	**Konj. Präs./Perf.** Sī maneās/mānseris,	**Konj. Präs.** gaudeam.	Wenn du bleiben solltest, könnte/dürfte ich mich wohl freuen.
Irrealis — der Gegenwart	**Konj. Imperf.** Sī manērēs,	**Konj. Imperf.** gaudērem.	Wenn du bliebest, würde ich mich freuen.
Irrealis — der Vergangenheit	**Konj. Plusquamperf.** Sī mānsissēs,	**Konj. Plusquamperf.** gāvīsus essem.	Wenn du geblieben wärst, hätte ich mich gefreut.

▶ Irrealis der Vergangenheit und Gegenwart treten manchmal in Mischform auf; die Bedingung liegt in der Vergangenheit, die sich daraus ergebende Folgerung wirkt bis in die Gegenwart weiter.

| Sī tacuissēs, | Wenn du geschwiegen hättest, |
| philosophus (adhūc) putārēris. | würdest du (jetzt noch) als Philosoph gelten. |

4 Kondizionale Perioden in Abhängigkeit

Gelegentlich sind die kondizionalen Perioden abhängig
entweder von einer Infinitivkonstruktion oder von einem konjunktivischen Gliedsatz. Dabei erfahren Bedingungssatz (Gliedsatz) und Folgerungssatz (Hauptsatz) syntaktische Veränderungen; für alle kondizionalen Perioden mit Ausnahme des Irrealis werden die Regeln der Consecutio temporum (↗ 113) wirksam. In irrealen Perioden bleibt der Bedingungssatz unverändert, der Folgerungssatz wird je nach Zeit und Abhängigkeit abgewandelt.

4.1 Beispiele für abhängige kondizionale Perioden:

Gliedsatz: Bedingungssatz	Hauptsatz: Folgerungssatz			
Sī ad nōs **vēneris**, Wenn du zu uns kommst,	omnēs gā**vīsūrōs esse** putō.	werden sich, so glaube ich, alle freuen.	AcI	Realis der Zukunft
	dubium nōn est, *quīn* omnēs gā**vīsūrī sint**.	werden sich, darüber besteht kein Zweifel, alle freuen.	GS	
Sī ad nōs ven**īrēs**, Wenn du zu uns kämest,	omnēs gā**vīsūrōs fuisse** putō/putāvī.	würden sich, so glaube/ glaubte ich, alle freuen.	AcI	der Gegenwart
	dubium nōn est/fuit, *quīn* omnēs gaud**ērent**.	würden sich, darüber besteht/bestand kein Zweifel, alle freuen.	GS	Irrealis
Sī ad nōs **vēnissēs**, Wenn du zu uns gekommen wärest,	omnēs gā**vīsūrōs fuisse** putō/putāvī.	hätten sich, so glaube/ glaubte ich, alle gefreut.	AcI	der Vergangenheit
	dubium non est, *quīn* omnēs gā**vīsūrī fuerint**.	hätten sich, darüber besteht kein Zweifel, alle gefreut.	GS	

4.2 Der Konjunktiv Plusquamperfekt steht nicht selten als Ersatz für den fehlenden Konjunktiv Futur II im Bedingungssatz des Realis der Zukunft, und zwar dann, wenn der Hauptsatz der Periode in Form eines nachzeitigen AcI ein Prädikat ergänzt, das im Präteritum steht.

| Nōnne sciēbās mē, sī id **fēcissēs**, tibī māgnam habitūrum grātiam? | Wusstest du nicht, dass ich dir, wenn du das tust, sehr dankbar sein würde/werde? |
| Caesar sē Gallīs parsūrum esse, sī sē **dēdidissent**, prōmīsit. | Cäsar versprach die Gallier zu schonen, falls sie sich ergäben. |

5 Durch die Verbindung von sī/nisī mit bestimmten Wörtern erhält der Kondizionalsatz eine zusätzliche Sinnrichtung; diese lässt sich in entsprechenden deutschen Wendungen angemessen erfassen.

sīn (autem/vērō)	wenn aber
quodsī	wenn nun; wenn also
sīve … sīve	sei es dass … oder dass; ob … oder ob
nisī forte	wenn nicht etwa; es sei denn (, dass)
sī quidem	wenn wirklich
nihil nisī	nichts außer; nur
nōn nisī	nur
sī modo[1]	wenn nur; sofern nur

Satis locūtus sum dē hāc rē, nisī forte quid dēsīderātis.	Darüber habe ich genug gesprochen, es sei denn, ihr habt noch einen Wunsch.
Veniet tempus mortis, sīve prohibēbis. sīve properābis.	Der Zeitpunkt des Todes wird kommen, ob du ihn aufhalten oder ob du ihn beschleunigen willst.
Hunc mihī timōrem ēripe!	Nimm mir diese Furcht!
Sī est vērus, nē opprimar, sīn falsus, ut tandem timēre dēsinam.	Wenn sie wahr ist, damit ich nicht von ihr überwältigt werde, wenn sie aber falsch ist, damit ich mich endlich nicht mehr zu fürchten brauche.

130 Komparativsätze

Die Komparativsätze (**syntaktische Funktion** des **Adverbiales** ↗119.2) enthalten einen **Vergleich**. Dabei sind entweder zwei Vorgänge in einem einzigen Wirklichkeitsbereich in eine unmittelbare Entsprechung (Korrelation) zueinander gebracht oder es sind zwei Vorgänge, die in zwei verschiedenen Wirklichkeitsbereichen liegen, zum Vergleich (Komparation) nebeneinander gestellt.

1 Korrelativische Komparativsätze

Der Modus ist in der Regel der **Indikativ**. Der Vergleich wird mittels Korrelativ-Pronomina, Adjektiven oder Adverbien eingeleitet.

1.1 Häufig begegnen folgende Korrelativa:

tantus	… quantus	so groß	… wie
tālis	… quālis	so (*beschaffen*)	… wie
tot	… quot	so viele	… wie
quō	… eō (*beim Komparativ*)	je	… desto
īdem	… quī	derselbe	… wie
nōn tam	… quam	nicht so sehr	… als vielmehr

Quālis homō ipse est, **tālis** eius est ōrātiō.	Wie der Mensch selbst beschaffen ist, so ist auch seine Rede.
Quot hominēs, **tot** sententiae.	Wie viele Menschen, so viele Meinungen.
Hominēs, **quō** plūra habent, **eō** plūra dēsīderant.	Je mehr die Menschen besitzen, desto mehr begehren sie.

---

[1]) Dieselbe Bedeutung hat dummodo mit Konj. (↗ 122.2); der Gliedsatz hat dann einen finalen Nebensinn.

Quāle sit honestum,	Von welcher Art das Gute ist,
nōn tam ratiōne	lässt sich nicht so sehr mit dem
intellegī potest	Verstand begreifen
quam commūnī	als vielmehr aus dem gemeinsamen
omnium iūdiciō.	Urteil aller.

1.2 Besonderheiten

a) Nach Ausdrücken der Gleichheit und Ähnlichkeit sowie deren Gegenteil wird der Komparativsatz mit atque/ac eingeleitet, z.B.

īdem	…atque/ac	derselbe	…wie
aequē	…atque/ac	in gleicher Weise/ebenso	…wie
alius	…atque/ac	ein anderer	…als
aber:			
nihil aliud	…nisī	nichts anderes	…als

Virtūs eadem in homine	Im Menschen wohnt dieselbe
ac in deō est.	sittliche Kraft wie in Gott.

Ea rēs mihī aequē nōta est	Dieser Sachverhalt ist mir ebenso
ac tibī.	bekannt wie dir.

Nihil aliud fēcistī	Du hast nichts anderes getan
nisī rem distulistī.	als die Sache aufgeschoben.

b) Nach einem Komparativ oder nach Verben mit komparativischem Sinn (praestat, mālle) übersetzt man quam mit ‚**als**‘.

Accipere **quam** facere	Unrecht zu erleiden ist besser
praestat iniūriam.	**als** Unrecht tun.

c) Negierte Vergleiche mit quam lassen sich im Deutschen im Positiv wiedergeben:

nōn minus…quam	nicht weniger…als
	ebenso(sehr)…wie
nōn magis…quam	nicht mehr…als,
	ebenso wenig…wie

Patria hominibus **nōn minus**	Das Vaterland muss den Menschen
cāra esse dēbet **quam** līberī.	**ebenso** teuer sein **wie** ihre Kinder.

d) quam beim Superlativ wird mit **möglichst** und Positiv wiedergegeben(↗ 25.3.1).

quam māximus numerus	eine möglichst große Zahl
quam celerrimē	möglichst schnell

2 ‚Kondizionale‘ Komparativsätze

Einleitende Konjunktionen:

ut/sīcut	…ita (sīc)	wie…so
quemadmodum	…sīc (ita)	
quōmodo	…sīc	wie…so
quam	…tam	
quasi	mit Konj.	so als ob
tamquam/velut	mit Konj.	wie wenn; als ob

2.1 Der Wirklichkeitsbereich des Komparativsatzes, zu dem die Aussage des Hauptsatzes in Vergleich gesetzt ist, kann vom Sprechenden unter einer jeweils verschiedenen Bedingung betrachtet sein.

a) Der Wirklichkeitsbereich kann als **objektiv gültige Tatsache** angegeben sein; der Modus in diesem ‚realen' Vergleich ist der **Indikativ**.

Quemadmodum animus corporī,	Wie der Geist über den Körper,
ita rēx populō imperat.	so herrscht ein König über das Volk.

b) Der Wirklichkeitsbereich kann als nur **möglich**, **in Gedanken vorgestellt** oder als **unwirklich** angenommen sein; der Modus im ‚potentialen' Vergleich ist der **Konjunktiv Präsens**, der Modus im ‚irrealen' Vergleich ist der **Konjunktiv Imperfekt/Plusquamperfekt**.

Quasi imperātor **sīs**,	**Als ob** du ein Feldherr wärest,
nōbīs imperās.	so gebietest du uns.
Sēquanī absentis Ariovistī crūdēlitātem, **tamquam** cōram **adesset**, horrēbant.	Die Sequaner entsetzten sich vor der Grausamkeit des abwesenden Ariovist **so, als ob** er persönlich anwesend wäre.

2.2 Besonderheiten

a) ut, (‚wie') ist häufig bei kurzen vergleichenden oder erklärenden Einschüben verwendet.

ut āiunt   wie man sagt   ut opīnor   wie ich glaube/vermute

b) ut … sīc/ita bezeichnet manchmal einen Gegensatz; im Deutschen ist die Übersetzung mit ‚*zwar … aber*' entsprechend.

Ut nihil bonī est in morte,	Im Tode liegt zwar nichts Gutes,
sīc certē nihil malī.	aber sicherlich auch nichts Schlechtes.

c) ut leitet gelegentlich einen begründenden Vergleich ein.

Caesar, ut erat prūdēns,	Klug wie er war, zog sich Cäsar
ē Germāniā sē recēpit.	aus Germanien zurück.

131 Relativsätze

Relativsätze werden eingeleitet mit Relativ-Pronomina (↗ 30.1), verallgemeinernden Relativ-Pronomina (↗ 30.1) oder Relativ-Adverbien.
Der Relativsatz kann die syntaktische Funktion des Subjekts, des Objekts, des Adverbiales oder des Attributs erfüllen.
Der Modus im Relativsatz ist entweder der Indikativ oder der Konjunktiv.

132 Relativsätze im Indikativ

1 Relativsätze als Attribut

Die **syntaktische Funktion** des **Attributs** wird zumeist dann von einem Relativsatz erfüllt, wenn die attributive Angabe durch größere Zusätze erweitert ist oder wenn der attributiven Angabe eine besondere Sinnrichtung gegeben ist, die durch ein Adjektiv bzw. Substantiv nicht angemessen ausgedrückt werden kann. Man nennt solche Relativsätze auch **Attributsätze**.

Adjektiv als Attribut:	Relativsatz als Attribut:
īnsula remōta eine ferne Insel	īnsula, quam procul vidēs die Insel, die du in der Ferne siehst
campus lātus ein weites Feld	campus, in quō/ubī exercitus cōnsēderat das Feld, auf dem sich das Heer gelagert hatte

① Imperātor Augustus,
quī Rōmānīs pācem dedit,
cūnctīs nōtus est.

Kaiser Augustus,
der den Römern den Frieden gab,
ist allen bekannt.

② Rōmānī Augustum,
cui multa dēbēbant,
valdē colēbant.

Die Römer verehrten Augustus,
dem sie viel verdankten,
sehr.

③ Rōmānī eā aetāte,
quā Augustus prīnceps erat,
bellīs vix vexātī sunt.

Die Römer wurden in der Zeit,
in der Augustus Prinzeps war,
kaum von Kriegen heimgesucht.

Im Satzmodell:

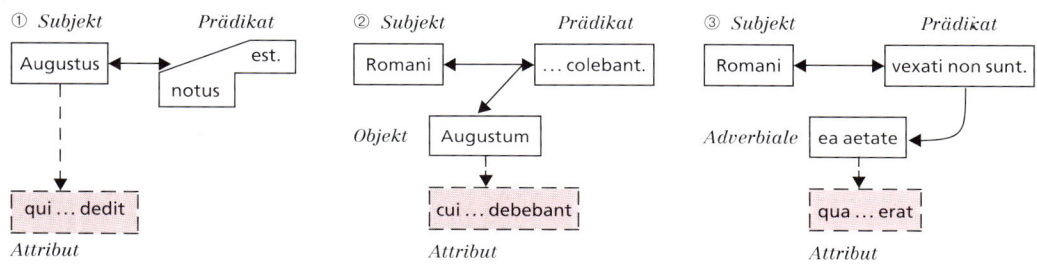

1.1 Das Relativ-Pronomen richtet sich im **Genus** und **Numerus** nach seinem Bezugswort im übergeordneten Satz, im **Kasus** jedoch nach seiner syntaktischen Funktion innerhalb des Relativsatzes:

Fortūna Rōmānīs,
① **quibus** multa perīcula imminēbant,
② **quōs** māgna bella perturbābant,
favēbat.

Fortuna war den Römern,
– denen viele Gefahren drohten,
– die große Kriege beunruhigten,
gewogen.

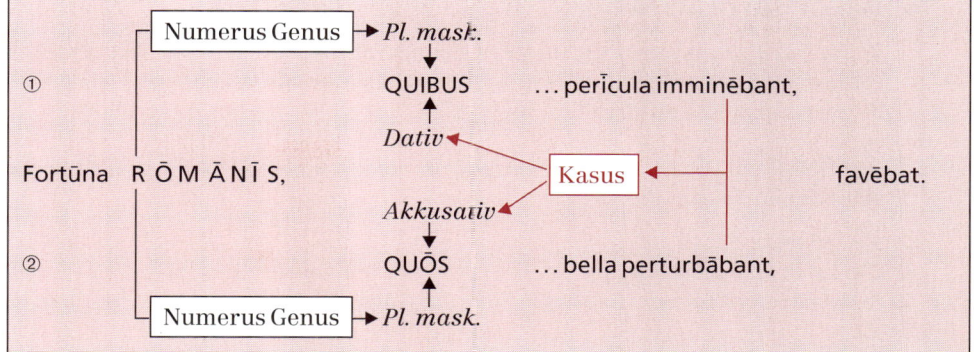

1.2 Bezieht sich das Relativ-Pronomen auf den ganzen Satz, so steht es im Neutrum Singular: quod (häufig in der Verbindung id quod). Gelegentlich ist dafür quae rēs gesetzt. Man bezeichnet diese Erscheinung als **Satz-Apposition.**

Graecīs Alexandrum mortuum esse nūntiātum est,	Den Griechen wurde gemeldet, dass Alexander gestorben sei,
(id) quod ⎱ omnēs valdē dolēbant. **quam rem** ⎰	**was** ⎱ alle sehr bedauerten. **ein Ereignis, das** ⎰

1.3 Erfüllt das Relativ-Pronomen die syntaktische Funktion des Subjekts, so stimmt es im Genus und Numerus gegebenenfalls mit dem Prädikatsnomen des Relativsatzes überein (↗ 38.3).

Properāvī Thēbās, **quod** Boeōtiae est caput.	Ich eilte nach Theben, das die Hauptstadt Böotiens ist.

1.4 Besonderheiten in der Stellung des Bezugswortes

a) Häufig ist das Bezugswort in den Relativsatz gezogen; in diesem Fall ist oft ein Demonstrativ-Pronomen **nachgestellt.**

Quae gravissimē afflīctae erant *nāvēs*, **eārum** māteriā Caesar ad reliquās reficiendās ūtēbātur.	Cäsar benutzte das Material der Schiffe, die am schwersten beschädigt waren, zur Wiederherstellung der übrigen.

b) Gelegentlich ist der Relativsatz zwischen Demonstrativum und Bezugswort ‚eingebettet‘.

Lēgēs semper **eum**, **quem** probāmus, cīvitātis **statum** servantō!	Die Gesetze sollen immer die Verfassung des Staates bewahren, die wir billigen!

c) Das Bezugswort ist zuweilen im Relativsatz **wiederholt.**

In **ea loca** vēnimus, **quibus** in *locīs* vetera Graecōrum templa erant.	Wir kamen in die Gegend, in der die alten Tempel der Griechen standen.

2 Relativsätze als Subjekt, Objekt oder Adverbiale

Wenn das **Bezugswort** (Substantiv, Demonstrativ-Pronomen) im übergeordneten Satz **fehlt**, dann treten Relativsätze gelegentlich auch als **Satzglieder** auf. Sie erfüllen dann die **syntaktische Funktion** des Subjekts, des Objekts oder des Adverbiales.

2.1 Der Relativsatz steht in der syntaktischen Funktion als Subjekt bzw. als Objekt **an verschiedenen Positionen** des Satzes.

a) als Subjekt:
① **Quī tacet**, nōn mentītur.   **Wer schweigt**, lügt nicht.
② Rem bene agit, **quī agere audet**.   Erfolgreich handelt, **wer zu handeln wagt**.

Im Satzmodell:

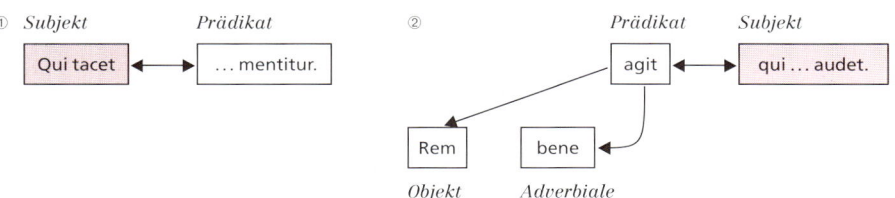

b) als Objekt:
③ Multī, **quod sentiunt**,   Viele sagen nicht (das),
nōn dīcunt.   **was sie denken**.

Im Satzmodell:

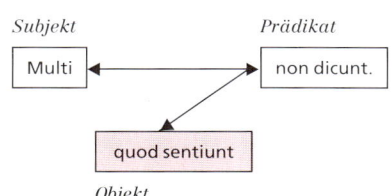

2.2 Die syntaktische Funktion des Relativsatzes als Subjekt bzw. Objekt wird zuweilen durch ein **nachgestelltes Demonstrativum** verdeutlicht.

Quod virtūte impetrārī dēbet,   Was durch Tüchtigkeit erreicht werden sollte,
id haud rārō temptātur pecūniā.   **das** versucht man nicht selten mit Geld (zu erreichen).

2.3 Gelegentlich übernimmt der Relativsatz die syntaktische Funktion eines **Objekts im Dativ**; im Deutschen ist hier das entsprechende Demonstrativum im Dativ zu ergänzen.

Dōnum dabō,   Ein Geschenk gebe ich **dem**,
quī mōnstrabit mihī viam rēctam.   der mir den richtigen Weg zeigt.
(*statt*: eī, quī …)

2.4 Mit einem **verallgemeinernden Relativ-Pronomen** (↗ 30.1) eingeleitete Relativsätze übernehmen fast immer die syntaktische Funktion des **Subjekts** oder **Objekts**.

Quidquid ortum est,   **Alles**, **was** entstanden ist,
aliquandō interībit.   wird einmal vergehen.

2.5 Relativsätze in der syntaktischen Funktion des Adverbiales

Der Relativsatz übernimmt gelegentlich die syntaktische Funktion des Adverbiales; er ist dann mit einem Pronominaladverb (z.B. ubī, quō, unde) eingeleitet. In dieser Funktion gibt der Relativsatz eine Ortsbestimmung an; deshalb lässt er sich auch als Lokalsatz einordnen (↗ 121.1.1).

133   Relativsätze im Konjunktiv

1 Relativsätze mit adverbialem Nebensinn

Relativsätze, die die syntaktische Funktion des Attributs erfüllen (Attributsätze), bestimmen oft nicht nur ein Satzglied näher, sondern enthalten zusätzlich eine adverbiale Angabe (Grund, Absicht, Folge, Einschränkung) zu dem im übergeordneten Satz dargestellten Vorgang.

Der Modus im Relativsatz mit adverbialem Nebensinn ist der **Konjunktiv**.

1.1 Relativsätze mit kausalem Nebensinn

Rōmānī,	Die Römer,
(quippe) **quī** multās gentēs	**die** (ja) viele benachbarte Völker
fīnitimās amīcitiā sibī adiūn**xissent**,	in Freundschaft an sich gebunden hatten,
imperium diū tenēre poterant.	konnten die Herrschaft lange behaupten.
	(**Da** die Römer ...)

a) Der durch den Konjunktiv ausgedrückte kausale Nebensinn lässt sich im Deutschen durch die Partikel ‚ja'/‚doch' berücksichtigen. Der Relativsatz kann bei der Wiedergabe auch in einen Kausalsatz umgewandelt werden.

b) Der kausale Nebensinn des Relativsatzes wird zuweilen durch ein vor dem Relativ-Pronomen stehendes quippe oder ut verdeutlicht.

quippe quī	der ja/doch
ut quī	

1.2 Relativsätze mit finalem Nebensinn

Saguntīnī lēgātōs Rōmam mīsērunt,	Die Bewohner von Sagunt
quī auxilium contrā Hannibalem	schickten Gesandte nach Rom,
pete**rent**.	**die** Hilfe gegen Hannibal **fordern sollten**.

a) Der durch den Konjunktiv ausgedrückte finale Nebensinn lässt sich durch die Wiedergabe mit ‚sollen' berücksichtigen.

b) In bestimmten Fällen muss der Relativsatz im Deutschen in einen Finalsatz umgesetzt werden; dabei wird das Relativ-Pronomen zu einem Demonstrativum.

Hannibal pontem fēcit in Rhodanō,	Hannibal ließ eine Brücke über die Rhone schlagen
quō cōpiās trānsportāret.	*um* auf dieser/so Truppen hinüber*zu*bringen.

1.3 Relativsätze mit konsekutivem Nebensinn

Scīpiō nōn is erat,	Scipio war nicht der Mann,
quī Hannibalis	**der** sich von Hannibals Tatkraft und
virtūte atque cōnsiliō terrē**rētur**.	kluger Planung **erschrecken ließ**.
	(dass er sich ... **hätte erschrecken lassen**.)

a) Der durch den Konjunktiv ausgedrückte konsekutive Nebensinn lässt sich im Deutschen oft durch eine Umsetzung in einen konsekutiven Gliedsatz berücksichtigen.

b) Nach verneintem Satz kann quīn einen Relativsatz einleiten:

Nēmō est, quīn sciat ..   Es gibt niemanden, der nicht wüsste …

c) Ein konsekutiver Nebensinn, der im Deutschen nicht berücksichtigt wird, liegt bei folgenden Wendungen vor:

multī sunt, quī …		es gibt viele, die …
nōn dēsunt, quī …	mit Konj.	es fehlt nicht an Leuten, die …
nēmō invenītur, quī …		es lässt sich niemand finden, der …

d) Der konjunktivische Relativsatz nach dīgnus/indīgnus ist im Deutschen immer in eine andere Konstruktion umzusetzen.

Dīgnī estis,   Ihr seid es wert/verdient es,
quōrum salūtem dēfendāmus.   *dass* wir uns für euer Wohlergehen einsetzen.

1.4 Relativsätze mit konzessivem Nebensinn

Ego, quī sērō Graecās litterās attigissem, tamen Athēnīs complūrēs diēs sum morātus.

Ich, der ich (obwohl ich) erst spät mit griechischer Wissenschaft in Berührung gekommen war, blieb doch mehrere Tage in Athen./ Obwohl ich erst spät mit griechischer Wissenschaft in Berührung gekommen war, blieb ich doch mehrere Tage in Athen.

1.5 Relativsätze mit einschränkendem Nebensinn

Quod
litterīs cōnstet,
Pherecȳdēs Syrius prīmus dīxit
animōs esse hominum aeternōs.

Soweit
durch schriftliche Überlieferung gesichert ist,
hat Pherekydes von Syros zuerst gesagt,
dass die Seelen der Menschen unvergänglich sind.

Der lateinische Konjunktiv ist in solchen Fällen im Deutschen nicht zu berücksichtigen; der Relativsatz muss in einen anderen Gliedsatz umgesetzt werden.

Häufiger begegnende Relativsätze mit einschränkendem Nebensinn sind z.B.:

quod sciam   soviel ich weiß   quod meminerim   soweit ich mich erinnere

2 Modusangleichung im Relativsatz

Nicht immer zeigt der Konjunktiv im Relativsatz einen adverbialen Nebensinn an. Der **Konjunktiv** steht in Attributsätzen oft aus Gründen der **Modusangleichung** (↗ 114.4.2), d.h.: Wird ein Satzglied des übergeordneten Satzes, der im Konjunktiv steht, von einem Relativsatz näher bestimmt, so gleicht sich dessen Modus diesem Konjunktiv an.

Quis eum dīlig**at**, quem metu**at**?   Wer liebt wohl den, den er fürchtet?

3 Innerliche Abhängigkeit des Relativsatzes

Der Konjunktiv im Relativsatz steht auch, wenn dieser innerhalb einer **Infinitivkonstruktion** steht; die Aussage des Relativsatzes gilt hier nicht als selbstständig, sondern ist in die Infinitivkonstruktion, die satzwertig ist, einbezogen (↗ 114.4.1).

Eōs, quī aliīs imper**ent**,
amīcitiā, nōn armīs
prōtēctōs esse oportet.

Diejenigen, die über andere herrschen,
sollen durch Freundschaft, nicht durch Waffen
geschützt sein.

134 Verschränkte Relativsätze

Das Relativ-Pronomen geht häufig mit anderen Konstruktionen, die im Relativsatz stehen, eine sehr **enge Verbindung** ein; sie sind gleichsam ineinander ‚**verschränkt**‘. Diese Verschränkung muss im Deutschen meist aufgehoben werden; es gibt verschiedene Übersetzungsmöglichkeiten.

1 In einen AcI oder NcI verschränkt

Vom Prädikat des Relativsatzes hängt ein AcI ①, ② oder NcI ③ ab. Das Relativ-Pronomen stellt das ‚Subjekt‘ des AcI bzw. NcI dar.

① Rōmānī,
    quōs multīs gentibus
    imperāvisse cōnstat,
Germānōs valdē timēbant.

Die Römer,
    die bekanntlich über viele Völker
    herrschten,
fürchteten die Germanen sehr.

② Nōnne multae gentēs,
    quibus ā Rōmānīs servitūtem
    impositam esse putāmus,
eōrum ipsōrum imperiō
auctae sunt?

Sind nicht viele Völker,
    denen, wie wir glauben, von den Römern
    die Knechtschaft **auferlegt wurde**,
gerade durch deren Herrschaft
gefördert worden?

③ Ā Calgacō Rōmānōrum imperium,
    quod gentibus victīs
    pācem **dare** exīstimābātur,
servitium vocātum est.

Von Calgacus ist die Herrschaft der Römer,
    die, wie man glaubte, den besiegten Völkern
    den Frieden **brachte**,
Knechtschaft genannt worden.

Übersetzungsmöglichkeiten[1] (es sind nicht immer alle Lösungen möglich):

1. Hilfsübersetzung:	von denen bekannt ist, dass sie … ①
	von denen wir glauben, dass ihnen … ②
	von der man glaubte, dass … ③
2. Parenthese:	die, wie bekannt ist, … ①
(eingeschobener Satz, eingeleitet mit ‚wie‘)	denen, wie wir glauben, … ②
	die, wie man glaubte, … ③
3. Adverb:	die bekanntlich … ①
4. Präpositionale Verbindung:	die unserer Meinung nach … ②
	die nach allgemeiner Meinung … ③

2 In eine Partizipialkonstruktion verschränkt

Das Relativ-Pronomen stellt zusammen mit einem Partizip oder einem Substantiv bzw. Adjektiv einen Ablativus absolutus (↗ 86.1.1) bzw. eine nominale Wendung (↗ 86.1; 87.4.2) dar.
Es bietet sich eine Wiedergabe durch eine präpositionale Verbindung an.

---

[1] Zu den Übersetzungsmöglichkeiten des AcI ↗ 77.

Ariovistus,	Ariovist,
– **quō victō** bellum Germānicum nōndum fīnītum erat,	– **nach dessen Niederlage** der Germanenkrieg noch nicht beendet war,
– **quō auctōre** Germānī Gallīs bellum intulerant,	– **auf dessen Veranlassung** die Germanen die Gallier in kriegerischer Absicht angegriffen hatten,
trāns Rhēnum fugiēns interiit.	kam auf der Flucht über den Rhein um.

3 In einen Gliedsatz verschränkt

Wenn von einem Relativsatz ein weiterer Gliedsatz abhängt, kann das Relativ-Pronomen zu einem Satzglied dieses Gliedsatzes geworden sein. Bei der Übersetzung muss die syntaktische Funktion, die das Relativ-Pronomen im Relativsatz hat, beachtet werden.

In mentem mihī venit Catōnis, **quem cum** multī ōdissent, tamen minās adversāriōrum nōn timuit.	Ich erinnere mich an Cato, **der**, **obwohl** viele **ihn** hassten, trotzdem die Drohungen seiner Gegner nicht fürchtete.

Nicht selten ist der Relativsatz auch in einen indirekten Fragesatz verschränkt:

Multī glōriam appetunt, quae num sibī prōfutūra sit, īgnōrant.	Viele jagen dem Ruhm nach, von dem sie nicht wissen, ob er ihnen nützen werde.

4 In einen Ablativus comparationis verschränkt

In einem Relativsatz, der einen Vergleich enthält, kann das Relativ-Pronomen als Ablativus comparationis (↗ 55.4) stehen. Für die Übersetzung empfiehlt es sich, den Komparativ als Superlativ auszudrücken und als Apposition zu formulieren, an die sich ein Relativsatz anschließt; die Negation entfällt.

Sōlem ē mundō tollere vidētur, quī amīcitiam ē vītā tollit, **quā** nihil ā dīs immortālibus **melius** habēmus, nihil **iūcundius**.	Die Sonne scheint aus der Welt zu entfernen, wer die Freundschaft aus dem Leben entfernt, **das Beste** und **Angenehmste, was** wir von den unsterblichen Göttern erhalten haben. *Hilfsübersetzung:* im Vergleich zu der wir nichts Besseres, nichts Angenehmeres von den unsterblichen Göttern haben.

135 Relativischer Satzanschluss

Das Relativ-Pronomen kann zwischen zwei Sätzen eine **enge Verbindung** herstellen. Dabei schließt das Relativ-Pronomen an den vorausgehenden Satz eng an, indem es diese enge Verbindung zu einem Wort oder dem ganzen Satzinhalt herstellt.
Das Relativ-Pronomen steht **immer an der Spitze des Satzes**.
Das Relativ-Pronomen kann dabei einleiten
– einen Hauptsatz,
– eine satzwertige Konstruktion des nachfolgenden Satzes,
– einen Gliedsatz, der ggf. Teil eines folgenden Satzgefüges ist.
Diese Art der Verbindung heißt **relativischer Satzanschluss** (↗ 108.1.3c).
Die auf diese Weise verbundenen Sätze stehen oft in einem adversativen oder kausalen Verhältnis zueinander.
Im Deutschen ist das Relativ-Pronomen mit einem anderen Pronomen (in der Regel einem Demonstrativ-Pronomen) wiederzugeben; das logische Verhältnis ist gegebenenfalls mit entsprechenden beiordnenden Konjunktionen (z.B. *aber, nämlich*) zu berücksichtigen.

1 Das Relativ-Pronomen als Teil des nachfolgenden Hauptsatzes

Quis īgnōret Nerōnem?	Wer kennt wohl Nero nicht?
Quī in Chrīstiānōs crūdēliter cōnsuluit.	**Dieser** ist (**nämlich**) gegen die Christen grausam vorgegangen.
Caesar ad flūmen Tamesim exercitum dūxit;	Cäsar führte das Heer zur Themse;
quod flūmen ūnō omnīnō locō pedibus trānsīrī potest.	**dieser** Fluss (**aber**) kann nur an einer einzigen Stelle zu Fuß überquert werden.
Atticus omnēs incitābat studiō suō.	Atticus spornte alle durch seinen Eifer an.
Quō in numerō fuērunt L. Torquātus, C. Marius fīlius, M. Cicerō;	(Unter **diesen**) **Darunter** waren/**Dazu** zählten L. Torquatus, der jüngere C. Marius und M. Cicero; **diese** band er durch seinen Umgang
quōs cōnsuētūdine suā sīc dēvīnxit, ut nēmō iīs cārior esset.	mit ihnen so an sich, dass ihnen niemand lieber war.

2 Das Relativ-Pronomen als Teil einer satzwertigen Konstruktion

Abl. abs.:

P. Crassus exercitum in fīnēs Sotiātum dūxit.	P. Crassus führte das Heer ins Gebiet der Sotiaten.
Cuius adventū cognitō Sotiātēs māgnās cōpiās coēgērunt.	Als die Sotiaten von **seiner** Ankunft erfuhren, zogen sie starke Streitkräfte zusammen.

AcI:

A nōnnūllīs nātiōnibus lēgātiōnēs ad Caesarem missae sunt.	Von einigen Stämmen wurden Gesandtschaften zu Cäsar geschickt.
Quās (lēgātiōnēs) Caesar, quod in Italiam properābat, initiō proximae aestātis ad sē revertī iussit.	**Diesen** (Gesandtschaften) (aber) befahl Cäsar, weil er eilends nach Italien wollte, zu Beginn des folgenden Sommers wieder zu ihm zu kommen.

Gerundivum:

In Galliā rēs novās accidere Rōmam nūntiātum est;	In Gallien gebe es, so wurde in Rom gemeldet, Unruhen;
ad **quās** cognōscendās Caesar in prōvinciam properāvit.	um über **diese/darüber** Näheres zu erfahren eilte Cäsar in die Provinz.

Folgende Verbindungen begegnen häufig:

quō factō	nach diesem Ereignis; hierauf
quibus rēbus cognitīs	als er/man davon erfahren hatte; in Kenntnis dieser Vorgänge
quibus rēbus commōtus	(durch diese Ereignisse veranlasst) unter dem Eindruck/aufgrund dieser Ereignisse

3 Das Relativ-Pronomen als Teil eines nachfolgenden Gliedsatzes

Omnēs deī ad epulās convocātī erant exceptā Discordiā.	Alle Götter waren zum Festmahl geladen, mit Ausnahme der Discordia.
Quae cum posteā supervēnisset, ad epulās admissa nōn est.	Als **diese** später hinzukam, wurde sie nicht zum Festmahl zugelassen.
Caesar oppidum Biturīgum oppūgnāre īnstituerat.	Cäsar hatte Anstalten getroffen die Stadt der Bituriger zu belagern.
Quō ex oppidō cum lēgātī ad eum vēnissent, obsidēs darī iussit.	Als aus **dieser** Stadt Gesandte zu ihm kamen, befahl er Geiseln zu stellen.

4 Das Relativ-Pronomen mit Bezug auf den Gesamtinhalt

Die Verbindung zum Gesamtinhalt des vorangegangenen Satzes wird hergestellt durch das Relativ-Pronomen im Neutrum Singular **quod** (auch im Plural: **quae**) oder die Verbindung **quae rēs** u.ä.

Vārī exercitus	Das Heer des Varus
in Germāniā dēlētus est.	wurde in Germanien vernichtet.
Quod ubī Rōmam est nūntiātum,/	Sobald
Quā rē Rōmam nūntiātā	Als } **dies** in Rom gemeldet wurde,
cīvium animī perturbātī sunt.	herrschte unter den Bürgern große Aufregung.
Nerō Rōmam īgne dēlērī iussisse	Nero soll befohlen haben
dīcitur.	Rom niederzubrennen.
Quae rēs populī īram mōvit./	**Dies** erregte den Zorn des Volkes./
Quā dē rē populus īrātus erat.	**Darüber** war das Volk erzürnt.

Folgende Verbindungen begegnen häufig:

quod ubī audīvit	sobald er dies gehört hatte
quae dum geruntur (Präsens ↗ 122.2)	während dies geschah
quae cum ita sint	da dies so ist
quamobrem }	
quā dē causā }	deshalb

136   Indirekte Rede (Oratio obliqua)

Die sprachliche Äußerung einer Person kann von einer anderen Person, z.B. einem Erzähler, auf zwei Arten wiedergegeben werden: entweder **wörtlich/direkt berichtet** (Zitat) oder **indirekt ,vermittelt'** (Oratio obliqua[1]: **abhängige/indirekte Rede**). In letzterem Fall steht die Rede in Abhängigkeit von Verben, die man sich als Äußerung des ,Vermittlers' eingeschoben denken kann, und zwar – je nach Absicht des ursprünglich Sprechenden – von Verben des **Sagens**, **Fragens** oder **Begehrens**.
Diesem Abhängigkeitsverhältnis zufolge stehen ursprünglich unabhängige Sätze
– im **AcI**, wenn Verben des Sagens zu denken sind,
– im **Konjunktiv**, wenn Verben des Fragens oder Begehrens zu denken sind.

Wiedergabe im Deutschen:

> Für die **indirekte Rede im Deutschen** gelten folgende Regeln: Die Prädikate aller Sätze stehen im Konjunktiv, und zwar im Konjunktiv I; nur wenn die Formen des Konjunktiv I identisch sind mit Indikativformen, stehen die Formen des Konjunktiv II (oder Umschreibung mit ,würde').

1 AcI in der Oratio obliqua

Im AcI stehen
– (ursprünglich unabhängige) **Aussagesätze** (↗ 95.1),
– (ursprünglich unabhängige) **rhetorische Fragen** (↗ 98.6).
Davon zu unterscheiden ist der AcI, der in Verbindung mit bestimmten Verben die Funktion des Subjekts oder Objekts erfüllt (↗ 75.2).

---

[1]) oblīquus: schief

1.1 Aussagesätze stehen – aufgrund der zu denkenden Abhängigkeit von einem Verb des Sagens – im AcI.

> ARIOVISTUS ā Caesare monitus, nē Haeduīs bellum īnferret, HAEC…

direkt:	indirekt:	deutsche Wiedergabe:
… DIXIT:		
„Haeduī iūre ā mē stīpendiāriī *factī sunt.“*	**Haeduōs** iūre ā **sē** stīpendiāriōs **factōs esse.**	**Die Häduer seien** zu Recht von ihm tributpflichtig **gemacht worden.**

▶ Auch Sätze mit **relativischem Satzanschluss** (↗ 135) erscheinen im AcI.

„Quibus bellum *illātūrus* nōn *sum,* sī …“*	Quibus **sē** bellum **illātūrum** nōn **esse,** sī …	**Er habe** nicht **vor** diese **anzugreifen,** wenn …

1.2 Rhetorische Fragen sind zwar von einem Verb des Fragens abhängig zu denken, sie stehen aber im AcI, da ihr Sinn gleichbedeutend mit einer Aussage ist.

> ARIOVISTUS ā Caesare monitus, nē Haeduīs bellum īnferret, HAEC…

direkt:	indirekt:	deutsche Wiedergabe:
… ROGAVIT:		
„Nōnne populus Rōmānus victīs suā voluntāte *imperat?* (Haud secus populus Rōmānus victīs suā voluntāte imperat.)	Nōnne **populum Rōmānum** victīs suā voluntāte **imperāre?**	**Ob das römische Volk** etwa nicht nach seinem Willen die Herrschaft über die Besiegten **ausübe?** / **Übe** etwa das römische Volk nicht … **aus?**
Quis īgnōrat populum Rōmānum suō iūre *ūtī?“* (Nēmō īgnōrat populum Rōmānum suō iūre ūtī.)	**Quem īgnōrāre** populum Rōmānum suō iūre **ūtī?**	**Wer wisse nicht,** dass das römische Volk von seinem Recht Gebrauch mache?

2 Konjunktiv in der Oratio obliqua

Im Konjunktiv stehen
- (ursprünglich unabhängige) **Fragesätze** (↗ 95.2),
- (ursprünglich unabhängige) **Wunsch- und Aufforderungssätze** (↗ 95.3),
- Gliedsätze (↗ 115–133).

Dabei wird durch die Form des Konjunktivs – nach den Regeln der Zeitenfolge (Consecutio temporum ↗ 113) – das Zeitverhältnis zum übergeordneten Prädikat ausgedrückt, durch das die indirekte Rede eingeleitet wird.

2.1 **Fragesätze** stehen – aufgrund der zu denkenden Abhängigkeit von einem Verb des Fragens – wie abhängige Fragesätze (↗ 118) im Konjunktiv.

> ARIOVISTUS ā Caesare monitus, nē Haeduīs bellum īnferret, HAEC …

direkt:	indirekt:	deutsche Wiedergabe:
… ROGAVIT:		
„*Vīsne* tū, Caesar, iniūriam facere?	**Velletne** ille iniūriam facere?	**Ob er** (– Cäsar –) Unrecht begehen **wolle**?/ **Wolle er** … begehen?
Cūr mihī *praecēpistī* neque rēs tuās *agis*?"	**Cūr** ipsī **praecēpisset** neque rēs suās **ageret**?	**Warum er** ihm Vorschriften **gemacht habe** und **sich** nicht um seine eigenen Angelegenheiten **kümmere**?

2.2 **Wunsch- und Aufforderungssätze** stehen – aufgrund der zu denkenden Abhängigkeit von einem Verb des Begehrens – wie abhängige Begehrsätze (↗ 117) im Konjunktiv.

> CAESAR ARIOVISTUM MONUIT:

direkt:	indirekt:	deutsche Wiedergabe:
„Armīs *dēcerne*, cum vīs!	Armīs **dēcerneret**, cum vellet.	**Er solle** nur mit Waffen **die Entscheidung suchen,** wenn er wolle.
Nē quid temere *ēgeris*!"	**Nē** quid temere **ageret**.	**Er solle nichts** unüberlegt **tun**.

2.3 **Gliedsätze**, und zwar sowohl die in der direkten Rede indikativischen als auch die konjunktivischen, stehen im Konjunktiv, da sie als ‚innerlich abhängig‘ (↗ 114.2.3) angesehen werden.

> ARIOVISTUS ā Caesare monitus, nē Haeduīs bellum īnferret, HAEC …

direkt:	indirekt:	deutsche Wiedergabe:
… DIXIT:		
„Iūs est bellī, *ut, quī vīcērunt,* iīs, *quōs vīcērunt,* imperent."	Iūs esse bellī, ut, quī **vīcissent**, iīs, quōs **vīcissent**, **imperārent**.	Es sei Kriegsrecht, **dass** die Sieger (die, **die gesiegt hätten,**) über die Besiegten (die, **die sie besiegt hätten,**) die Herrschaft **ausübten**.
… PROMISIT:		
„Haeduīs bellum nōn īnferam, *sī* in eō *manēbunt*, *quod* inter mē et eōs *convēnit* (convēnerit)."	Haeduīs sē bellum illātūrum nōn esse, **sī** in eō **manērent**, **quod** inter sē et illōs **convēnisset**.	Er werde die Häduer nicht angreifen, **wenn sie das einhielten,** **was** zwischen ihm und ihnen **vereinbart worden sei**.

3 Pronomina in der Oratio obliqua

Für den ‚Vermittler‘ einer direkten Rede werden alle Personen, die dort als 1. und 2. Person angesprochen werden, zu 3. Personen, von denen er aus der Distanz des Unbeteiligten spricht. Deshalb sind ausschließlich Pronomina der 3. Person verwendet.

3.1 Das reflexive Personal-Pronomen und Possessiv-Pronomen der 3. Person
(↗ 28.1/2) können sich in der Oratio obliqua beziehen
– auf die Person, die in der direkten Rede die ‚sprechende‘ Person (**1. Person**: ich/wir) ist, oder
– auf eine **Person**, die auch in der direkten Rede eine ‚besprochene‘ Person (**3. Person**: er, sie, es/sie) ist.

> ARIOVISTUS ā Caesare monitus, nē Haeduīs bellum īnferret, HAEC …

direkt:	indirekt:	deutsche Wiedergabe:
… DIXIT:		
„Nōn oportet“, inquit, „**mē in meō** iūre impedīrī. Haeduī iūre ā **mē** stīpendiāriī factī sunt.“	Nōn oportēre **sē in suō** iūre impedīrī. Haeduōs iūre ā **sē** stīpendiāriōs factōs esse.	Es sei nicht in der Ordnung, dass **er in seinem** Recht behindert werde. Die Häduer seien zu Recht von **ihm** tributpflichtig gemacht worden.
„Nōnne *populus Rōmānus* victīs ad **suum** arbitrium imperat?“	Nōnne *populum Rōmānum* victīs ad **suum** arbitrium imperāre?	Ob das römische Volk etwa nicht nach **seinem** Gutdünken die Herrschaft über die von ihm Besiegten ausübe?
„Quis īgnōrat **eum suō** iūre ūtī?“	Quem īgnōrāre **eum suō** iūre ūtī?	Wer wisse nicht, dass **es** von **seinem** Recht Gebrauch mache?

3.2 Demonstrativ-Pronomina (↗ 29), gegebenenfalls das Personal-Pronomen der 3. Person (↗ 28.1), bezeichnen in der Oratio obliqua die in der direkten Rede angesprochene Person (**2. Person**: du/ihr).

> Ariovistus ā Caesare monitus, nē Haeduīs bellum īnferret, HAEC …

direkt:	indirekt:	deutsche Wiedergabe:
… DIXIT/ROGAVIT:		
„Vīsne **tū**, Caesar, iniūriam facere?	Velletne **ille** iniūriam facere?	Ob **er** (– Cäsar –) Unrecht begehen wolle?/ Wolle er … begehen?
Cūr mihī praecēpistī neque rēs **tūas** agis?“	Cūr ipsī praecēpisset neque rēs **sūas** ageret?	Warum habe er ihm Vorschriften gemacht und kümmere sich nicht um **seine eigenen** Angelegenheiten?

DIE LEHRE VOM TEXT

137 Textgrammatische Grundlagen

Wörter verbinden sich zu einem **Satz**, indem sie innerhalb dieses Satzes jeweils verschiedene Positionen einnehmen und Funktionen übernehmen. Sätze verbinden sich zu einer größeren sprachlichen Einheit, dem **Text**, indem sie durch ihre Aussagen einen inhaltlich stimmigen Zusammenhang (**Textkohärenz**) in einer geordneten Abfolge (**Textgliederung**) herstellen. Die Kohärenz und Gliederung eines Textes, seine Struktur, werden durch verschiedene satzübergreifende sprachliche Elemente und Gestaltungsmittel ermöglicht und gestützt.

Der Zusammenhang zwischen den einzelnen Sätzen und Abschnitten eines Textes wird durch die Anzahl, die Dichte, die Form und die Schwerpunktsetzung der sprachlichen Elemente auf unterschiedliche Weise bestimmt; diese Elemente stehen untereinander in einem deutlichen syntaktischen, semantischen oder stilistischen Bezug; dies hängt zum einen von der Absicht ab, die der Autor eines Textes jeweils verfolgt, zum anderen von der Art des Textes, der Textsorte.

Die Lehre vom Text umfasst somit grammatisch die Bereiche
Textsyntax (↗ 139),
Textsemantik (↗ 140),
Textpragmatik (↗ 141),
Texttypik (↗ 142) und die
Textgestaltung durch Stilmittel (↗ 143).

138 Zur Einführung in die Textgrammatik: Ein Arbeitsbeispiel aus Cäsars Bellum Gallicum

An dem folgenden Kapitel aus Cäsars Bellum Gallicum (IV 31) sollen einführend und exemplarisch Beobachtungen an einem Text als Ganzem gezeigt werden. Dazu wird der lateinische Text mit einer deutschen Übersetzung vorgestellt; die zu beobachtenden textgrammatischen Elemente werden im Text gekennzeichnet und erläutert.

1 Textvorlage

Inhaltliche Vorbemerkungen: Cäsar ist in Britannien, nachdem er mit den Einheimischen bereits Frieden geschlossen hatte, durch ein gewaltiges Unwetter in Bedrängnis geraten. Ein Großteil der römischen Flotte ist vernichtet, die Britannen verschwören sich von neuem gegen die Römer. Die Situation ist für Cäsar äußerst schwierig.

2

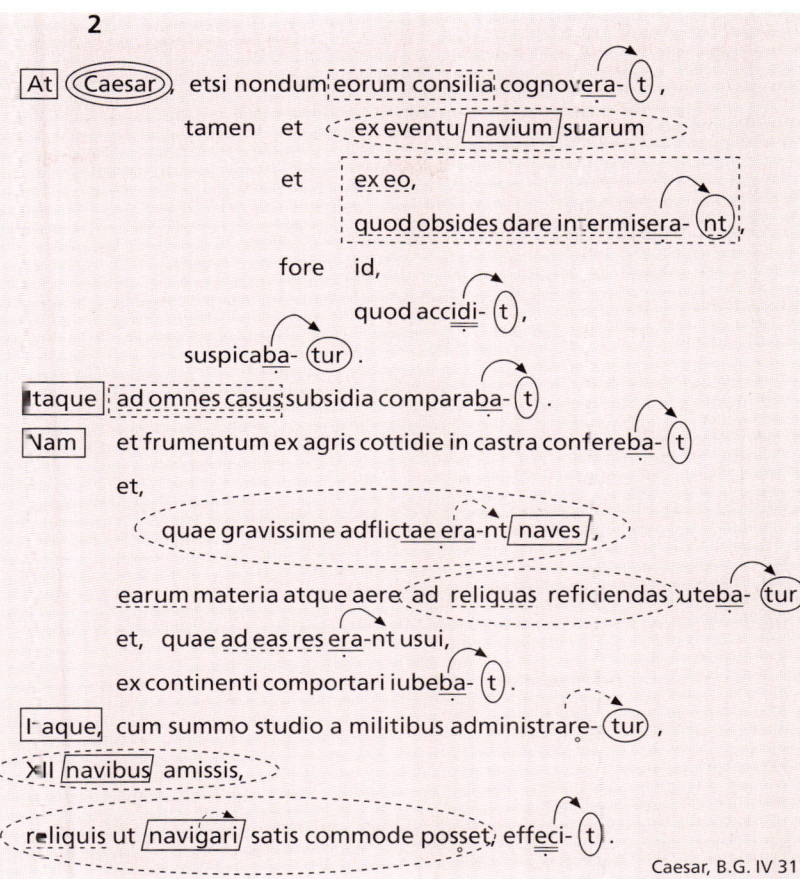

Caesar, B.G. IV 31

Übersetzung

Aber wenn Cäsar auch von ihren Absichten noch nicht erfahren hatte, so vermutete er doch aufgrund der Havarie seiner Schiffe und der Tatsache, dass sie plötzlich die Stellung von Geiseln ausgesetzt hatten, es werde das eintreten, was dann tatsächlich auch geschah.

Er traf daher für alle Fälle seine Vorkehrungen: Täglich ließ er nämlich von den Feldern Getreide ins Lager bringen, verwendete das Holz und die Eisenteile der Schiffe, die am schwersten beschädigt waren, zur Reparatur der übrigen und ließ, was (sonst noch) dafür nötig war, vom Festland heranbringen.

So erreichte er, da von den Soldaten mit höchstem Einsatz gearbeitet wurde, dass trotz des Verlustes von 12 Schiffen mit den restlichen die Fahrt zur See einigermaßen ordentlich durchgeführt werden konnte.

3 Textanalyse

Dieser Text ist durch verschiedene sprachliche Elemente zu einem Ganzen zusammengefügt, die in unterschiedlicher Weise den Charakter des Textes bestimmen.[1]

3.1 Textsyntaktische Beobachtungen

① Der Text ist durch verbindende Wörter parataktisch in vier Abschnitte gegliedert: Mit at wird Cäsars Gegenreaktion auf die bedrohliche Situation eingeleitet. Durch itaque wird folgernd auf die daraus resultierenden Maßnahmen hingeführt. In dem mit nam eingeleiteten Satz werden diese Maßnahmen erklärt. Mit itaque beginnt der Schlusssatz, in dem das positive Ergebnis der Gegenmaßnahmen Cäsars festgestellt wird. Solche den Text gliedernden Verbindungswörter werden **Konnektoren** genannt (↗ 139.1).

② Am Kapitelanfang wird Caesar genannt; er wird in den folgenden Sätzen in sieben Prädikaten in der 3. Person Singular wieder aufgenommen: cognovera(t), suspicaba(tur), comparaba(t), conferaba(t), uteba(tur), iubeba(t), effeci(t). Nur einmal wird ein weiteres handelndes Subjekt (die Britannen, ohne Namensnennung) durch ein Prädikat eines Gliedsatzes in der 3. Person Plural bezeichnet: intermisera(nt). Cäsar erweist sich demnach als die die Handlung beherrschende Person; er ist der agierende und alles regelnde Feldherr. Diese **Personenverteilung** bestimmt in auffälliger Weise den inneren Zusammenhang des Textes (↗ 139.2).

---

[1] Die sprachlichen Elemente werden nachfolgend (↗ 139 ff.) systematisch dargestellt.

③ Die Prädikate stehen fast ausschließlich im Imperfekt oder – in Gliedsätzen – im Plusquamperfekt: suspicabatur, comparabat, conferebat, utebatur, iubebat; (etsi) cognoverat, (quod) intermiserant, (quae) afflictae erant. Das Perfekt erscheint bei zwei Prädikaten: Bei accidit im quod-Satz, welcher eine Feststellung aus späterer Sicht enthält, und mit starker Betonung am Kapitelende: effecit. Die Imperfekte (Plusquamperfekte) zeichnen den Geschehenshintergrund, vor dem sich der Geschehensvordergrund, die Feststellung des Erfolgsgeschehens am Ende, markant abhebt.
Diese **Zeitenverwendung**, auch **Tempus-Relief** genannt, gibt dem Text ein besonderes Gepräge (↗ 139.3).

④ Nahezu alle Prädikate stehen im Aktiv: cognoverat, suspicabatur, comparabat, conferebat, utebatur, iubebat, effecit. Im Passiv steht nur das, was auf Befehl Cäsars von den Soldaten ausgeführt wird (administraretur, navigari posset). Dadurch wird Cäsar als treibender und für die Handlung verantwortlicher Akteur hervorgehoben.
Die **Verwendung von Aktiv und Passiv**, die sog. **Diathese**, ist aufschlussreich für die Tendenz des Textes (↗ 139.4).

⑤ Die Prädikate stehen vornehmlich im Indikativ: cognoverat, suspicabatur usw.; der Konjunktiv erscheint nur in zwei Gliedsätzen, von denen der eine (cum … administraretur) eine Begründung für das berichtete Geschehen angibt, der andere (ut … navigari posset) die inhaltlich notwendige Ergänzung zu der Indikativform effecit ist. Damit wird angezeigt, dass es nur um die Feststellung von wirklichem Geschehen und realen Vorgängen geht.
Die **Verwendung und Verteilung der Modi** geben dem Text eine bestimmte Färbung und Richtung (↗ 139.5).

3.2 Textsemantische Beobachtungen

⑥ Mit reliquas und reliquis wird auf die zuvor genannten naves verwiesen; ebenso verweist earum auf quae … naves zurück. Weitere verweisende Wörter oder Wortgruppen liegen vor in ad omnes casus, das sich auf die vorher genannten Pläne der Britannen und deren Folgen bezieht, und in ad eas res, das auf die zuvor angesprochenen Versuche der Schiffsreparatur verweist.
Diese **Verweis-Wörter** (Pro-Formen) verknüpfen Wortgruppen miteinander, indem sie auf bereits genannte Textelemente zurückverweisen (oder auf später folgende vorverweisen), und stellen den thematischen Zusammenhang her (↗ 140.1).

⑦ Verteilt über den Text wiederholt sich eine Wortfamilie: naves, navigari; navium suarum; quae naves ; navibus amissis; zu erg. in ad reliquas ⟨naves⟩, reliquis ⟨navibus⟩; ut satis navigari posset.
Diese **Wortwiederholungen** (Rekurrenzen), die gleichsam Leitwörter darstellen, verstärken den Zusammenhang des Textes entscheidend und geben seinem Thema oder einem Themenaspekt ein besonderes Gewicht (↗ 140.2).

⑧ Durch zwei Umschreibungen wird auf die neuen, Cäsar unbekannten Pläne der Britannen Bezug genommen: ex eo, quod obsides dare intermiserant und ad omnes casus umschreiben eorum consilia. Dadurch wird der Umstand deutlich, der – neben dem Missgeschick mit den Schiffen – Cäsars Lage so schwierig macht.
Solche **Umschreibungen** (Paraphrasen) unterstützen den Zusammenhang des Textes dadurch, dass sie bestimmte Aussagen des Textes wieder aufgreifen oder auch näher bestimmen oder durch weitere Aspekte ergänzen (↗ 140.3).

⑨ Folgende Wortgruppen markieren Aussageschwerpunkte (vgl. ⑥ und ⑦.): ex eventu navium – quae gravissime erant adflictae ⟨naves⟩ – ad reliquas reficiendas ⟨naves⟩ – XII navibus amissis – reliquis ut navigari satis commode posset. Es geht deutlich um die Beschädigung und Wiederherstellung der Schiffe.

In diesen **Sach- oder Bedeutungsfeldern**, die einen Text vorherrschend bestimmen und ihn so als Einheit erfahren lassen, ist in der Regel zugleich die Thematik des Textes angezeigt (↗ 140.4).

⑩ Zu dem Hinweis auf die Pläne der Britannen (consilia) am Anfang des Textes tritt als neue Mitteilung Cäsars Vermutung über diese Pläne (suspicabatur); die daraus resultierenden Gegenmaßnahmen (subsidia comparabat) werden dann als neue Aussage hinzugefügt. Diese wird erweitert durch die erklärende Aufzählung der Gegenmaßnahmen (nam conferebat usw.). Daran schließt sich die weitere Mitteilung, dass mit dem höchsten Einsatz der Soldaten die Maßnahmen durchgeführt wurden (summo studio administraretur); dem fügt sich die neue Feststellung an, dass Cäsar alles erfolgreich zu Ende geführt hat (effecit).

Vor dem Hintergrund des **Themas** eorum consilia beginnt der Text mit einer für den Leser neuen Mitteilung. Eine solche Information nennt man **Rhema**. Für den Ablauf des Textes wird diese Information als bekannt vorausgesetzt und nimmt somit den Charakter eines Themas an. Zu diesem tritt dann eine weitere neue Information (Rhema), die wieder zum Thema wird usw. So baut sich allmählich der Gesamtzusammenhang des Textes auf.

Durch die **Thema-Rhema-Abfolge** ist die Geschlossenheit des Textes am stärksten gewährleistet (↗ 140.5).

3.3 Zusammenfassung aus den Beobachtungen

Auf der Basis der textgrammatischen Beobachtungen lassen sich Aussagen über die Gestaltung der Textstruktur und die Form der Leserlenkung (durch Wahl der Textsorte, Kohärenz und Gliederung sowie Setzung von Aussageschwerpunkten) treffen:

In Form eines erzählenden Berichtes will der Autor Cäsar die Leser von Folgendem überzeugen: Trotz widriger Umstände schafft er es, dank seiner alles bedenkenden Umsicht alle Schwierigkeiten souverän zu meistern.

An einem einzigen Text lassen sich, wie am Beispiel erkennbar, alle wichtigen Elemente, die den inneren Zusammenhang eines Textes (**Kohärenz**) herstellen und ihn gliedern, in unterschiedlich deutlicher Weise herausarbeiten. Dieses Vorgehen der satzübergreifenden Texterschließung nennt man **Kohärenz-Analyse**.

In jedem Text werden dabei, je nach Aussageabsicht und Textsorte, unterschiedliche Elemente vorherrschend oder textbestimmend sein; häufig sind es, wie im vorliegenden Textbeispiel, die **Konnektoren**, die **Tempusverwendung**, die **Personenverteilung**, die **Diathese** und das **Sach- und Bedeutungsfeld**.

Insgesamt schafft eine solche textgrammatische Erschließungsarbeit die unverzichtbaren Voraussetzungen für ein ganzheitliches Verständnis des Textes und damit für eine angemessene Übersetzung und Deutung (Interpretation).

139

139 Textsyntax

Grammatische Beziehungen, die über die Satzgrenzen hinauswirken und die die Einheit und Struktur eines Textes herstellen, werden durch die Textsyntax erfasst.
Die satzübergreifende Funktion der syntaktischen Sprachelemente bestimmt die Einheit und den Wechsel von Aussagen innerhalb eines Textzusammenhanges.

Zur Textsyntax zählen insbesondere folgende sprachliche Elemente:

a) Satzverbinder   KONNEKTOREN

b) Handlungsträger   PERSONENVERTEILUNG

c) Verbalinformationen   TEMPUS

                 DIATHESE

                 MODUS

1 Konnektoren

Konnektoren werden Wörter bzw. Wortgruppen genannt, die innerhalb eines Textzusammenhangs der satzübergreifenden Verknüpfung und Verbindung dienen.
Die verknüpfende Funktion von Konnektoren erfüllen

1.1 direkte Konnektoren
- beiordnende Konjunktionen,
- unterordnende Konjunktionen (Subjunktionen),
- parallel anordnende Wörter (Korrelativa),
- gliedernde Adverbien,
- vor- oder rückverweisende Wörter bzw. Wortgruppen (↗ 140.1).

1.2 indirekte Konnektoren
- Pronomina beim relativischen Satzanschluss
- Ablativus absolutus
- Participium coniunctum   als in sich geschlossene Wortgruppen (↗ 140.1)
- Gerundivum

Formen der Verknüpfung			
	begründend/ folgernd/ erläuternd	bestätigend/ korrigierend	zeitlich/räumlich einordnend	reihend/ ausschließend
beiordnende Konjunktionen	nam, enim, itaque, ergō, igitur	autem, tamen, sed, at, vērō (‚aber‘)		et, atque, neque, etiam, aut, vel
unterordnende Konjunktionen (Subjunktionen)	quod, quia, cum; ut (‚nämlich dass‘)	cum (‚während dagegen‘), quamquam, cum (‚obwohl‘), etsī	cum (‚als, nachdem‘), postquam, antequam, ubī (‚sobald‘/‚wo‘), unde	
parallel anordnende Wörter (Korrelativa)	nōn sōlum … sed etiam sīve … sīve	cum … tum	iam … iam modo … modo	et … et neque … neque vel … vel aut … aut
gliedernde Adverbien	proptereā; quārē	certē, immō, vērō, fortāsse, profectō	posteā, quandō, intereā, tandem; ibī, eō, inde, hīc, ubī	praetereā, prīmum … deinde … tum … postrēmō

2 Personenverteilung

Unter textlicher Personenverteilung versteht man die Art und Weise, wie Personen (1., 2., 3. Person) an der Aussage des Textes beteiligt sind.

Aus der Personenverteilung wird beispielsweise erkennbar,
– welche Rolle der Schreibende spielt,
– ob eine Person beherrschend hervortritt,
– wie eine Person in ein Verhältnis zu einer anderen Person tritt,
– ob zwischen dem Autor (Sprecher in der 1. Person) und dem Leser ein fiktives Gespräch stattfindet,
– ob andere Personen (3.) miteinander in sprachlichen Kontakt treten,
– ob über Personen, Sachen oder Vorgänge gesprochen oder berichtet wird.

In welcher Form eine Person in einem Text vertreten ist oder im Text handelt, hängt entscheidend ab von der Aussageabsicht, die mit der Person verbunden ist, und von der Textsorte (↗ 142.1).

3 Tempus

Tempora haben eine besondere textverknüpfende Kraft; die Einheitlichkeit und der Wechsel im temporalen Aufbau eines Textes geben wichtige Hinweise darauf, wie die Textaussage verstanden werden soll.

3.1 Vor allem in erzählenden Texten (Erzählung, Bericht, Geschichtsdarstellung, Fabel, Epos) gibt die Tempusverwendung von Imperfekt, Plusquamperfekt und Perfekt Aufschluss über die Abfolge und Ordnung der erzählten Ereignisse und das im Text erfasste Geschehen. Mit Hilfe von Erzähl- und Berichttempora werden Geschehenshintergrund und -vordergrund gekennzeichnet.

▶ Das **Imperfekt**, das länger andauernde Vorgänge, begleitende Umstände, fortwirkende Gewohnheiten, Gedanken und Überlegungen erfasst, kennzeichnet den **Geschehenshintergrund** (↗ 105.2).

▶ Das **Plusquamperfekt**, das meist in Gliedsätzen steht, erfasst erzählend die Vorgeschichte der beschriebenen Situation oder des Hauptgeschehens, zeichnet also gleichfalls den **Geschehenshintergrund**. Die erzählende Rückschau nutzt – häufig am Textanfang oder am Textende – die Möglichkeit der Raffung oder der Zusammenfassung des vorher Geschehenen (↗ 106).

▶ Das **Perfekt**, das die aufeinander folgenden Hauptereignisse aneinander reiht und die Darstellung des Geschehens bzw. der Ereignisse vorantreibt, kennzeichnet den **Geschehensvordergrund** (↗ 104; 105.2). Sollen die Ereignisse oder das Geschehen unmittelbar vergegenwärtigt oder spannungserzeugend dargestellt werden, kann statt des erzählenden (narrativen) Perfekts auch das dramatische (historische) Präsens oder der historische Infinitiv stehen (↗ 37.1.2, 103).

Im Präsens können innerhalb einer Erzählung auch feststellende Äußerungen des Autors oder beschreibende Einschübe stehen.

3.2 In beschreibenden und erörternden Texten (z.B. Erörterung, Rede, Dialog, Brief) herrschen neben den Erzähltempora auch andere Tempora vor; sie haben z.T. eine andere Funktion.

▶ Das **Präsens** kennzeichnet aktuelle Vorgänge oder allgemeingültige Feststellungen (↗ 103).

▶ Das **Futur** erfasst Vorgänge, die von der Gegenwart in die Zukunft reichen oder in der Zukunft erfasst werden (↗ 107).

▶ Das **Perfekt** bringt häufig Handlungen und Vorgänge im Rückblick und stellt sie als abgeschlossen oder als Ergebnis fest (konstatierendes/resultatives Perfekt ↗ 104).

Übersicht über die hauptsächliche Verwendung der Tempora in Texten:

Textsorte	Erzählende Texte		Erklärender Einschub
Textabsicht	Darstellung		Erklärender Einschub
	des Geschehenshintergrundes	des Geschehensvordergrundes	
Latein	Imperfekt Plusquamperfekt/	narratives Perfekt/ dramatisches Präsens/ historischer Infinitiv	Präsens
Deutsch	Präteritum Plusquamperfekt	Präteritum/ Präsens	Präsens

Textsorte	Beschreibende/erörternde Texte		
Textabsicht	Bezeichnung aktueller Ereignisse und allgemein gültiger Aussagen	Bezeichnung von in der Zukunft liegenden Vorgängen	Feststellung von abgeschlossenen Geschehnissen
Latein	Präsens	Futur	konstatierendes Perfekt
Deutsch	Präsens	Präsens (Futur)	Perfekt

4 Diathese

Die Diathese, d.h. der Wechsel in der Verwendung von Aktiv und Passiv innerhalb eines Textes, weist auf die Mitteilungsabsicht des Autors hin.

An der vorherrschenden Verwendung eines Genus verbi (↗ 7.3.1) oder am Wechsel zwischen Aktiv und Passiv zeigt der Autor innerhalb eines Textes,

– welche Person(en) er in den Vordergrund stellen will und welche er vom aktiven Handeln oder Geschehen ausgeschlossen sehen will,

– welche Person(en) oder Sachen vom Handeln oder Geschehen als betroffen gesehen werden sollen,

– ob die handelnde Person (der ‚Täter‘ oder Urheber) verschwiegen werden soll.

5 Modus

Die Verwendung des Modus gibt Textaussagen eine besondere Färbung und Richtung, z.B. als Tatsache und Feststellung oder Behauptung, als Unwirkliches, Mögliches oder Gewünschtes, als Überlegung, als Aufforderung oder Befehl bzw. Verbot.

Ein bestimmter Modus ist innerhalb eines Textes – je nach Aussageabsicht oder Textsorte – unterschiedlich stark vorherrschend.

Modus	Erzählende Texte	Beschreibende oder erörternde Texte
Indikativ	Darstellung eines wirklichen oder als wirklich angenommenen Geschehens	Beschreibung oder Feststellung von gegenwärtigen Ereignissen, allgemein gültigen Erfahrungen oder abgeschlossenen Vorgängen
Konjunktiv	adverbiale Angaben (z.B. temporal, kausal, final) in Gliedsätzen	Wünsche, Aufforderungen, Ermahnungen, Verbote, vorsichtige Behauptung, fragende Überlegung
Imperativ	–	Befehle

Die durch den Modus bedingte Färbung eines Textes kann auch durch Modalverben (z.B. posse), Modal-Adverbien (z.B. fortasse, libenter) oder modifizierende Sprachelemente (z.B. Gerundivum als Prädikatsnomen) in besonderer Weise erzeugt werden.

140 Textsemantik

Beziehungen auf der Ebene der Bedeutung, die über die Satzgrenzen hinauswirken und den Zusammenhang eines Textes herstellen und verstärken, werden durch die Textsemantik erfasst. Solche textsemantischen Elemente und Erscheinungen sind besonders:

| Verweis-Wörter (Pro-Formen) | Wortwiederholungen (Rekurrenzen) | Wortumschreibungen (Paraphrasen) |

| Sach- und Bedeutungsfelder | Thema-Rhema-Abfolge |

1 Verweis-Wörter (Pro-Formen)

Sätze werden zu größeren Einheiten zusammengebunden (zu einem Text ,verwoben') auch durch Wörter und Wendungen, die auf etwas Gemeintes und/oder Gesagtes zurück- oder vorverweisen. Solche rück- und vorverweisenden sprachlichen Elemente innerhalb eines Textes nennt man Verweis-Wörter / Verweis-Formen (Pro-Formen), da sie in der Regel als ,Stellvertreter' für ein Nomen oder als ,Begleiter' eines Nomens auftreten. Zu den Pro-Formen zählen Pronomina, (Pronominal-)Adverbien, verweisende und gliedernde Wortverbindungen und Korrelativa.

Beispiele für Verweis-Wörter (Pro-Formen):

Wortart	vornehmlich rückverweisend	vornehmlich vorverweisend
Pronomina	is (z.B. eā rē) ille (z.B. illō tempore) quī (z.B. quā rē)	is (quī) hoc/haec (,Folgendes') iste (quī)
Adverbien/ Pronominal- adverbien	modal: sīc, ita temporal: tum, deinde, quondam lokal: hīc, ibī kausal: igitur, enim	modal: ita/sīc (,folgendermaßen') temporal: deinde, postrēmō lokal: eō, illūc kausal: proptereā, ideō
Wortver- bindungen	ut suprā dēmōnstrāvī ob eam rem, quibus rēbus adductus	eō cōnsiliō, ut
Korrelativa	quot, quālis, quantum	tot, tālis, tantum

Auch Konnektoren können häufig die Funktion von Pro-Formen übernehmen wie umgekehrt Pro-Formen auch die Funktion von Konnektoren.

2 Wortwiederholungen (Rekurrenzen)

In jedem Text wiederholen sich bestimmte Wörter (Eigennamen, Bezeichnungen für Sachen und Vorgänge, Verbalaussagen u.a.m.) in unveränderter oder leicht veränderter Form. Solche Wörter sollen die Aufmerksamkeit des Lesers auf sich ziehen, indem er sich jeweils an ihr vorheriges Auftreten erinnert. Wortwiederholungen haben häufig als feste Punkte im Text den Charakter von Leit- oder Schlüsselwörtern, mit denen der Leser zum Thema, das im Text vorrangig behandelt ist, ,geleitet' wird oder an denen sich das Verständnis einer wichtigen Textaussage entwickelt. Wortwiederholungen können auf Sach- und Bedeutungsfelder hinweisen und helfen einen Text thematisch zu strukturieren.

3 Wortumschreibungen (Paraphrasen)

Wörter und Ausdrücke können durch bedeutungsgleiche (synonyme) oder bedeutungs-ähnliche (homonyme) sprachliche Elemente in umschreibender Weise wieder aufge-nommen werden; man spricht dabei von verdeutlichenden Umschreibungen. Auch Wortverbindungen oder Gliedsätze dienen als Umschreibungen dazu, den inhaltlich-thematischen und/oder gedanklichen Zusammenhang des Textes herzustellen und zu verstärken. Eine Umschreibung erfolgt auch häufig durch Pro-Formen (↗ 140.1).
Häufig haben Wortumschreibungen den Charakter von Definitionen.

4 Sach- und Bedeutungsfelder

Wörter, Begriffe und Wendungen, die in eindeutiger inhaltlicher Beziehung zueinander stehen oder thematisch zusammenhängen, fügen sich im Text häufig zu einem Sach- und Bedeutungsfeld zusammen. Dazu gehören Wörter und Begriffe mit gemeinsamen inhaltlichen Merkmalen oder begriffliche und inhaltliche Gegensätze (Opposition, Anti-these, z.B. pāx – bellum) sowie Wortverbindungen und Junkturen, die in innerem sprachlichen Zusammenhang stehen (z.B. pāx aeterna, pācem facere, dē pāce agendā). Anhand von Sach- und Bedeutungsfeldern kann man innerhalb von Texten das Thema bzw. inhaltliche Schwerpunkte erkennen und die inhaltliche Gliederung erschließen.

5 Thema-Rhema-Abfolge

Der Darstellungs-, Erzähl- und Gedankenfortschritt eines Textes wird – ausgehend von einem Thema oder Themenbegriff – durch ein bewusstes Aneinanderreihen von immer neuen Informationen, Aussagen und Fragestellungen erreicht.
Die erste Information stellt – wie ein Stichwort – den Ausgangspunkt dar (Thema). An dieses Thema schließt sich eine neue Information an (Rhema). Diese neue Information wird nach ihrem Abschluss als bekannt vorausgesetzt und damit wieder zum Ausgangs-punkt (Thema) für die darauf folgende neue Information (Rhema).
Diese sprachlich und inhaltlich signalisierte Abfolge von Thema und Rhema lässt den in-neren Zusammenhang und die Gliederung (die inhaltlich-thematische Kohärenz) des Textes wohl am stärksten erkennen.

141 Textpragmatik

Texte sind in verschiedenen persönlichen oder gesellschaftlichen **Situationen** vom Autor verfasst. Sie verfolgen eine jeweils verschiedene Absicht und üben auf Leser (oder Hörer) verschiedene **Wirkung** aus.
Diese im weitesten Sinne ‚sachlichen' Bedingungen, unter denen ein Text hergestellt und verwendet wird, nennt man – nach dem griechischen Wort ‚pragma' (Sache) – die **Textpragmatik**.
Die textpragmatischen Bedingungen prägen entscheidend Aufbau und Zusammenhang eines Textes. Deshalb seien sie hier kurz – unter dem Gesichtspunkt der Verwendungs-absicht – aufgeführt:

1 Texte verfolgen eine autorbezogene Absicht

Texte können dem Autor dazu dienen, sich selbst, seine Gefühle, seine Wünsche und Vorstellungen **auszudrücken**.

Sie sollen z.B. zeigen,
– durch wen oder wodurch sich der Autor zum Schreiben veranlasst sieht,
– wozu er sich beim Schreiben verpflichtet fühlt,
– unter welcher inneren Verfassung und Gefühlslage (z.B. Liebe, Eifersucht, Freude, Trauer, Verzweiflung, Erwartung) er den Text verfasst,
– was er mit dem Text äußern und bezwecken will (z.B. Selbstkritik, Anerkennung, Durchsetzung eigener Interessen).

Solche Texte zielen auf **Ausdruck**. Im Mittelpunkt steht das ‚**Ich**‘.

2 Texte verfolgen eine gegenstandsbezogene Absicht

Texte können dem Autor dazu dienen, einen Gegenstand oder Sachverhalt so objektiv wie möglich **darzustellen**.

Sie wollen z.B.
– über eine Sache informieren,
– über geschichtliche Ereignisse berichten,
– von Gestalten und Geschehnissen des Mythos erzählen,
– Themen der Philosophie und Wissenschaft erörtern.

Solche Texte zielen auf **Darstellung**. Im Mittelpunkt steht das ‚**Es**‘.

3 Texte verfolgen eine publikumsbezogene Absicht

Texte können dem Autor dazu dienen, seine Leser (oder Hörer) zu beeinflussen, an sie zu **appellieren**.

Sie wollen z.B.
– als phantasievolle Erzählung, (Liebes-)Gedicht, Roman unterhalten,
– als Beschreibung, Lehrgedicht, philosophisches Gespräch oder Traktat belehren und fördern,
– als Brief, Fabel, Satire ermahnen, ermuntern, warnen,
– als Werbeslogan, Nachricht, Rede überreden, eine Entscheidung beeinflussen.

Solche Texte zielen auf **Appell**. Im Mittelpunkt steht das ‚**Du**‘.
Texte verfolgen selten ausschließlich eine dieser Absichten. In der Regel finden sich in ihnen alle drei Absichten in fließendem Übergang.

142 Texttypik

Die unterschiedlichen Bedingungen, unter denen Texte verfasst und verwendet werden, bewirken deren jeweilige Eigenart. Diese ist geprägt vom Vorherrschen bestimmter sprachlicher Mittel in Aufbau und Zusammenhang des Textes. Man unterscheidet diesen Merkmalen entsprechend verschiedene Textsorten, die sich freilich nicht immer eindeutig voneinander abgrenzen lassen. Häufig finden sich typische Merkmale einer Textsorte auch innerhalb einer anderen Textsorte, auch im Rahmen einer Literaturgattung (z.B. Erzählendes innerhalb eines Briefes oder eine Rede in einem Epos).

1 Textsorte

Die Texttypik kennt folgende Textsorten:

1.1 Erzählende Texte

Erzählende (narrative) Texte haben entweder persönliche Erlebnisse des Erzählers oder vergangene Handlungen, Vorgänge und Ereignisse in der Form von Geschichten, Episoden, Fabeln oder auch Sagen zum Thema.

In der **Erlebnis**erzählung tritt der Erzähler in den Vordergrund (erste Person), in der **geschichtlichen** Erzählung bleibt er meistens im Hintergrund.

Tempus-Verwendung:

Die die Erzählung bestimmenden Tempora sind im Lateinischen das **Perfekt (narratives Perfekt** ↗ 104) und das **Präsens (historisches Präsens** ↗ 103). Beide Tempora kennzeichnen den im Vordergrund stehenden Erzählvorgang vom Anfang über den Höhepunkt bis zum Ende des erzählten Geschehens.

Innerhalb der Erzählung können aber auch andere Tempora auftreten.

Das **Plusquamperfekt** ist das Tempus, mit dem der Erzähler über die **Vorgeschichte** des Hauptgeschehens informiert (↗ 106).

Das **Imperfekt** kennzeichnet den **Geschehenshintergrund**, also Handlungen und Umstände, die die Haupthandlung begleiten (↗ 105).

Das **Präsens** wählt der Erzähler oft auch, wenn er den **Höhepunkt** des erzählten Vorgangs als unmittelbar erlebt darstellen will: **dramatisches Präsens**, dafür auch historischer Infinitiv (↗ 103).

Gliederung:

Die Phasen des erzählten Vorgangs lassen sich außer durch die Tempus-Verwendung vor allem nach den **Zeitkonnektoren** (temporale Adverbien und Konjunktionen) unterscheiden. Diese fehlen häufig auf dem Höhepunkt der Erzählung; dadurch entsteht der Eindruck einer beschleunigten Abfolge der Ereignisse.

1.2 Dialogisierte Texte

a) Das **Gespräch** (Dialog, Wechselrede) besteht aus mündlich gedachten Beiträgen von zwei oder mehreren Gesprächspartnern.

Diese Beiträge sind entweder in **Frage** und **Antwort** oder in **Rede** und **Gegenrede** aufeinander bezogen und bestimmen so den Fortgang des Gesprächs von seinem Anfang über seinen Höhepunkt bis zum Abschluss. Es herrschen dementsprechend die erste Person des Sprechenden oder Antwortenden und die zweite Person des Angesprochenen oder Befragten vor.

Tempus-Verwendung:

Leittempus des Gesprächs ist das **Präsens**, das ein Thema als für den Sprechenden gegenwärtig (aktuell) kennzeichnet. Daneben können auch Beiträge in Form der Erzählung (↗ 142.1.1) und in Form der Beschreibung (↗ 142.1.3) auftreten.

Gliederung und Kohärenz:

Die Gliederung des Gesprächs ist im Wesentlichen durch die Gedankenführung bestimmt. Sie wird erkennbar, wenn man auf die Bezüge zwischen den meist paarweise zusammengehörenden Beiträgen der Gesprächspartner achtet.

Signale hierfür sind sich wiederholende **Leitwörter** und thematische **Leitbegriffe** (↗ 140.2).

Das Fortschreiten der Wechselrede bis zu ihrem Ergebnis wird vor allem aus logischen **Konnektoren** (↗ 139.1) und der Verwendung von Gesprächspartikeln erkennbar.

b) Der **Brief** steht dem Gespräch sehr nahe, da er von einer, wenn auch einseitigen, Dialog-
situation ausgeht, in der ein Sprecher in der 1. Person unterschiedliche Formen von
Kontakten mit einem Adressaten in der 2. Person aufnimmt.

Verwendung der Tempora und Modi:
Leittempus des Briefes ist im Deutschen das **Präsens**, weil der Autor seine persönlichen
Aussagen in der Regel aus der unmittelbar aktuellen Situation des Schreibens heraus
formuliert.
Aber auch das **Perfekt** als Tempus der Erzählung oder des Berichts vergangener Ge-
schehnisse und das **Futur** als Tempus für die Formulierung von Anliegen und Erwartun-
gen treten auf.
Leittempus des Briefes ist **im Lateinischen** oft das **Imperfekt** (seltener Perfekt) bzw. bei
Ereignissen, die für den Schreibenden bereits vergangen waren, das **Plusquamperfekt**;
der Schreibende versetzt sich nämlich regelmäßig in die Zeit des Brieflesers, von der aus
das, was im Brief berichtet wird, bereits vergangen erscheint. Charakteristisch für den
Brief ist die Vielfalt der verwendeten **Modi**. So können neben dem Indikativ als dem Mo-
dus der Wirklichkeit die Modi **Konjunktiv** und **Imperativ** den Brieftext entscheidend
prägen, z.B. in Überlegungen und Annahmen des Autors bzw. in seinen Absichten und
Forderungen gegenüber dem Adressaten.

Gliederung und Kohärenz:
Die Aussagen des Briefautors lassen sich nach **logischen**, z.B. begründenden oder fol-
gernden, **Konnektoren** (↗ 139.1) gliedern. **Zeitliche Konnektoren** sind verwendet,
wenn eine längere Erzählung in den Brief aufgenommen ist.
Das vom Autor behandelte **Hauptthema** lässt sich an der Wiederholung von **Leitwörtern**
(↗ 140.2) und an den **Verweis-Wörtern** (↗ 140.1) erkennen.
Der Brief nennt in der einleitenden Grußformel („… salutem plurimam dicit …"/
„…s.p.d…") in der Regel den Namen des Autors/Absenders (Nominativ) sowie den
Adressaten (Dativ), z.B. Cicero Attico s.p.d.; er wird mit einem Abschiedswort („Vale!")
abgeschlossen.

1.3 Beschreibende Texte

Beschreibende (deskriptive) Texte stellen erkennbare Merkmale von Personen, Sachen
oder Erscheinungen in anschaulich nachvollziehbarer Form dar.
Die direkte Charakterisierung einer Person erfolgt mit Hilfe von bestimmten **Wörtern**:
Das Handeln erkennt man an den verwendeten **Verben**, die Eigenschaften an den ver-
wendeten **Adjektiven** (oder entsprechenden Substantiven), die Beurteilung durch den
Autor an den **Leitwörtern** (Substantive, Adjektive, Adverbien).
Indirekt charakterisiert wird eine **Person** durch eingestreute Reden oder Anekdoten
und durch Situationen und Zusammenhänge, in die sie vom Autor gestellt wird. Dem
gleichen Ziel dient die Einführung einer Kontrastfigur.
In der **Sach-** und **Bild**beschreibung sucht der Autor einen Gegenstand nach Form,
Beschaffenheit und Funktion zu veranschaulichen und zu erklären.
Diese Art der Beschreibung ist dadurch gekennzeichnet, dass das Nebeneinander einer
Sache oder eines Bildes im Ablauf des Textes in ein Nacheinander aufgelöst wird. **Kon-
nektoren** (↗ 140.1) gliedern dieses Nacheinander; erst am Ende steht die beschriebene
Sache bzw. das Gesamtbild deutlich vor Augen des Lesers.

1.4 Rhetorische Texte

Die Textsorten der Rede unterscheiden sich nach dem Empfängerbezug (z.B. die öffent-
liche Rede), dem Inhaltsbezug (z.B. Bericht, Bekanntmachung, Aufforderung) oder der
Redeabsicht (z.B. Monolog, Versprechen).

Die öffentliche Rede zielt darauf ab, die **Angeredeten** mit festgelegten Strategien zu überzeugen, zu beeinflussen oder innerlich aufzurütteln.

Ihr Aufbau im Ganzen wie ihre Gestaltung im Detail stehen im Dienste dieser Aufgabe. Dafür wurden in der Antike klare Regeln der Rhetorik entwickelt. Die Redeteile, die den auf Steigerung angelegten Aufbau tragen, sind vorgegeben, ebenso die stilistischen Mittel (↗ 143), die dem Text Farbe und emotionale Wirkung verleihen.

Verwendung von Tempora, Modi und Personen:

Hervorstechendes Merkmal der Rede ist die enge Verbindung von Autor/Redner und Publikum; deshalb ist das **Tempus** in der Regel das **Präsens** (seltener Futur), als **Modus** erscheint der **Indikativ**, aber auch der **Konjunktiv** der Aufforderung und der überlegenden Frage, nicht selten der **Imperativ** als Befehl oder Warnung. **Erste** und **zweite Person**, Sprecher und Angesprochene, stehen im Vordergrund.

Wenn in der Rede über andere Personen, über Vorgänge oder Vorfälle berichtet wird (in der sog. *narratio*), so stehen die **narrativen Tempora** (Perfekt, dramatisches Präsens); dann erscheint auch häufig die **dritte Person**, auf die meist mit *ille/iste* verwiesen wird.

Kohärenz:

Besonders Wortwiederholungen (Leitwörter ↗ 140.2), Sachfelder (↗ 140.4), zeitliche und logische Konnektoren (↗ 139.1) unterstützen den Zusammenhang des Textes.

1.5 Erörternde und kommentierende Texte

Über Sachverhalte, Probleme, Fachthemen, Pläne oder Erkenntnisse wird sachlich distanziert und argumentativ darstellend gesprochen, oft mit einer Berücksichtigung von Gegenpositionen und häufig mit wertender Kritik. Die Gegenstände der Erörterung gehören den Bereichen der Politik, Wissenschaft, Philosophie und Lebenspraxis an.

Verwendung von Tempora, Modi und Personen:

Merkmale sind die vorherrschende Verwendung eines bestimmten **Tempus** (meist des **Präsens**) und der **dritten Person**. Als **Modus** erscheint in der Regel der **Indikativ**; Aussagen in vorsichtig zurückhaltender Formulierung stehen auch im Konjunktiv (Potentialis). Ein unterordnender Satzbau wird bevorzugt.

Gliederung und Kohärenz:

Die Erörterung entwickelt sich in der Regel in einer begründenden Gedankenfolge; sie zeigt demnach einen streng logischen Aufbau und ist in deutliche Abschnitte gegliedert, zwischen denen vor allem logische Konnektoren (↗ 139.1) den Zusammenhang herstellen.

2 Literaturgattungen

In der Antike, vor allem bei den Griechen, wurden die Literaturgattungen (‚Großgattungen') geschaffen und definiert. Es handelt sich um:

– **epische Texte**, deren Charakteristikum der in größeren Einheiten erzählende Textfluss ist, in dem ein angenommener (fiktiver) Erzähler Ereignisse und Geschehnisse von tieferer Bedeutung vermittelt,

– **dramatische Texte**, die für die Aufführung auf der Bühne bestimmt sind und in denen sprachliche Äußerungen der handelnden Figuren in Monolog und Dialog ein dramatisches Geschehen veranschaulichen,

– **lyrische Texte**, in denen ein Dichter in festgelegter äußerer Form, hörbarem Klangbild und anschaulich bildlicher Sprache menschliche Empfindungen zeitlich ungebunden vermittelt.

Jede der Gattungen folgt in der Antike traditionellen Kriterien und Gesetzmäßigkeiten. Vor allem zeigt sich dies im Gesamtaufbau, in Figurenkonstellationen, in bestimmten Kompositionselementen und unverzichtbaren Merkmalen der jeweiligen Gattung (z.B. Metrum in der Lyrik).

Gattungen werden auch von vorherrschenden Textsorten bestimmt, die die Eigenart der Gattung wesentlich mitgestalten. So gehören z.B. zu einem epischen Geschichtswerk die Erzählung, die Rede, die Beschreibung und gelegentlich auch der Bericht, zu einer Tragödie der Dialog, die Rede und der Bericht usw.

2.1 Epische Gattungen

a) Epos

Das **Epos** ist die Hauptform der **erzählenden Dichtung**; sein **Versmaß** ist der **Hexameter**. Thema des Epos ist vornehmlich der griechische Mythos, vielfach auch in römischer Ausprägung.

Das Geschehen ist anschaulich in typisierend-monumentaler Form und in gehobener Sprache behandelt. Bei einer merklich politischen Zielsetzung, etwa der Selbstdarstellung der römischen Herrschaft, spricht man von einem **Nationalepos**. Charakteristische Elemente des Epos sind Vorrede (*Proöm*), Musenanruf, das Gegeneinander von Götter- und Menschenebene, Prophezeiungen, Rückblenden, Gleichnisse. Als kennzeichnende Textsorten begegnen innerhalb des Epos Erzählung, Gespräch, Rede und Gegenrede; auch der Beschreibung (von Gegenständen und Natursituationen) kommt eine wichtige Aufgabe zu.

b) Geschichtswerk

Das **Geschichtswerk** stellt eine in Prosa verfasste literarische Großform dar, in der sich schon bei den Griechen wissenschaftliche Forschungsanliegen anfangs mit Fabulierkunst, später mit der Freude an rhetorischer Durchdringung des Stoffes eng verbanden. Bei den **Römern** sind den Geschichtswerken drei Ziele gesetzt: 1. die **Ermittlung** der **historischen Wahrheit**, die freilich großenteils von den anderen Absichten überlagert wird, 2. die **kunstvolle Darstellung**, durch die die historischen Persönlichkeiten zwar nicht immer geschichtstreu, aber durchaus lebenswahr, plastisch und psychologisch vertieft, in ihrer Größe oder in ihrem Versagen, in ihrem oft tragischen Schicksal eindrucksvoll erfasst werden, 3. das **Erschließen eines Sinnes für Geschichte** unter der Maßgabe, die Triebkräfte der historischen Entwicklungen so offen zu legen, dass die Nachwelt aus dem Nachdenken darüber Nutzen gewinnen soll. Dabei können vom Autor sowohl zeit- und gesellschaftskritische als auch Ideologie stützende (nationalistische) Absichten verfolgt werden.

Im Geschichtswerk treten neben den vorherrschenden Textsorten der Beschreibung (ethnografische und kulturgeschichtliche Exkurse) und der Erörterung (Vorgangsanalysen, Geschichtsdeutung) verstärkt auch das Gespräch, die Rede, der Brief und Elemente des Dramas auf. Dadurch gewinnt das Geschichtswerk einen poetischen Zug, es steht in Anlage und Wirkung dem Epos nahe.

c) Roman

Der **Roman** ist eine in Prosa verfasste literarische Großform; allerdings sind in der römischen Literatur nur wenige Beispiele dafür erhalten (z.B. von Petron und Apuleius).

Der Roman gehört zur epischen Gattung, gilt aber in der Antike nicht als Kunstprosa, da ihm die gebundene Form fehlt. Der Roman dient zu allererst der Unterhaltung durch einen fesselnden Stoff.

Im Mittelpunkt steht der Held, der in seinem Charakter, seinem individuellen Schicksal, seinem Verhalten in einer Gruppe von Menschen dargestellt wird – zumeist nicht geleitet vom Wirken großer Gottheiten oder des Schicksals, sondern z.B. vom Zufall (Fortuna). Im Roman verstrickt sich der Handelnde in seinem Streben auf ein Ziel hin in viele kriegerische oder erotische Abenteuer, sodass sich das Geschehen in eine Reihe von Einzelepisoden aufgliedert, die nur von der Person des Helden zu einer Einheit zusammengehalten werden. Im Roman wirken verschiedene Textsorten zusammen: die Erzählung und Beschreibung, die Rede und das Gespräch; es begegnen auch Elemente anderer literarischer Gattungen wie Satire und Elegie.

2.2 Dramatische Gattungen

Das **Drama** ist eine literarische Großform, die in der Regel zur **Aufführung auf der Bühne** bestimmt ist. Das Geschehen des Dramas, das einen klar gegliederten Aufbau in Akte zeigt, wird durch Rede und Gegenrede der handelnden Personen entwickelt.
Im Drama begegnen Elemente der Textsorten Rede, Gespräch, Erzählung, gelegentlich auch der Beschreibung und Erörterung.

a) Tragödie

Die Tragödie stellt meist das unglückliche Schicksal einer Gestalt des griechischen Mythos dar. Die Tragödie zielt auf Ergriffenheit, Anteilnahme, Betroffenheit der Zuschauer.

b) Komödie

Die Komödie stellt eine Handlung aus dem politischen, gesellschaftlichen oder privaten Alltag dar, wobei in witzig-paradoxer Weise die römische Wirklichkeit, vor allem ihre Wertvorstellungen, auf den Kopf gestellt werden. Die Komödie zielt auf Belustigung und Unterhaltung der Zuschauer.

2.3 Lyrische Gattungen

a) Lyrisches Gedicht

Das **lyrische Gedicht** (carmen lyricum), ursprünglich als ein zur Lyra gesungenes Lied verstanden, bringt persönliche Gedanken, Gefühle, Empfindungen zum Ausdruck. Seine Themen sind sehr weit gefasst: Lob, Geburtstagsgruß, Hochzeitsfeier, Totenklage, Trost, Trinkspruch, Liebeserfahrung. Die Strophenform herrscht vor. Merkmale sind das Präsens und Futur als Tempora, der Indikativ als Modus der Feststellung, aber auch der Konjunktiv und Imperativ in appellativer Funktion. Die erste und zweite Person stehen im Vordergrund. Elemente des Gesprächs, des Briefes, der Rede schieben sich oft dicht ineinander.

b) Elegie

Die **Elegie** war ursprünglich – dem Epos nahe stehend – auf Handlungsdarstellung angelegt. Später gewann sie immer stärker den Charakter einer wehmutsvollen, klagend-entsagenden **subjektiven Gefühlslyrik**.
In ihr drücken sich stärkstes inneres Erleben, schmerzlich-sentimentale Stimmungen und Reflexionen über die persönlichen Anliegen des Dichters aus. Zentrales Thema sind Liebe und Liebeskummer, worüber offen, freizügig und eindringlich gesprochen wird. Die Elegie ist in ihrer späteren Erscheinungsform immer in **Distichen** (Verknüpfung von Hexameter und Pentameter) gestaltet.

c) Epigramm

Das **Epigramm** hatte ursprünglich die Aufgabe ein Ereignis oder eine Situation in Form einer „Aufschrift" festzuhalten. Es entwickelte sich dann zu einer Literaturform, in der eine Aussage über Dinge und Erfahrungen des menschlichen Lebens in prägnanter Kürze, oft nur in zwei Zeilen, formuliert ist. Im **objektiven ersten Teil** wird eine Tatsache festgestellt, ein Vorfall berichtet oder eine Beschreibung geliefert, im **subjektiven zweiten Teil** erfolgt die persönliche Stellungnahme des Dichters zum vorher Gesagten. Die dabei angebahnte witzige Paradoxie wird in extremer Pointierung oft bis zum letzten Wort hinausgezögert. Das Epigramm ist in der Regel als **Distichon** (Verknüpfung von Hexameter und Pentameter) gebaut.

2.4 Mischformen

a) Fabel

Die **Fabel** zielt auf Belehrung; indem sie eine erfundene Geschichte – oft in Versen – schildert, will sie eine Einsicht vermitteln und menschliches Verhalten berichtigen. Träger der Handlung sind in der Regel Tiere, die bestimmte menschliche Typen vertreten und sich entsprechend verhalten. Im dargestellten Geschehen spiegeln sich falsches Handeln und dessen Folgen, sodass sich der Leser (oder Hörer) davon abgeschreckt fühlt.

Die Fabel zeigt einen klaren Aufbau: entweder **Vorspruch** (*Promythion*) und **Erzählteil** (*narratio*) oder **Erzählteil** (*narratio*) und **Nachspruch** (*Epimythion*). Im Erzählteil begegnen die Elemente der Erzählung (meist im dramatischen Präsens) und des Gesprächs (bei schneller Abfolge von Rede und Gegenrede).

b) Satire

Die **Satire**, deren Name sich wohl von satura lanx („gefüllte Schüssel") ableitet, ist als ein buntes Allerlei zu verstehen; ursprünglich handelte es sich wohl um kunstlose, aber bissige Spottverse, die – teils im Wechselgesang – bei bäuerlichen Festen vorgetragen wurden. Unter den Händen römischer Meister entwickelte sich die Satire zu einer strengen Kunstform; in **Verse (Hexameter)** gefasst, will sie menschliche Schwächen und Verkehrtheiten angreifen; in ihr ist also eine aggressive Tendenz spürbar, die sich aber vielfach mit geistreichen, heiteren und offenherzigen Tönen verbindet. Der Dichter will „lachend die Wahrheit sagen" (rīdentem dicere verum).

Von der Vers-Satire unterscheidet sich die sog. **Menippeische Satire**, in der gebundene und ungebundene Sprache kontrastreich nebeneinander stehen. Ihr Ziel ist es, in phantasievollen, oft derb-witzigen Angriffen Personen und Zustände tadelnd bloßzustellen. In der Satire mischen sich Elemente der Textsorten Gespräch, Rede, Erzählung und Erörterung.

143 Textgestaltung durch Stilmittel

Texte lateinischer Literatur sind fast immer kunstvoll gestaltet. Zu den Elementen, die dem Text Einheit und Struktur geben, treten zahlreiche und verschiedenartige stilistische Mittel hinzu, die zuallererst der Ausschmückung des Textes dienen und die Bildhaftigkeit der Aussage unterstützen (➚ 144.1.6). Ihre Verteilung über den ganzen Text verstärkt jedoch den Eindruck eines einheitlichen Ganzen. Wo solche Stilmittel in ihrer gestaltenden Wirkung über die Satzgrenze hinausreichen, unterstützen sie außerdem den Zusammenhang des Textes.

Die von den Griechen entwickelte rhetorische Theorie, die von den Römern übernommen wurde, unterscheidet diese Stilmittel in dreifacher Weise:

① in der Wahl von Einzelwörtern:	Wendungen (Tropen)
② in der Kombination von Wörtern:	Wortfiguren
③ im Aufbau von Wortgruppen:	Sinn-/Gedankenfiguren

1 Wendungen (Tropen)

1.1 Litotes (Schlichtheit): Durch doppelte Verneinung wird eine Aussage vorsichtig angedeutet oder verstärkt herausgestellt.

haud aliēnum	nicht abwegig
nōn īgnōrāre (nicht nicht-wissen)	genau kennen

1.2 **Metapher** (Übertragung): Eine bildliche Wendung steht in übertragener Bedeutung.

aquae mōns	ein Wasserberg
lūmen cīvitātis	eine Leuchte des Staates
oculīs ārdentibus	mit glühenden Augen

1.3 **Metonymie** (Namensvertauschung): Ein Begriff wird durch einen gedanklich nahe stehenden ersetzt.

ferrum (Eisen)	*statt*	gladius (Schwert)
in togā (in der Toga)	*statt*	in pāce (im Frieden)
cīvitās	*statt*	cīvēs (die Bürger)

1.4 **Synekdoche:** ‚quantitative' Metonymie, der übertragene Begriff umfasst mehr oder weniger als der eigentliche, z.B.

▶ ein Teil steht für das Ganze (*pars pro toto*):

tēctum (Dach)	*für*	domus (Haus)
rota (Rad)	*für*	currus (Wagen)

der Singular steht für den Plural:

Rōmānus (der Römer)	*für*	Rōmānī (die Römer)

▶ ein Einzelbegriff steht für den Oberbegriff oder umgekehrt:

pānis (Brot)	*für*	cibus (Nahrung)
quadrupēs (Vierfüßer)	*für*	equus (Pferd)

2 Wortfiguren

2.1 **Asyndeton** (unverbunden): Beiordnende Konjunktionen fallen weg

bei Aufzählungen:

Cimbrī et Teutonēs nōbīs **iūra, lēgēs, agrōs, lībertātem** reliquērunt.	Die Kimbern und Teutonen haben uns *Rechte, Gesetze, Land und Freiheit* gelassen.

bei Gegensätzen:

Vincere **scīs**, Hannibal, victōriā ūtī **nescīs**.	Zu siegen verstehst du, Hannibal, den Sieg zu nützen (aber) nicht.

2.2 **Geminatio** (Verdoppelung): Das gleiche Wort wird wiederholt.

Excitāte, excitāte eum, sī potestis, ab īnferīs!	*Weckt* ihn *auf, weckt* ihn *auf*, wenn ihr könnt, von den Toten!
Ēn **illa, illa**, quam saepe optāstis, lībertās!	Da ist **sie, sie**, die ihr euch oft gewünscht habt, die Freiheit!

2.3 **Synonymie** (Wörtergleichheit): Gleichbedeutende Wörter werden wiederholt.

Nōn **feram**, nōn **patiar**, nōn **sinam**!	Ich *werde* es nicht *hinnehmen*, ich *werde* es nicht dulden, ich *werde* es nicht *zulassen*!

2.4 Hendiadyoin (Eins-durch-zwei):

▶ Ein Begriff wird durch zwei sinnverwandte Wörter verstärkt.

ōrāre **atque** obsecrāre	(bitten und beschwören) inständig bitten

▶ Ein Begriff wird (mittels ac/atque) durch ein weiteres, nicht sinnverwandtes Wort zu einer Einheit ergänzt.

clāmor **et** admīrātiō	laute Bewunderung (Geschrei und Bewunderung)
metū **et** perīculō sē recipere	aus Furcht vor Gefahr zurückweichen (infolge von Furcht und Gefahr sich zurückziehen)
licentia **ac** lībertās	(Willkür und Freiheit) schrankenlose Freiheit

2.5 Anapher (Wiederaufnahme): Das gleiche Wort wird am Anfang von Sätzen oder Teilsätzen wiederholt.

Multī dubitābant,	*Viele* waren unschlüssig,
quid optimum esset,	was das Beste sei,
multī, quid sibī prōdesset,	*viele*, was ihnen nütze,
multī, quid decēret.	*viele*, was sich schicke.

2.6 Variatio (Abwechslung im Ausdruck): Ein synonymes Wort tritt für das zu wiederholende ein.

Pars ingenium,	*Ein Teil* übte den Geist,
aliī corpus exercēbant.	*die anderen* den Körper.

2.7 Paronomasie (Spielerische Abwandlung)

Am**antēs** ām**entēs**!	Liebende handeln ohne Vernunft!
Prae**t**or iste vel potius prae**d**ō sociōrum.	Richter war der Kerl oder besser Räuber bei den Verbündeten.

2.8 Ellipse (Auslassung)

▶ Ein leicht ergänzbares Satzglied (meist das Prädikat) entfällt:

Vīta brevis ⟨est⟩, ars longa ⟨est⟩!	Das Leben ist kurz, die Kunst lang!

▶ Ein Satzglied in syntaktisch abgewandelter Form entfällt:

Utrum artium rudēs ⟨estis⟩ an didicistis ⟨eās⟩?	Seid ihr in den Künsten unerfahren oder habt ihr sie erlernt?

2.9 Zeugma („gewaltsame" Verbindung): Ein Satzglied (meist das Prädikat) wird unpassend auf zwei oder mehrere Satzglieder bezogen.

Germānia ā Sārmatīs Dācīsque mūtuō metū aut montibus sēparātur.	Germanien ist von den Sarmaten und den Dakern durch wechselseitiges Misstrauen oder Gebirgszüge geschieden.
Oculōs dextramque precantem prōtendit.	Er erhob („streckte … aus) die Augen und die bittende Rechte.

2.10 **Alliteration** (Stabreim): Kurz aufeinander folgende, zusammengehörige Wörter beginnen mit demselben Buchstaben.

mūtuō **m**etū	von wechselseitiger Furcht
Fōrmae glōria **fl**ūxa atque **fr**agilis est.	Der Ruhm der Schönheit ist flüchtig und vergänglich.

3 Sinn- und Gedankenfiguren

3.1 **Parallelismus** (Parallelform): Sich entsprechende oder ergänzende Satzabschnitte (Kola) sind gleichmäßig gebaut.

Laudāmus *dīvitiās*, **sequimur** *inertiam*.	Wir rühmen den Reichtum, wir ergeben uns der Trägheit.
Laudis *avidī*, **pecūniae** *līberālēs* erant.	Sie waren geizig mit Lob, freigebig mit Geld.

3.2 **Konzinnität** (Übereinstimmung): Satzabschnitte (Kola) sind gleich gebaut.

Causam, **quae sit**, *vidētis*. Nunc, **quid agendum sit**, *cōnsīderāte*!	Was der Sachverhalt ist, seht ihr. Nun überlegt, was zu tun ist!

3.3 **Inkonzinnität** (Abweichung): Syntaktisch ungleichartige Konstruktionen werden koordiniert.

Cupīdō pecūniae **superbiam**, **crūdēlitātem**, **deōs neglegere**, **omnia vēnālia habēre** ēdocuit.	Die Geldgier lehrte Hochmut, Grausamkeit, die Götter missachten und alles als käuflich anzusehen.

3.4 **Klimax** („Leiter"): Gedanklich sich steigernde Satzglieder folgen aufeinander.

Abiit, excessit, ēvāsit, ērūpit.	Er ist weg, verschwunden, fortgerannt, davongestürmt.

3.5 **Hyperbaton** (Sperrung): Syntaktisch zusammengehörende Wörter werden durch einen anderen Satzbestandteil getrennt (↗ 144.1.4).

Quis est **omnium** tam īgnārus **rērum**? (*statt*: tam īgnārus omnium rērum)	Wer ist in allen Dingen so unerfahren?

3.6 **Chiasmus**[1] (X-Form): Zusammengehörende Wortgruppen sind „kreuzweise" angeordnet.

Satis ēloquentiae, sapientiae parum.	Genug Beredsamkeit, Verstand zu wenig.

---

[1] X (Chi) ist der griechische Buchstabe für den Laut ch.

Nōnne ēmorī per virtūtem praestat,   Ist's nicht besser, in Tapferkeit zu sterben,

quam vītam per dēdecus   āmittere?   als in Schande das Leben zu verlieren?

3.7 Antithese (Gegenüberstellung)

In **māxumā** fortūnā   Bei *größtem* Glück gibt es
minuma licentia est.   die *geringste* Freiheit.

3.8 Oxymoron[1]: Gegensätzliche Begriffe werden trotz verschiedener Sinnrichtungen gedanklich verbunden.

Cum **tacent, clāmant**.   Indem sie *schweigen*, *schreien* sie laut.

---

144   Zur Form lateinischer Dichtung

Die lateinische Dichtung ist vornehmlich geprägt durch **den gehobenen Stil der Sprache** und durch den **Rhythmus** sowie durch die Regeln der **Prosodie** (↗ 144.3) und der **Metrik** (↗ 144.4). Lateinische Dichtung ist in Versen gestaltet; Endreim (Homoioteleuton) begegnet im klassischen Latein selten, ist aber im Latein des Mittelalters die Regel.

1 Gehobener Stil der Sprache

Kennzeichen des gehobenen Stils der lateinischen Dichtersprache sind

1.1 die Wahl eines ungewöhnlichen Ausdrucks, z.B.

– ein seltenes Wort   lētum ~ mors; tellūs ~ terra; nātus ~ fīlius
– Simplex statt Kompositum: legere ~ colligere
– ein griechisches Wort: antrum ~ specus

1.2 die lautlichen Veränderungen von Wörtern, z.B.

– durch Ausstoßung von Buchstaben (Synkope)   perīcla ~ perīcula
   und Kontraktion (↗ L 19):   nīl ~ nihil; mūtāstis ~ mūtāvistis
   (↗ 20.2)

1.3 die Verwendung besonderer Formen

– griechische Formen: Eurydicēs (Gen.), Eurydicēn (Akk.); Stygα (Akk.)
– dichterischer Plural: rēgna ~ rēgnum; aquae ~ aqua

1.4 die Trennung zusammengesetzter Wörter (Tmesis)[2] **aus Gründen der metrischen Gestaltung oder der Betonung**, z.B.

Quem fors diērum **cumque** dabit,   Jeden Tag, den das Los dir schenkt,
   lucrō appōne!   nimm als Gewinn!

---

[1] wörtlich: scharfsinnig-töricht < griech. oxýs (scharf, spitz) und môros (stumpf, dumm) [2] griech. témnein: schneiden, trennen

1.5 die bewusste Ausnützung der freien Wortstellung

Durch Ausnützen der Tonstellen (Anfang und Ende des Verses), aber auch aus Gründen der Versgestaltung werden zusammengehörige Wörter (bes. Substantiv und Attribut) oft weit voneinander getrennt (Stilfigur des Hyperbaton: Überschreitung, Sperrung ↗ 143.3.5), zuweilen auch über die Zeilengrenzen (Stilfigur des Enjambements: Zeilensprung ↗ 144.4.3a) hinweg.

Dies erfordert für das Verstehen und Übersetzen ein genaues Beachten der Ausgänge und der Kongruenz in Kasus, Numerus und Genus (KNG), wodurch freilich auch das präzise Erarbeiten von Zusammenhängen gefördert wird.

Schon am ersten Satz von Ovids Metamorphosen lässt sich dies klar vor Augen führen:

1.6 der Einsatz rhetorischer Stilmittel

Rhetorische Stilmittel (↗ 143) dienen dem Dichter dazu, seine Darstellung prägnant, wirkungsvoll und schön zu gestalten.

Der folgende Vers Ovids (Met. VIII 187) zeigt z.B. *Antithese* (↗ 143.3.7), *Chiasmus* (↗ 143.3.6) und *Iteratio* (Wortwiederholung) in einer eindrucksvollen Formulierung miteinander verbunden. In dieser Form ist der Satz zu einem geflügelten Wort geworden.

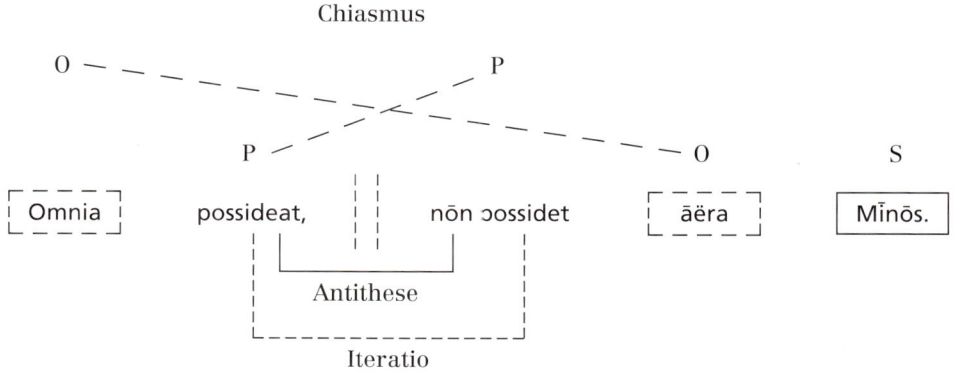

2 Rhythmus

Während für deutsche Verse in der Regel ein **akzentuierender Rhythmus** bestimmend ist (Wechsel von betonten und unbetonten Silben), ist der Rhythmus lateinischer Verse bestimmt durch eine geregelte Abfolge langer und kurzer Silben (**quantitierender Rhythmus**).

Erst in der lateinischen Dichtung des Mittelalters herrscht der akzentuierende Rhythmus vor. Ein Beispiel aus den Carmina Burana (Liedersammlung aus dem 13. Jahrhundert):

Écce grátum ét optátum   Schau, der líebe *u*nd ersehnte
   vér redúcit gaúdiá.   Lenz bringt *u*ns zurück die L*u*st.

3 Prosodie

Die Lehre von der richtigen Aussprache und Silbenquantität nennt man Prosodie.

3.1 Betonungsregeln:

Die Betonung eines lateinischen Wortes hängt ab von der Anzahl und der Beschaffenheit der Silben. Silben sind entweder kurz oder lang. Wörter mit zwei Silben werden auf der ersten Silbe betont (z.B. fórma),

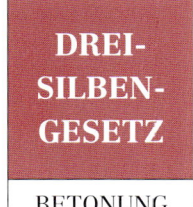

DREI-SILBEN-GESETZ

BETONUNG

Wörter mit mehr als zwei Silben auf der
- vorletzten Silbe, wenn diese lang ist (z.B. mūtátur),
- drittletzten Silbe, wenn die vorletzte kurz ist (z.B. ánimus).

3.2 Quantitätsregeln:

① Eine Silbe gilt als **lang** (–), wenn
a) sie einen langen Vokal oder einen Doppellaut (Diphthong) enthält (**Naturlänge**), z.B. nātūra, oboedit,
b) auf einen an sich kurzen Vokal zwei oder mehr Konsonanten folgen (sog. **Positionslänge**[1]). x und z gelten als Doppelkonsonanten, nicht aber qu, z.B. ŏmnia, ărx.
② Alle anderen Silben sind kurz (∪).
③ Sonderfall: Folgt Muta (b, p, d, t, g, c) + Liquida (l, r) oder Nasallaut (m, n) auf kurzen Vokal, so kann die Silbe als lang oder als kurz gelten, z.B. pătris.

3.3 Hilfen:

① Lang sind alle Silben mit Diphthongen, z.B. aūrea aētās.
② Ein Vokal ist meist kurz, wenn ein weiterer Vokal folgt, z.B. ĭgnĕus (Ausnahme: Wörter griechischer Herkunft, z.B. Orphēus: Adjektiv zu Orpheus).
③ In drei- und mehrsilbigen Wörtern sind ‚betonte' vorletzte Silben lang, z.B. mūtātus, ‚unbetonte' kurz, z.B. ánĭmus. (➚ 144.3.1).
④ Oft geht die Quantität einer Silbe aus der grammatischen Funktion der Form hervor, z.B. -ā und -īs beim Ablativ.

Im Wortschatz von Lehrbüchern, in Wörterbüchern, in Grammatiken und in Schülerkommentaren sind oft die langen Vokale gekennzeichnet.

3.4 Hiat[2], d.h. das Zusammentreffen eines Vokals (auch Vokal + m am Ende eines Wortes) mit einem Vokal (auch h + Vokal) am Anfang des folgenden Wortes wird beim Sprechen im Allgemeinen vermieden, und zwar
- durch Verschleifung der beiden Vokale (**Synaloephe**), z.B. silice in nūdā (Vergil, Buc. I, 15), lies ‚silice|in'; bzw.
- durch Unterdrückung des Auslautvokals oder einer Vokalverbindung mit -m (-am, -um u.a.) (**Elision**[3]), z.B. prīmāque ab orĭgine (Ovid, Met. I 3) lies ‚primaqu|ab';
  mōnstrum horrendum īnfōrme ingēns (Polyphem: Vergil, Aeneis III 658) lies ‚monstr|orrend|inform|ingens';

---

[1] positiō, -ōnis („Setzung", Festlegung, Vereinbarung)
[2] hiātus,-ūs (Öffnung, Schlund, Kluft)   [3] ē-līdere (aus-stoßen)

– durch Unterdrückung des anlautenden e- bei est nach vokalisch oder auf -m auslautenden Wörtern (**Aphaerese**), z.B.
āurea prīma satᴬ est aetās (Ovid, Met. I 89)
lies ‚sata|st‘;

– durch Verschmelzung zweier Vokale im Inneren eines Wortes zu einem Vokal (**Synizese**), z.B. deinde – *lies* ‚deinde‘; ‚antᵉʰᵃc‘ – *lies*: ‚ant|āc‘.

4 Metrik

Gegenstand der Metrik sind die Metren und Formen der Verse.

4.1 Der Versfuß

Das kleinste Element, das im Vers regelmäßig wiederkehrt, nennt man ‚Versfuß‘.

Die wichtigsten Versfüße sind:

Rhythmus	Bezeichnung	Form	Beispiel
steigend	Jambus	∪—	potēns
	Anapäst	∪∪—	referō
fallend	Trochäus	—∪	fīnis
	Daktylus	—∪∪	dūcere
stehend	Spondeus	——	rērī
	Kretikus	—∪—	audiō

4.2 Die Versformen

Zwei Versfüße (des Jambus, Trochäus, Anapäst) oder jeweils ein Versfuß (des Daktylus, Spondeus, Kretikus) bilden eine metrische Einheit (*Metrum*[1]).

▶ Je nach der Zahl der Metren unterscheidet man:
Tri-meter (3 Metren), **Tetra**-meter (4), **Penta**-meter (5), **Hexa**-meter (6).

▶ Je nach der Zahl der Versfüße unterscheidet man:
Sen-are (6 Versfüße), **Septen**-are (7), **Okton**-are (8).

4.3 Die Versgliederung

a) In der Regel stimmt die Länge der Verszeile nicht mit der des Satzes überein. Daher ergibt sich die Notwendigkeit
– über die Versgrenze hinüberzulesen: ‚Zeilensprung‘ (**Enjambement**);
– innerhalb einer Verszeile anzuhalten: **Atempause/Sinnpause**.

b) Solche **Verweilstellen** sind in den lateinischen Versen zwingend festgelegt:
Die **Zäsur**[2] (⋮)
zerschneidet einen Versfuß,   z.B.

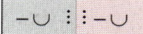.

Die **Dihärese**[3] (⋮⋮)
trennt Versfüße voneinander,   z.B.

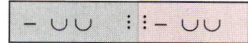.

---

[1] griech. métron (Maß)   [2] < caedere; caesūra (Einschnitt)   [3] griech. dihaíresis (Auseinandernehmen)

c) Eine **Verszeile** kann mehrere Zäsuren (Haupt- und Nebenzäsuren) haben.

d) Der **letzte Versfuß** einer Zeile kann
vollständig sein (a-katalektischer Vers) oder
nur teilweise angefügt sein (katalektischer Vers).

e) Die **Quantität der letzten Silbe** eines Verses **schwankt** oft: *syllaba anceps*[1].

4.4 Die daktylischen Verse

a) Der Hexameter

Der Hexameter findet hauptsächlich in der erzählenden Dichtung, dem Epos, Verwendung (epischer Vers). Wegen seiner Länge wird dieser Vers in der Regel durch Zäsur und/oder Dihärese gegliedert.

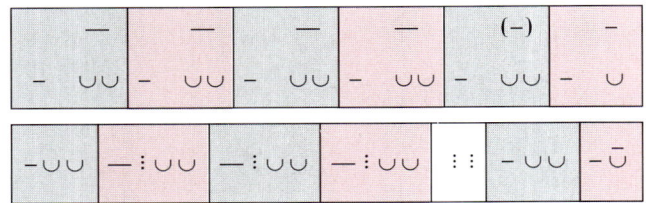

Daktylen ($-\cup\cup$) können durch Spondeen ($--$) ersetzt sein.
Der 5. Fuß ist in der Regel ein Daktylus.

Tū regere imperiō populōs, Rōmāne, mementō!

Du, Römer, denke daran, den Völkern mit
    Macht zu gebieten!

Hae tibi erunt artēs pācīque impōnere mōrem.

Das sei deine Kunst, dem Frieden Gesittung
    zu schaffen,

parcere subiectīs et dēbellāre superbōs.

Unterworf'ne zu schonen und niederzu-
    ringen die Stolzen.

                (Vergil, Aen. VI 851–853)

Zäsuren: nach dem 3., 5., 7. Halbfuß (Trit-, Pent-, Hephthemimeres) (und nach dem dritten Trochäus)

Dihärese: nach dem 8. Halbfuß (bukolische Dihärese) und 3., 5., 7. Halbfuß

b) Der Pentameter

Der Pentameter steht niemals für sich allein, sondern ist stets einem Hexameter angefügt (Distichon).
Er besteht aus zwei symmetrischen Halbzeilen.
Bei diesen kann ein Teil der Daktylen durch Spondeen ersetzt sein.

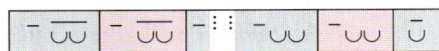

Pāx, ades et tōtō mītis in orbe manē!

Friede, komme und bleib hold überall
    auf der Welt!

                (Ovid, Fasti I 713)

---

[1] anceps: doppelköpfig, unentschieden, zweideutig.

c) **Das Distichon**

Das Di-stichon (Zwei-zeiler) besteht aus einem Hexameter und einem ihm folgenden Pentameter.

Das Distichon findet vornehmlich Verwendung in der Elegie (elegisches Versmaß) und im Epigramm.

Longa sit huic aetās dominaeque   potentia terrae
– ∪∪ | – –| – ⋮ ∪ ∪| – ∪   ∪|–∪∪| – –

  sitque sub hāc oriēns   occiduusque diēs!
  – ∪∪ | – ∪∪|–⋮⋮– ∪∪|– ∪∪|–

Lang sei ihre Zeit, ihre Macht als Herrin
  der Erde,
ihr unterstehe der Ost und, wo sich neigt
  der Tag!

(Ovid, Fasti IV 831f.)

Ōdī et amō. Quārē id faciam, fortāsse requīris.
– ∪ ∪| – ⋮ – |–   ∪∪|– ⋮ – |– ∪⋮∪|– ∪

  Nesciō, sed fierī   sentiō et excrucior.
  – ∪∪| – ∪∪| – ⋮⋮– ∪ ∪| – ∪∪|–

Hassen und lieben. Warum ich das tu?
  Das magst du wohl fragen.
Weiß nicht. Doch dass es geschieht,
  fühl' ich und quäle mich ab.

(Catull, c. 85)

4.5 **Die jambischen Verse**

Jamben werden meist zu jambischen Senaren (6 Versfüße) verbunden.

Die metrische Grundform lautet:

1.   2.   3.   4.   5.   6. Fuß
∪ — ∪ — ∪ — ∪ — ∪ — ∪ —

a) Die metrische Grundform kann mannigfach abgewandelt werden:
– Statt des Jambus ∪ – kann in den ersten fünf Versfüßen jeweils ein Spondeus – – stehen.
– Statt einer langen Silbe – können zwei kurze Silben ∪∪ stehen.
  Demnach kann ein jambischer Versfuß wie folgt aussehen:

∪	–	Jambus
–	–	Spondeus
∪∪	–	Anapäst
∪∪	∪∪	Prokeleusmatikus
–	∪∪	Daktylus
∪	∪∪	Tribrachys

b) Eine Verszeile wird regelmäßig durch Zäsuren und Dihäresen (↗ 144.4.3 b) zerlegt. Der wichtigste Einschnitt ist nach der dritten Kürze bzw. vor der Länge des 3. Fußes, ein zweiter Einschnitt erfolgt nach der 4. Kürze.

∪–|∪ ⋮–|∪ ⋮–|∪ ⋮–|∪ –|∪ –

Inops, potentem dum vult   imitārī,   perit.
∪ – | ∪ –|– ⋮ – | –|⋮∪∪ |–– | ∪–

Wer schwach es Starken gleichtun will,
  der geht zugrund.

(Phädrus I 24,1)

ANHANG

145 Maße – Gewichte – Zahlungsmittel

1 Maße

1.1 Längenmaße

Grundmaß ist der **pēs** (*Fuß*) mit ca. 30 cm Länge.

Feinmaße			Grundmaß	Grobmaße		
digitus[1] (1,9 cm)		=	1/16 pēs			
4 digitī	=	1 palmus[2] = (ca. 7,5 cm)	1/4 pēs			
16 digitī	=	4 palmī =	1 **pēs** (30 cm)			
			5 pedēs =	1 passus[3] (1,5 m)		
			5000 pedēs	=	mīlle passūs (1 Meile = 1,5 km)	
			50000 pedēs	=	decem mīlia passuum (10 Meilen = 15 km)	

1.2 Flächenmaße
Grundmaß ist das **iugerum**[4] (*Morgen*), ein Rechteck von 120 x 240 pedēs Seitenlänge (ca. 2500 m^2).

1.3 Hohlmaße
Grundmaß für Flüssigkeiten ist der **congius**[5] (ca. 3,3 l),
Grundmaß für feste Stoffe ist der **modius**[6] (ca. 8,7 l).

Feinmaß	Grundmaß	Grobmaße		
sextārius (0,55 l)				
6 sextāriī =	1 **congius** (3,3 l)			
	4 congiī =	1 ūrna (13 l)		
	8 congiī =	2 ūrnae	=	1 ámphora (26 l)
sextārius (0,55 l)				
	1 **modius** (8,7 l)			
	3 modiī =			1 ámphora (26 l)

---

[1]) digitus: Finger
[2]) palmus, auch palma, -ae: eine Hand (breit)
[3]) passus, -ūs: Doppelschritt
[4]) < iugum (< iungō): Gespann (also iugerum: so viel Land, wie mit einem Gespann Ochsen an einem Tag gepflügt werden kann)
[5]) < griech. konchē: Muschel
[6]) < modus (Wurzel med-: messen): Maß

2 Gewichte

Grundeinheit ist die **lībra**[1], auch **pondō** (*Pfund*) genannt, von ca. 330 g.

Feinmaße		Grundmaß
ūncia[2] (27,5 g)		
4 ūnciae =	1 litra (110 g)	
12 ūnciae =	3 litrae =	1 **lībra** (330 g)

3 Zahlungsmittel

3.1 Historische Entwicklung

Das Wort **pecūnia**[3] für Geld weist darauf hin, dass in früher Zeit das **Vieh** gängiges Zahlungsmittel war. Dieses wurde im Laufe der Entwicklung durch gewogene **Metallbarren** und schließlich durch **Münzen** aus immer edlerem Metall abgelöst. So erklärt sich, dass die Münzen nach ursprünglichen Gewichtsnamen bezeichnet wurden.

3.2 Münzwerte

Grundeinheit ist der **as** (*As*), ein Bronzebarren von einer lībra Gewicht: der **as lībrārius** wog 330 g. In späterer Zeit stellt der **as** die billigste Kupfermünze dar (11,2 g).

Seit Einführung des Silbergeldes (ca. 210 v.Chr.) wurde nach **sēstertiī**[4] (*Sesterzen*) gerechnet.

Grundeinheit			
as[5] (*Bronzemünze*)			
2 1/2 assēs =	1 sēstertius *(Messingmünze mit 27,5 g = 1 ūncia Gewicht)*		
10 assēs =	4 sēstertiī =	1 dēnārius *(Silbermünze mit 4 g Gewicht)*	
	100 sēstertiī =	25 dēnāriī =	1 aureus[6] *(Goldmünze mit 8,2 g Gewicht)*

3.3 Sestertius – Sestertium

Neben der Einheit **sēstertius** (*mask.*) wurde auch **sēstertium** (*neutr.*) verwendet; sēstertium bezeichnet höhere Summen, und zwar

- im **Plural** in Verbindung mit einer **Kardinal-** oder **Distributivzahl** (↗ 26) einen „Tausender":
  z.B. tria/terna sēstertia (HS III):   3000 Sesterzen[7]
       decem/dēna sēstertia (HS X):   10000 Sesterzen[7]
- im **Singular** in Verbindung mit einem **Zahladverb** (↗ 26.3) einen „Zehntausender":
  z.B. ter sēstertium (HS $\boxed{\text{III}}$):   30000 Sesterzen („3x ein Zehntausender")
       deciēs sēstertium (HS $\boxed{\text{X}}$):   100000 Sesterzen („10x ein Zehntausender")

---

[1]) lībra, -ae: Waage; vgl. £ (Zeichen für Pfund Sterling)
[2]) ūncia, -ae: ein Zwölftel, vgl. Unze
[3]) < pecus, pecoris: Vieh
[4]) < sēmis tertius = duo assēs sēmis tertius („2 Asse und ein halber als dritter"), bezeichnet mit HS; dieses Zeichen entwickelte sich aus der Schreibung für 2 1/2 asses: IIS (S Abkürzung für sēmis).
[5]) Diese Grundeinheit wurde duodezimal geteilt: ūncia (1/12 as), sextāns (1/6 as), quadrāns (1/4 as), triēns (1/3 as).
[6]) Seit der Münzreform durch Kaiser Augustus festgelegt.
[7]) Daneben auch tria mīlia sēstertium (*Gen. part.*) bzw. decem mīlia sēstertium (*Gen. part.*).

146   Der römische Kalender

1 Historische Entwicklung

Die Römer richteten sich seit ihren Anfängen in der Berechnung der Monate nach dem Umlauf des Mondes, in der Berechnung des Jahres aber nach dem Umlauf der Sonne. Da die zwölf Monate aber nur 355 Tage umfassten (Januar, April, Juni, August, September, November und Dezember hatten nur 29 Tage), musste das altrömische Jahr alle zwei Jahre durch einen Schaltmonat von abwechselnd 22 bzw. 23 Tagen dem Sonnenjahr angeglichen werden. Weil die dafür zuständigen Priester diese Korrekturen öfter versäumten, passten im Laufe der Zeit die Feste nicht mehr zu den Jahreszeiten.

Deswegen führte **C. Iulius Caesar** durch einen Mathematiker aus Alexandria das in Ägypten seit 4240 v.Chr. übliche Sonnenjahr von 365 $^1/_4$ Tagen mit der bis heute geltenden Zahl der Monatstage ein. So brauchte man statt eines Schaltmonats nur noch alle vier Jahre einen Schalttag, den man dem 24. Februar folgen ließ.

Dieser **Julianische Kalender** gilt mit einer von Papst Gregor XIII. im Jahr 1582 veranlassten Änderung noch heute.

2 Die Monate und die Tage

2.1 Die **Monatsnamen** lauteten

im **vorcäsarischen Mondjahr:**		im **julianischen Sonnenjahr:**	
Iānuārius[1]	29 Tage	Iānuārius	31 Tage
Februārius	28	Februārius	28
Mārtius	31	Mārtius	31
Aprĭlis	29	Aprĭlis	30
Māius	31	Māius	31
Iūnius	29	Iūnius	30
Quīntĭlis	31	I U L I U S	31
Sextĭlis	29	A U G U S T U S	31
September	29	September	30
Octōber	31	Octōber	31
November	29	November	30
December	29	December	31
	355 Tage		365 Tage

Die Zählung **Quīntĭlis** (*quīntus*), **Sextĭlis** (*sextus*) bis **December** (*decem*) erklärt sich daraus, dass die Römer das Jahr ursprünglich nicht mit dem Januar, sondern mit dem Frühlingsmonat März begannen.

Quīntĭlis und Sextĭlis wurden zu Ehren Cäsars und des Kaisers Augustus in **Iūlius** bzw. **Augustus** umbenannt.

---

[1] Der Wortart nach sind alle Monatsnamen Adjektive, z.B.: ⟨mēnsis⟩ Iānuārius: ⟨Monat⟩ Januar; ⟨mēnse⟩ Mārtiō: im ⟨Monat⟩ März

2.2 Die später entstandenen **Wochentagsnamen** sind von den Namen römischer Gottheiten hergeleitet, die teilweise mit altgermanisch-sächsischen Gottheiten gleichgesetzt wurden:

lateinisch	deutsch	englisch	französisch	italienisch
Sōlis diēs	Sonntag	Sunday	[dimanche]	[doménica[1]]
Lūnae diēs	Montag	Monday	lundi	lunedì
Mārtis diēs	Dienstag = Zius[2] Tag	Tuesday	mardi	martedì
Mercuriī diēs	Mittwoch	Wednesday[3]	mercredi	mercoledì
Iovis diēs	Donnerstag = Donars[4]/ Thors Tag	Thursday	jeudi	giovedì
Veneris diēs	Freitag = Frigs[5] Tag	Friday	vendredi	venerdì
Sāturnī diēs	Samstag/ Sonnabend	Saturday	[samedi]	[sábato]

3 Das Datierungssystem

3.1 Jahresdatierung

Die Jahre wurden offiziell nach den beiden amtierenden Konsuln benannt, z.B.:

M. Mesallā M. Pīsōne cōnsulibus[6]   unter dem Konsulat des M. Mesalla u. des M. Piso

Daneben gab es die Datierung **ab urbe conditā**[7] (seit Gründung der Stadt). Diese Datierung lehnt sich an die erst von dem Gelehrten M. Terentius Varro (116–27 v.Chr.) vorgenommene Festlegung der Stadtgründung an. Das von ihm errechnete Gründungsjahr entspricht dem Jahr 753 v.Chr.

3.2 Tagesdatierung

Jeder Monat hatte **drei** besonders bezeichnete Tage. Alle übrigen Tage wurden auf diese **Fixdaten** bezogen und berechnet, wobei die beiden Grenztage mitgezählt wurden.

Fixdaten waren:

– Kalendae (Kal.):	**1. Tag** eines jeden Monats (*die Kalenden*)
– Nōnae (Nōn.):	**5. Tag** des Monats (als *9. Tag* vor den Iden: *die Nonen*);
	7. Tag der Monate März, Juli, Mai und Oktober (Merkwort: M–IL–M–O)
– Īdūs (Īd.): (*Gen.: Īduum*)	**Monatsmitte:** **13. Tag** des Monats (*die Iden*);
	15. Tag der Monate März, Juli (*ursprgl.:* Quīntīlis), Mai und Oktober (Merkwort: M–IL–M–O), weil diese Monate schon im vorcäsarischen Kalender zwei Tage mehr als die übrigen[8], also 31 Tage umfassten.

---

[1] ‹dominī diēs: Tag des Herrn

[2] Ziu: sächsischer Kriegsgott, vgl. Mārs

[3] Wodan: altgermanischer Gott und Totengeleiter, vgl. Mercurius

[4] Donar: altgermanischer Donnergott, vgl. Iūppiter tonāns

[5] Freya/Frig: altnordisch-westgermanische Liebesgöttin (‚Herrin‘), Gattin des Wodan; Venus gleichgesetzt

[6] abgekürzt: M. Messallā M. Pisōne **cōss.**

[7] abgekürzt: **a.u.c.**

[8] Allein der Februar umfasste – schon im vorcäsarischen Kalender – nur 28 Tage.

KALENDARIUM[1]

	Mārtius Iūlius Māius Octōber (diēs XXXI)	Iānuārius Augustus December (diēs XXXI)	Aprīlis Iūnius September November (diēs XXX)	Februārius (diēs XXVIII)
M **IL** **M** **O**				
Kalendīs	1.	1.	1.	1.
a.d. VI Nōnās	2.	–	–	–
V	3.	–	–	–
IV	4.	2.	2.	2.
III	5.	3.	3.	3.
prīdiē Nōnās	6.	4.	4.	4.
Nōnīs	7.	5.	5.	5.
a.d. VIII Īdūs	8.	6.	6.	6.
VII	9.	7.	7.	7.
VI	10.	8.	8.	8.
V	11.	9.	9.	9.
IV	12.	10.	10.	10.
III	13.	11.	11.	11.
prīdiē Īdūs	14.	12.	12.	12.
Īdibus	15.	13.	13.	13.
a.d. XIX Kalendās	–	14.	–	–
XVIII	–	15.	14.	–
XVII	16.	16.	15.	–
XVI	17.	17.	16.	14.
XV	18.	18.	17.	15.
XIV	19.	19.	18.	16.
XIII	20.	20.	19.	17.
XII	21.	21.	20.	18.
XI	22.	22.	21.	19.
X	23.	23.	22.	20.
IX	24.	24.	23.	21.
VIII	25.	25.	24.	22.
VII	26.	26.	25.	23.
VI	27.	27.	26.	24.
VI (*bisextum*)	–	–	–	– / *25.*
V	28.	28.	27.	25. / *26.*
IV	29.	29.	28.	26. / *27.*
III	30.	30.	29.	27. / *28.*
prīdiē Kalendās	31.	31.	30.	28. / *29.*
Kalendīs	1.	1.	1.	1. 1.

Schaltjahr

Erläuterung:

– Der 2. bis 4. bzw. 6. Tag (Merkwort: M–IL–M–O) eines Monats wurde auf die **Nonen** des jeweiligen Monats bezogen,
   z.B. ante diem (a.d.) quārtum Nōnās Iūniās: am 2. Juni;
      ante diem (a.d.) tertium Nōnās Iūliās: am 5. Juli.
– Der 6. bis 12. bzw. bis 14. Tag (Merkwort: M–IL–M–O) wurde auf die **Iden** des jeweiligen Monats bezogen,
   z.B. prīdiē Īdūs Novembrēs: am 12. November,
      ante diem (a.d.) septimum Īdūs Māiās: am 9. Mai.
– Die Tage der zweiten Monatshälfte wurden auf die **Kalenden** des folgenden Monats bezogen,
   z.B. ante diem (a.d.) octāvum Kalendās Februāriās: am 25. Januar,
      ante diem (a.d.) nōnum Kalendās Octōbrēs: am 23. September.

---

[1]) Das folgende Kalendarium gilt seit der cäsarischen Kalenderreform ab dem 1.1.46 v. Chr.

L Lateinische Schrift und Laute

1 Die lateinischen Schriftzeichen

Die lateinischen Schriftzeichen vererbten sich nicht nur auf die romanischen Völker, sondern wurden durch das Christentum auch den Germanen übermittelt.

In der klassischen Zeit kannten die Römer nur Großbuchstaben (*Majuskeln*). Aus ihnen entwickelten sich gegen Ende des Altertums die meist flüssiger zu schreibenden Kleinbuchstaben (*Minuskeln*).

Das **lateinische Alphabet** umfasst folgende Buchstaben:

Minuskel	a b c d e f g h i k l m n o p q r s t u v x y z
Majuskel	A B C D E F G H I K L M N O P Q R S T U V X Y Z

2 Die lateinischen Laute

VOKALE

Das Lateinische hat wie das Deutsche **lange** und **kurze Vokale** (*Selbstlaute*). Längen werden in unserer Sprache oft durch Vokalverdoppelung (z.B. *Paar*) oder Dehnungs-h (z.B. *Bahre*) kenntlich gemacht; gelängtes -i- wird vornehmlich durch -ie- dargestellt.

L1 Die lateinische Schreibweise verfügt nicht über diese Mittel zur Kennzeichnung langer Vokale. Deshalb wird in dieser Grammatik die **Länge eines Vokals** durch einen **Strich** (ˉ) über dem Vokal angegeben:

> ā, ē, ī, ō, ū

L2 Die kurzen Vokale werden in der Regel nicht gekennzeichnet; nur wenn ausdrücklich auf eine **Kürze** hinzuweisen ist, erscheint ein **Häkchen** (˘) über dem Vokal:

> ă, ĕ, ĭ, ŏ, ŭ

L3 In der lateinischen Sprache treten folgende Vokale auf:

Einfache Vokale: a, e, i, o, u
(y)

Doppellaute: au, eu,
(ae, oe)

L4 Der Vokal y (gesprochen wie deutsches ü) kommt nur in griechischen Fremdwörtern vor (z.B. *cyclus*).
Die Zwielaute (Diphthonge) **ae, oe** werden wie die Umlaute ä, ö oder als zwei getrennte Laute a-e, o-e gesprochen (z.B. *caelum, poena*).
Doppellaute sind im Lateinischen stets lang.

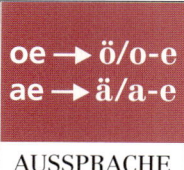

oe → ö/o-e
ae → ä/a-e

AUSSPRACHE

KONSONANTEN

L5 Die **Konsonanten** (*Mitlaute*) sind im Lateinischen und Deutschen weitgehend gleich. Von den deutschen Schriftzeichen fehlen im Lateinischen j, w, z (z kommt bisweilen in Fremdwörtern aus dem Griechischen vor, z.B. *zōna*); k begegnet nur selten, z.B. in *Kalendae* (↗146.3.2). Die ihnen entsprechenden Laute werden im Lateinischen durch folgende Zeichen erfasst: *i, c, v, c*. Das Lautzeichen i bezeichnet sowohl den Vokal i (→ L3) als auch den Konsonanten i.

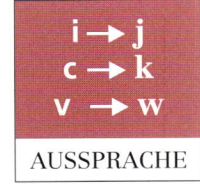

AUSSPRACHE

Die lateinischen Konsonanten werden in **zwei Hauptgruppen** zusammengefasst:

L6 **Verschlusslaute** (*Mutae*)

Als Verschlusslaute oder Mutae[1] bezeichnet man Laute, bei denen die Luft durch ‚Verschluss' während einer gewissen Zeit am Ausströmen gehindert wird.
Man unterscheidet:

	stimmhaft	stimmlos	behaucht
K-Laute (*Kehllaute/Gutturale*[2])	g, gu	c, qu	ch
P-Laute (*Lippenlaute/Labiale*[3])	b	p	ph
T-Laute (*Zahnlaute/Dentale*[4])	d	t	th

Die behauchten Laute findet man in erster Linie in griechischen Fremdwörtern: monar**ch**ia, **ph**iloso**ph**ia, **th**eātrum.

L7 **Dauerlaute**

Als Dauerlaute bezeichnet man Laute, bei denen die Atemluft während der Lautbildung mehr oder weniger ungehindert ausströmen kann.
Man unterscheidet:

	Nasenlaute (*Nasales*[5])	Fließlaute (*Liquidae*[6])	Reibelaute (*Aspiratae*[7])
K-Laute (*Kehllaute/Gutturale*[2])	ng [η]	–	h (ch)
P-Laute (*Lippenlaute/Labiale*[3])	m	–	f, v
T-Laute (*Zahnlaute/Dentale*[4])	n	r, l	s, i [j]

---

[1] Mutae (erg. vōcēs): stumme Laute (< mūtus, -a, -um: stumm)
[2] Gutturale < guttur, -uris: Kehle
[3] Labiale < labium: Lippe
[4] Dentale < dēns, dentis: Zahn
[5] Nasales (erg. vōcēs) < nāsus: Nase
[6] Liquidae (erg. vōcēs) < liquidus, -a, -um: flüssig, fließend
[7] Aspiratae (erg. vōcēs) < aspīrāre: anhauchen

REGELN

Aussprache

L8 **Im Lateinischen** werden die **Laute weitgehend wie im Deutschen** ausgesprochen. **Abweichend** vom Deutschen werden ausgesprochen
- **c** wie **k** (z.B. caedere),
- **ch** wie **k** (z.B. pulcher),
- **v** wie **w** (z.B. vīvus),
- **s** stimmlos wie **ss** oder **ß** (z.B. sedeō, mānsērunt),
- **i** wie **i** (z.B. īre) oder – vor Vokalen – in der Regel wie **j** (z.B. iam, iūs),
- die Doppellaute (Diphtonge) **ae** und **oe** wie die Umlaute **ä** bzw. **ö** oder als zwei getrennte Laute: **a-e** bzw. **o-e**.

L9 **Abweichend** vom Deutschen werden folgende Lautverbindungen ausgesprochen:
- **gu** wie **gw** (z.B. lingua),
- **su** wie **sw** (z.B. suādēre), teilweise auch als zwei getrennte Laute (z.B. su-ā-dēre).

Schreibweise

L10 **Im Lateinischen** werden die **Wörter weitgehend wie im Deutschen** geschrieben. **Abweichend** vom Deutschen gilt:
Lateinische Wörter werden in der Regel **klein geschrieben**.
Groß geschrieben werden nur **Eigennamen** (z.B. Rōma) und von ihnen **abgeleitete Wörter** (z.B. Rōmānus) sowie Wörter am **Satzanfang** (z.B. Urbs Rōma moenibus circumdatur).

Silbentrennung

L11 Die lateinischen Wörter werden wie die deutschen **nach Silben** getrennt (z.B.: ce-le-ri-tās).
Abweichend vom Deutschen gilt:
- **Zusammengesetzte Wörter** werden nach ihren **Bestandteilen** getrennt (z.B. post-eā, prōd-esse).
- Die Verbindung von **Muta mit Liquida** (z.B. tr, pl, chr) wird nicht getrennt (z.B. con-trā, com-plūrēs, pul-chra; ferner vielfach auch *gn* z.B. mā-**gn**us).

Betonung

Die Betonung eines lateinischen Wortes hängt ab von der **Anzahl** und der **Beschaffenheit der Silben**. Silben sind entweder **kurz** oder **lang**.

L12 **Wörter** mit **zwei Silben** werden auf der ersten Silbe betont.

L13 **Wörter** mit **mehr als zwei Silben** werden betont auf der
- vorletzten Silbe, wenn diese lang ist (z.B. nātúra),
- drittletzten Silbe, wenn die vorletzte kurz ist (z.B. muliéribus, homínibus).

DREI-SILBEN-GESETZ

BETONUNG

L14 Als **lang** gilt eine Silbe, wenn
- sie einen **langen Vokal** oder einen **Doppellaut** enthält,
  (*Naturlänge*, z.B. nā-tū-rā, cāē-lum).
- auf einen an sich kurzen Vokal -*ns*- oder -*nf*- folgt,
  (*Naturlänge*, z.B. cōnsul, īnfirmus).
- auf einen an sich kurzen Vokal **zwei oder mehr Konsonanten** folgen
  (*Positionslänge*[1], z.B. ur-**b**em).

Bei Verbindungen von Muta mit Liquida (↗ L6; L7) wird der vorausgehende Vokal in der Regel nicht gelängt (z.B. ĭm-pe-**tr**at).

L15 Wenn die Konjunktion **-que** oder die Fragepartikel **-ne** an ein Wort treten, wird in der Regel die **vorhergehende Silbe betont** (z.B.: pater mātérque; vēnistíne?).

Lautregeln der Vokale

In fast allen Sprachen lässt sich verfolgen, dass durch Abwandeln von Lauten *einzelner Wörter* jeweils eine neue *Ausdrucksform* gewonnen werden kann (z.B.: **gut** – Güte, **werden** – geworden). Diese Erscheinung nennt man Ablaut: sie findet sich auch im Lateinischen.

L16 **Ablaut**

Ablaut ist ein **Wechsel der Vokale des Wortstockes**. Dieser Wechsel erfolgte bereits in sehr früher Zeit. Dabei konnte entweder die SPRECHDAUER (*Quantität*) oder die KLANGFARBE (*Qualität*) verändert werden.

1.	**Quantität:**	Dehnung	iŭvō	iūvī
		Kürzung	foedus (<* *foid*-)	fidēs
			fāma	făteor
		Schwund	es-te	s-unt
2.	**Qualität:**	Vokaländerung (e > o)	necō	noceō

L17 **Vokalschwächung in Binnensilben**

Eine weitere Veränderung kurzer Vokale trat – teilweise unter Einwirkung einer ursprünglichen Anfangsbetonung – ein, indem der Vokal abgeschwächt wurde (**Vokalschwächung**):

a > i	amĭcus	> inimĭcus
	facere	> efficere
i > e	appellābitur	> appellāberis
u > i	caput	> capitis
u > e	genus	> generis
u > o	corpus	> corporis

---
[1] positiō,-ōnis: „Setzung", Vereinbarung
[*] Das Sternchen * weist darauf hin, dass das Wort, vor dem es steht, eine ursprüngliche, nicht mehr vorhandene Erscheinungsform darstellt.

L18 Vokalkürzung – Vokaldehnung

1. **Endsilben** werden (außer vor -s) **gekürzt**:
   animăl (aber: animālis), diĕm (aber: diēs̄), vidĕt (aber: vidēs).

2. **Langer Vokal** wird vor unmittelbar folgendem Vokal **gekürzt**:
   rĕī (aber: rēs), placĕāmus (aber: placēmus), gaudĕō (aber: gaudēs).

3. **Kurze Vokale** werden im **Partizip Perfekt Passiv** (PPP) **gedehnt**, wenn der Präsens-Stamm auf **-g-** oder **-d-** auslautet:
   rēctum (<* reg-tum), aber rĕgere.

4. **Ersatzdehnung** tritt ein, wenn der **auslautende Konsonant** des Wortstocks **ausfällt**:
   mōtus <* movtus.

L19 Kontraktion

Zwei innerhalb eines Wortes **zusammenstoßende Vokale** werden häufig in einen langen Vokal „zusammengezogen" (*kontrahiert*): * cŏ-ăgō > cōgō; * laudaō > laudō; * deĭs > dīs.

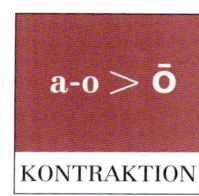

KONTRAKTION

L20 Vokalentfaltung – Vokalschwund

1. Zur Erleichterung der Aussprache werden zwischen Konsonanten kurze Bindevokale (Hilfsvokale) **eingeschoben**: * agr > ager; * laudāb-s > laudābis.

2. Im Wortinnern „schwindet" in einigen Fällen der Vokal (*Synkope*): * validē > valdē.
   Am Wortende **entfällt auslautendes -e** bei manchen Wörtern:
   * animāle > * animal (→ L18.1); neque > * neq > nec.

L21 Vokaländerung in der Endsilbe

1. Kurzes **-o-** wird vor -s, -m, -nt zu **-u-**: dominus < * dominos.
   Kurzes **-i** wird zu **-e**: mare < * mari.

2. Im Auslaut wird **-oi** zu **-ī**: dominī < * dominoi,
   -ai wird zu **-ae** oder **-ī**: cūrae < * cūrāi, cūrīs < * curais.

Lautregeln der Konsonanten

Konsonanten werden im Lateinischen nur verändert, wenn dadurch eine Vereinfachung der Aussprache oder Schreibung erreicht wird.

L22 Rhotazismus

-s- zwischen Vokalen wird zu **-r-**.

honōs – honōris <* honosis	esse – eris, erat	litus – litoris

L23 Assimilation

Ein Konsonant wird an den folgenden oder vorausgehenden **angeglichen**. Diese Erscheinung findet sich hauptsächlich in zusammengesetzten Wörtern.

ad-pellō > ap**p**ellō	con-rigere > co**r**rigere
pot-sum > po**s**sum	ad-ferre > a**f**ferre

L24 Annäherung von Konsonanten

Manchmal erfolgt zur leichteren Aussprache nur eine „**Annäherung**" der Konsonanten:

* con-parāre > co**m**parāre	scrībo: * scrib-sī > scrī**p**sī
	augeō: * aug-tum > au**c**tum

L25 Dissimilation

Wenn zwei gleiche oder ähnliche, kurz aufeinander folgende Konsonanten den Sprachfluss erschweren, wird in der Regel der **erste** (meist zu -r-) **geändert**.

* medi-diēs > me**r**īdiēs	* can-men > ca**r**men

L26 Konsonantenschwund – Konsonanteneinschub

1. **Auslautende** Konsonantengruppen werden **verkürzt**:

* es-s > es	* ped-s > * pes-s > pēs

2. Bei **Konsonantenhäufung** wird oft der **mittlere Konsonant ausgestoßen**:

* sent-sī > sēnsī

3. Zwischen **-m-** und **folgendem -s-** bzw. **-t-** wird manchmal ein **Konsonant** zur Erleichterung der Aussprache **eingeschoben**:

* sum-sī > sū**m**psī	* em-tum > ē**m**ptum

Verbindung von -s- mit Verschlusslauten (Mutae)

L27 In Verbindung mit folgendem **-s** werden die **K-Laute** zu **-x**.

c-s > -x: pāx < * pac-s	g-s > -x: rēx < * reg-s

L28 In Verbindung mit folgendem **-s** werden die **T-Laute** zu einem **-s**.

t-s > -s: pars < * part-s	d-s > -s: pēs < * pēs-s < * ped-s

REGISTER

Wort- und Sachverzeichnis

Die Ziffern geben das Kapitel und in der Regel die erste Teilzahl an.

Die Stammformen der Verben sind im „Register zu den Verben" S. 295 f. gesondert aufgeführt.

Register zu den Verben in §§ 14 – 19

Die erste Ziffer verweist auf das Kapitel, die zweite Ziffer auf die Nummer der mit den Stammformen angegebenen Verben

Satzpositionen und Füllungsarten

Die **fünf Positionen** des Satzmodells können von verschiedenen sprachlichen Elementen gefüllt sein: **Füllungsarten**.

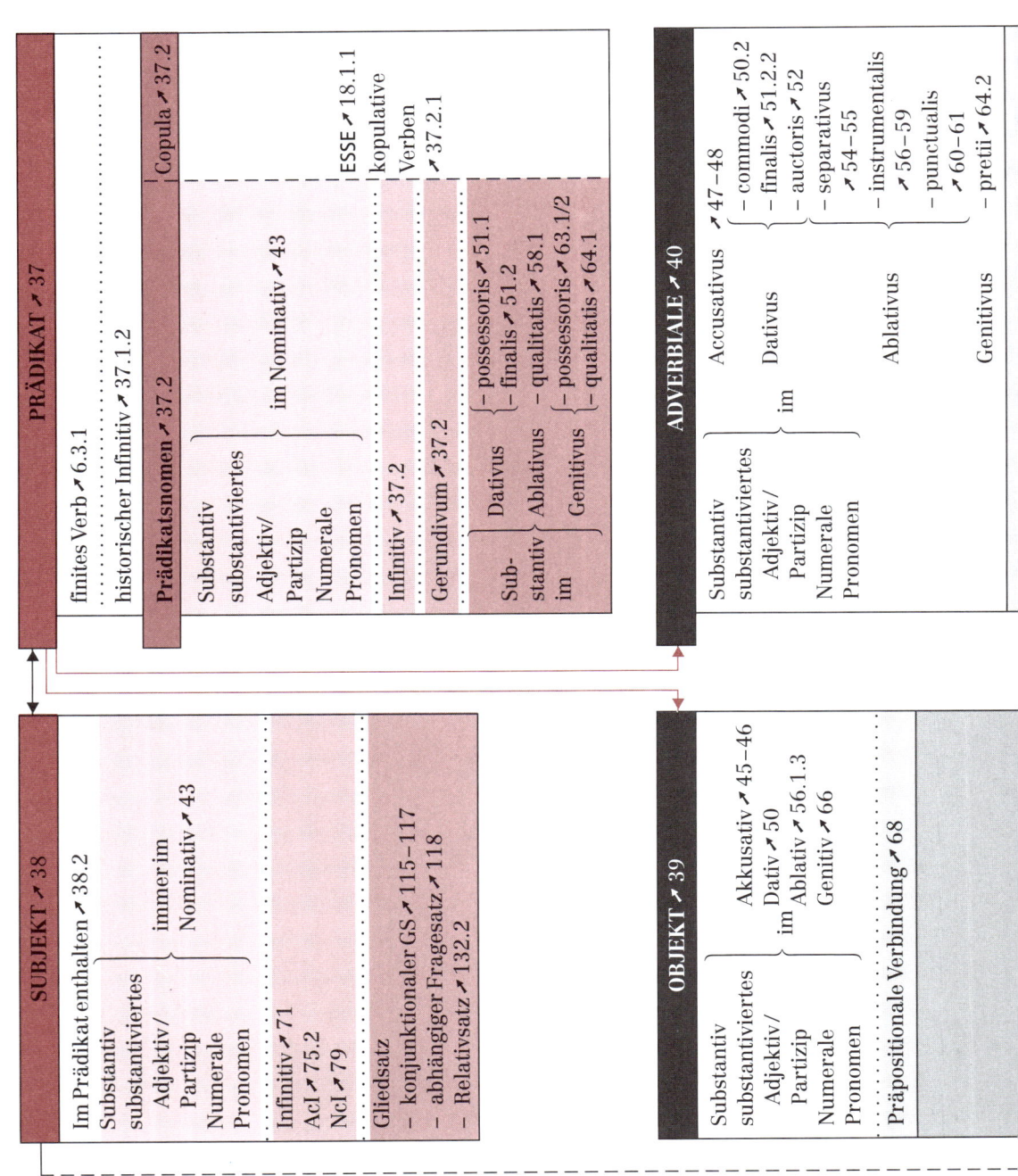